$2

06/2024

Un roman russe

DU MÊME AUTEUR

Chez le même éditeur

BRAVOURE, Prix Passion 1984, Prix de la Vocation 1985

LA MOUSTACHE, 1986

LE DÉTROIT DE BEHRING, Grand Prix de la science-fiction 1987,
   Prix Valery Larbaud 1987

HORS D'ATTEINTE ?, Prix Kléber Haedens 1988

LA CLASSE DE NEIGE, Prix Femina 1995

L'ADVERSAIRE, 2000

Chez d'autres éditeurs

WERNER HERZOG, Edilig, 1982

L'AMIE DU JAGUAR, Flammarion, 1983

JE SUIS VIVANT ET VOUS ÊTES MORTS : PHILIP K. DICK, 1928-1982,
   Le Seuil, 1993

Emmanuel Carrère

Un roman russe

P.O.L
33, rue Saint-André-des-Arts, Paris 6e

1

Le train roule, c'est la nuit, je fais l'amour avec Sophie sur la couchette et c'est bien elle. Les partenaires de mes rêves érotiques sont en général difficiles à identifier, elles sont plusieurs personnes à la fois sans avoir le visage d'aucune, mais cette fois non, je reconnais la voix de Sophie, ses mots, ses jambes ouvertes. Dans le compartiment de wagon-lit où jusqu'alors nous étions seuls survient un autre couple : M. et Mme Fujimori. Mme Fujimori nous rejoint, sans façons. L'entente est immédiate, très rieuse. Soutenu par Sophie dans une posture acrobatique, je pénètre Mme Fujimori, qui bientôt jouit avec transport. À ce moment, M. Fujimori nous fait remarquer que le train n'avance plus. Il est arrêté en gare, peut-être depuis un certain temps. Immobile sur le quai éclairé au sodium, un milicien nous observe. Nous tirons les rideaux en hâte et, persuadés que le milicien va monter dans le wagon pour nous demander compte de notre conduite, nous dépêchons de

9

tout remettre en ordre et de nous rhabiller afin d'être prêts, quand il ouvrira la porte du compartiment, à lui assurer avec aplomb qu'il n'a rien vu, qu'il a rêvé. Nous imaginons son visage dépité, soupçonneux. Tout se passe dans un excitant mélange d'affolement et de fou rire. Pourtant, j'explique qu'il n'y a pas de quoi rire : nous risquons d'être arrêtés, conduits au poste pendant que le train repartira, et à partir de là Dieu sait ce qui arrivera, notre trace sera perdue, nous crèverons sans que personne nous entende crier dans un cul-de-basse-fosse au fond de ce bled boueux de la Russie profonde. Mes alarmes font tordre de plus belle Sophie et Mme Fujimori et finalement je ris avec elles.

Le train est arrêté, comme dans le rêve, le long d'un quai désert mais vivement éclairé. Il est trois heures du matin, quelque part entre Moscou et Kotelnitch. J'ai la gorge sèche, mal à la tête, trop bu au restaurant avant de partir pour la gare. En prenant garde de ne pas réveiller Jean-Marie allongé sur l'autre couchette, je me glisse entre les caisses de matériel qui encombrent le compartiment et sors dans le couloir, à la recherche d'une bouteille d'eau. Au wagon-restaurant où, quelques heures plus tôt, nous avons éclusé nos dernières vodkas, on ne sert plus. La lumière est réduite à une veilleuse par table. Quatre militaires, qui ont pris leurs précautions, continuent néanmoins à s'arsouiller. Quand je passe à leur hauteur, ils me proposent un verre que je décline et, en continuant d'avancer, je reconnais Sacha, notre interprète, affalé sur une banquette et ronflant puissamment. Je m'assieds un peu plus loin, calcule le décalage horaire, minuit à Paris, ça va encore, j'essaie d'appeler Sophie pour lui raconter ce rêve qui me semble extraordinairement prometteur mais le portable ne passe pas, alors j'ouvre mon carnet et, à la place, je le note.

D'où sortent M. et Mme Fujimori ? Je ne me le demande pas longtemps. C'est le nom du président péruvien, d'origine japonaise, sur lequel il y avait un article dans *Libération* ce matin. Je l'ai lu dans l'avion, en diagonale : les affaires de corruption qui viennent de lui coûter le pouvoir ne me passionnaient pas. Sur la page voisine, en revanche, un autre article m'a intrigué. Il s'agissait de Japonais disparus dont les familles se sont persuadées qu'ils ont été enlevés et retenus en Corée du Nord, certains depuis trente ans. Aucune actualité ne commandait cet article, dont on pouvait se demander pourquoi il paraissait ce jour-là plutôt qu'un autre et même cette année-là plutôt qu'une autre : pas de manifestation organisée par les familles, pas d'anniversaire, pas d'élément nouveau dans le dossier, classé depuis longtemps, à supposer qu'on l'ait jamais ouvert. On avait l'impression que le journaliste était par hasard, dans le métro, dans un bar, entré en relations avec des gens dont le fils ou le frère avait disparu sans laisser de traces dans les années soixante-dix. Pour affronter l'horreur de l'incertitude, ces gens s'étaient raconté cette histoire, puis, longtemps après, l'avaient racontée à un inconnu, qui la racontait à son tour. Est-ce qu'elle était plausible ? Est-ce qu'il y avait, à défaut de preuves, des présomptions pour l'étayer, au moins une argumentation ? Il

11

me semble que si j'avais été son rédacteur en chef, j'aurais demandé au journaliste de pousser plus loin son enquête. Mais non, il rapportait seulement que des gens, des familles, croyaient leurs parents disparus prisonniers dans des camps en Corée du Nord. Morts ou vivants, comment le savoir? Morts plus probablement, de faim ou sous les coups de leurs geôliers. Et s'ils vivaient encore, ils ne devaient plus rien avoir de commun avec les jeunes gens qu'on avait vus pour la dernière fois trente ans plus tôt. Si on les retrouvait, que pourrait-on leur dire? Et eux, que diraient-ils? Est-ce qu'il fallait souhaiter les retrouver?

Le train est reparti, traverse des forêts. Pas de neige. Les quatre militaires sont finalement allés se coucher. Dans le wagon-restaurant où les veilleuses tremblotent, il ne reste plus que Sacha et moi. À un moment de la nuit, Sacha s'ébroue, se redresse à demi. Sa grosse tête ébouriffée surgit de derrière le dossier de sa banquette. Il me voit attablé, en train d'écrire, fronce les sourcils. Je lui adresse un petit signe apaisant, comme pour dire : rendors-toi, on a encore le temps, et il replonge, certain sans doute d'avoir rêvé.

Quand j'étais coopérant en Indonésie, il y a vingt-cinq ans, des histoires terrifiantes et pour la plupart vraies circulaient parmi les voyageurs au sujet des prisons où on enferme les gens qui se font prendre avec de la drogue. Dans les bars de Bali, il se trouvait toujours un barbu en tee-shirt sans manches pour raconter qu'il y avait échappé de justesse et qu'un de ses copains, moins chanceux, purgeait à Bangkok ou Kuala Lumpur cent cinquante ans de mort lente. Un soir qu'on parlait de ça depuis des heures avec une nonchalance farouche, un type que je ne connaissais pas a raconté une autre histoire, peut-être inventée, peut-être pas. C'était encore le temps de l'Union soviétique. Quand on prend le Transsibérien, expliquait le type, il est strictement défendu de descendre en route, de s'arrêter par exemple à une station pour y faire du tourisme en attendant le train suivant. Or il paraît qu'on trouve dans certaines villes perdues le long de la voie ferrée des champignons hallucinogènes exceptionnels – l'histoire, selon le public, peut être racontée en modifiant l'appât : tapis très rares et très bon marché, bijoux, métaux précieux… Si bien que parfois des audacieux se risquent à braver l'interdiction. Le train s'arrête pour trois minutes dans une petite station en Sibérie. Froid de canard, pas de ville, seulement des baraquements : une zone sinistre, boueuse, qui semble dépeuplée. Sans se faire remarquer, l'aventurier descend. Le train repart, il reste seul. Son sac sur l'épaule, il quitte la station, c'est-à-dire le quai de planches pourries, patauge dans des flaques, entre palissades et barbelés, en se demandant s'il a vraiment eu une bonne idée. Le premier être humain qu'il rencontre est une espèce de hooligan dégénéré qui lui souffle à la figure une haleine épouvantable et lui tient un discours dont les nuances se perdent (le voyageur ne parle que quelques mots de russe, et ce que parle le hooligan n'est peut-être pas du russe), mais le sens général est clair : il ne peut pas se promener comme ça, il va se faire ramasser par la police. *Milicia !… milicia !* Suit un torrent de mots incompréhensibles mais, la mimique aidant, le voyageur comprend que le zonard lui offre de l'héberger jusqu'au prochain train. Ce n'est pas une offre très engageante, mais il n'a guère le choix et peut-être, après tout, l'occasion se présentera de parler champignons ou bijoux. À la suite de son hôte, il pénètre dans une affreuse cambuse, chauffée par un poêle fumeux, où se trouvent réunis d'autres types encore plus patibulaires. On sort une bouteille de tord-boyaux, on trinque, on discute en le regardant, le mot *milicia* revient souvent, c'est le seul qu'il reconnaît et, à tort ou à raison, il se figure qu'on parle de ce qui se passera s'il tombe entre les mains de la milice. Il ne s'en tirera pas avec une grosse amende, oh que non ! – tous rigolent comme des bossus. Non, on ne le reverra jamais. Même si on l'attend au terminus, à Vladivostok, on s'apercevra de son absence et ce sera tout. Sa famille, ses amis pourront faire tout le raffut qu'ils voudront, on ne saura jamais, on ne cherchera jamais à savoir où il a disparu. Le voyageur tente de se raisonner : ce n'est peut-être pas du tout cela qu'ils disent, peut-être qu'ils parlent des confitures que font leurs grands-mères. Mais non, il sait très bien que non. Il sait très bien qu'ils parlent du sort qui l'attend, déjà il a compris qu'il aurait mieux valu tomber sur ces miliciens corrompus dont on le menace si jovialement, qu'en fait **tout** aurait mieux valu que cette cahute de planches mal jointes, que ces joyeux drilles édentés dont le cercle à présent se resserre autour de lui, qui toujours par plaisanterie commencent à lui pincer la joue, à lui donner des pichenettes, des bourrades, à lui montrer comment font les miliciens jusqu'au moment où ils l'assomment et il se réveille plus tard, dans le noir. Il est nu sur le sol de terre battue, tremble de froid et de peur. En étendant le bras, il comprend qu'on l'a enfermé dans une sorte d'appentis, et que c'est fini. La porte s'ouvrira de temps à autre, les bouseux hilares viendront le frapper, lui marcher dessus, le sodomiser, bref s'amuser un peu, on n'a pas tant d'occasions pour ça en Sibérie. Personne ne sait où il est descendu, personne ne viendra le secourir, il est à leur merci. Ils doivent traîner, quand un train est attendu, aux alentours de la gare, dans l'espoir qu'un imbécile enfreindra l'interdiction : celui-là, il est pour eux. On en fait toutes sortes d'usages, jusqu'à ce qu'il crève, et on attend le suivant. Bien sûr, il ne se dit pas cela si raisonnablement, mais à la façon d'un homme qui reprend connaissance dans une boîte étroite où il ne voit rien, n'entend rien, ne peut se mouvoir et met quelque temps à comprendre qu'on l'a enterré vivant, que tout le rêve de sa vie menait à cela, et que c'est la réalité, la dernière, la vraie, celle dont il ne se réveillera jamais.

Il est là.

Moi aussi, d'une certaine façon, je suis là. J'ai été là toute ma vie. Pour me représenter ma condition, j'ai toujours recouru à ce genre d'histoires. Je me les suis racontées, enfant, puis je les ai racontées. Je les ai lues dans des livres, puis j'ai écrit des livres. Longtemps, j'ai aimé cela. J'ai joui de souffrir d'une manière qui m'était singulière et faisait de moi un écrivain. Aujourd'hui je n'en veux plus. Je ne supporte plus d'être prisonnier de ce scénario morne et immuable, quel que soit le point de départ de me retrouver à tisser une histoire de folie, de gel, d'enfermement, à dessiner le plan du piège qui doit me broyer. Il y a quelques mois, j'ai publié un livre, *L'Adversaire*, qui m'a tenu prisonnier sept ans et dont je sors exsangue. J'ai pensé : maintenant, c'est fini, je passe à autre chose. Je vais vers le dehors, vers les autres, vers la vie. Pour cela, ce qui serait bien, ce serait de refaire des reportages.

Je l'ai dit autour de moi et on n'a pas tardé à m'en proposer un. Pas n'importe lequel : l'histoire d'un malheureux Hongrois qui, fait prisonnier à la fin de la Seconde Guerre mondiale, a passé plus de cinquante ans enfermé dans un hôpital psychiatrique au fin fond de la Russie. On s'est tous dit que c'était un sujet pour toi, répétait avec enthousiasme mon ami journaliste, et bien sûr cela m'a exaspéré. Qu'on pense à moi chaque fois qu'il est question d'un type emmuré toute sa vie dans un asile de fous, c'est précisément ce dont je ne veux plus. Je ne veux plus être celui que cette histoire intéresse. N'empêche qu'évidemment, elle m'intéresse. Et puis cela se passe en Russie, qui n'est pas le pays de ma mère puisqu'elle n'y est pas née, mais le pays où on parle la langue de ma mère, la langue que j'ai un peu parlée enfant et ensuite complètement oubliée.

J'ai dit oui. Et quelques jours après avoir dit oui, j'ai rencontré Sophie, ce qui d'une autre façon m'a donné l'impression de passer à autre chose. Pendant tout le dîner au restaurant thaïlandais près de Maubert, je lui ai raconté l'histoire du Hongrois, et cette nuit, dans le train qui me conduit à Kotelnitch, je repense à mon rêve, je me dis qu'il y a dedans tout ce qui me paralyse : le regard du milicien sur moi faisant l'amour, la menace ou plutôt la certitude de l'emprisonnement, du piège qui se referme, et que tout y est pourtant léger, allant, joyeux, comme la partie de jambes en l'air improvisée avec Sophie et la mystérieuse Mme Fujimori. Je me dis que oui, je vais raconter une dernière histoire d'enfermement, et que ce sera aussi l'histoire de ma libération.

Ce que je sais de mon Hongrois tient en quelques dépêches de l'AFP, datant d'août et de septembre 2000. Ce petit paysan de dix-neuf ans a été entraîné par la Wehrmacht dans sa retraite, puis capturé par l'Armée rouge en 1944. D'abord interné dans un camp de prisonniers, il a été transféré en 1947 à l'hôpital psychiatrique de Kotelnitch, une petite ville à 800 km au nord-est de Moscou. Il y a passé cinquante-trois ans, oublié de tous, ne parlant presque pas, car personne autour de lui ne comprenait le hongrois et lui de son côté, si bizarre que cela puisse paraître, n'a pas appris le russe. On l'a retrouvé cet été, tout à fait par hasard, et le gouvernement hongrois a organisé son rapatriement.

J'ai vu quelques images de son arrivée, un sujet de trente secondes à la télévision. Les portes vitrées de l'aéroport de Budapest s'écartent devant le fauteuil roulant où se recroqueville un pauvre vieil homme apeuré. Les gens qui l'entourent sont en chemisette, mais lui porte un bonnet de

17

grosse laine, grelotte sous un plaid. Une jambe de pantalon est vide, relevée par une épingle de nourrice. Les flashes des photographes crépitent, l'éblouissent. Autour de la voiture où on le fait monter, des femmes âgées se pressent en faisant de grands gestes et criant des prénoms différents : Sándor! Ferenc! András! Plus de 80 000 soldats hongrois ont été portés disparus après la guerre, on a depuis longtemps cessé de les attendre et voilà qu'il en revient un, cinquante-six ans après. Il est plus ou moins amnésique, même son nom est une énigme. Les registres de l'hôpital russe, qui constituent ses seuls documents d'identité, l'appellent indifféremment András Tamas, ou bien András Tomas, ou bien Tomas András, mais il secoue la tête quand on prononce ces noms devant lui. Il ne veut ou ne peut pas dire le sien. Cela explique qu'au moment de son rapatriement, couvert par la presse hongroise comme un événement national, des dizaines de familles croient reconnaître en lui l'oncle ou le frère disparu. Dans les semaines qui suivent son retour, la presse donne pratiquement chaque jour des nouvelles de lui et de l'enquête. D'un côté on accueille et interroge les familles qui le réclament, de l'autre on l'interroge, lui, on tente de réveiller ses souvenirs. On répète devant lui des noms de villages et de personnes. Une dépêche rapporte qu'à l'Institut psychiatrique de Budapest, où on le garde en observation, des antiquaires et des collectionneurs défilent, convoqués par ses médecins, pour lui montrer des casquettes d'uniformes, des galons, de vieilles pièces de monnaie, des objets supposés évoquer la Hongrie du temps qu'il a connu. Il réagit peu, grommelle plus qu'il ne parle. Ce qui lui tient lieu de langue n'est plus vraiment le hongrois mais une sorte de dialecte privé, celui du monologue intérieur qu'il a ressassé au long de son demi-siècle de solitude. Des bouts de phrases surnagent, où il est question de la traversée du Dniepr, de chaussures qu'on lui a volées ou qu'il craint qu'on lui vole, et surtout de la jambe qu'on lui a coupée, là-bas, en Russie. Il voudrait qu'on la lui rende, ou qu'on lui en donne une autre. Titre de la dépêche : « Le dernier prisonnier de la Seconde Guerre mondiale réclame une jambe de bois. »

Un jour, on lui lit *Le Petit Chaperon rouge*, et il pleure.

Au bout d'un mois, l'enquête aboutit, confirmée par des tests ADN. Le revenant s'appelle András Toma – mais en Hongrie on dit Toma András, Bartók Béla, le nom avant le prénom, comme au Japon. Il a un frère et une sœur, plus jeunes que lui, qui habitent un village à la pointe orientale du pays, celui-là même qu'il a quitté cinquante-six ans plus tôt pour partir à la guerre. Ils sont prêts à l'accueillir chez eux.

En allant à la pêche aux renseignements, j'apprends d'une part que son transfert de Budapest à son village natal n'aura pas lieu avant quelques semaines, d'autre part que le 27 octobre l'hôpital psychiatrique de Kotelnitch fêtera le jubilé de ses quatre-vingt-dix ans. C'est par là qu'il faut commencer.

L'arrêt à Kotelnitch ne dure que deux minutes, c'est peu pour débarquer nos caisses de matériel. J'ai l'habitude des reportages écrits, donc de travailler seul, parfois avec un photographe : une équipe de télévision, c'est tout de suite plus lourd. Bien que nous soyons les seuls passagers à descendre et que personne ne monte, il y a pas mal de monde sur le quai, principalement des vieilles femmes en fichus et bottines de feutre qui veulent nous vendre des seaux remplis d'airelles et nous engueulent quand nous désignons notre barda en espérant leur faire comprendre que nous sommes assez chargés comme ça. Autour, cela ressemble beaucoup à la station du Transsibérien de mon histoire : terre battue, flaques boueuses, palissades de bois écaillées derrière lesquelles des types tondus vous regardent avec une curiosité franchement pas amène. Je me dis que c'est mieux d'être quatre ici que seul. Jean-Marie empoigne sa caméra, Alain fixe son micro sur sa perche, les vieilles femmes redoublent de mauvaise humeur. Sacha part vers la gare à la recherche d'une voiture et revient bientôt accompagné d'un certain Vitali qui dans sa Jigouli hors d'âge nous conduit à l'unique hôtel de la ville, le *Viatka*. Viatka est à la fois l'ancien et le nouveau nom de Kirov, qui est la capitale de la région et la station suivante sur la ligne de chemin de fer. Déjeunant chez mes parents quelques jours avant mon départ et cherchant à repérer avec eux les lieux de mon reportage, j'ai appris de ma mère que Kirov s'est appelée ainsi à l'époque soviétique en hommage au grand bolchevik dont l'assassinat a donné le départ et sans doute le prétexte des purges de 1936, puis de mon père – qui se passionne pour la famille de ma mère – qu'en 1905, au temps où elle s'appelait encore Viatka, mon arrière-grand-oncle, le comte Victor Komarowsky, en a été le vice-gouverneur. Le *Viatka*, en tout cas, est un de ces hôtels que connaissent bien les voyageurs en Russie, où non seulement rien ne marche, ni le chauffage, ni le téléphone, ni l'ascenseur, mais où on devine que rien n'a jamais marché, même le jour de son inauguration. Deux ampoules sur trois sont grillées. Des torsades de fils électriques mal gainés courent en tous sens le long de parois lépreuses. Les radiateurs éteints, au lieu d'être comme partout plaqués contre les murs, sont orientés à leur perpendiculaire, vers le centre des pièces, au bout de longs tuyaux qui ne sont jamais droits mais bizarrement coudés. Des draps élimés et grisâtres, si petits qu'on les distingue mal des serviettes de toilette, couvrent à demi les lits à une place défoncés, une pellicule de poussière graisseuse englue ce qui tient lieu de mobilier. Pas d'eau chaude. Sacha, à qui la veille j'ai naïvement demandé si on pourrait payer l'hôtel avec une carte de crédit, me regarde en secouant la tête, goguenard. Une carte de crédit... Pfff... Et, comme je parle un peu russe, *tchoutchout*, un tout petit peu, il commente : *Tout, my vo dnié*, ici, on est dans le trou.

Le pèlerinage aux lieux ou a vécu András Toma commence dans le bureau du docteur Petoukhov, médecin-chef de l'hôpital, et ce serait parfait, estime-t-il manifestement, s'il se terminait là aussi. Non que Iouri Léonidovitch, comme il nous invite à l'appeler, soit hostile aux journalistes : il effeuille au contraire avec fierté le paquet de cartes de visite laissées par les représentants de divers médias russes et étrangers, Izvestia, CNN, Reuter... Mais il a mis au point son petit topo sur l'histoire, et ne voit pas bien ce que nous pourrions souhaiter de plus. Le 11 janvier 1947, donc, le patient a été transféré du camp de prisonniers de Bistriag, distant d'une quarantaine de kilomètres et disparu depuis les années cinquante, à l'hôpital psychiatrique de Kotelnitch. Il a été reçu ici même, dans cette petite maison de bois bien chauffée, bien cirée, peinte de jolies couleurs pastel, par la doctoresse Kozlova qui lui a ouvert un dossier. D'un geste légèrement théâtral, Iouri Léonidovitch ouvre à son tour ce dossier et invite Jean-Marie à zoomer, comme l'ont sans doute fait ses devanciers, sur les premières notations de la doctoresse Kozlova. Papier jauni, encre pâlie, petite écriture régulière. Le patient a été enregistré sous le nom de Tomas, Andreas, né

23

en 1925, de nationalité magyare. Ce *s* et ce *e* de trop ont provoqué beaucoup de confusion à son retour en Hongrie, mais on peut difficilement en rendre responsable la doctoresse Kozlova car le patient ne répond à aucune de ses questions, ne semble même pas les entendre, il faut donc supposer que les réponses ont été données par les soldats qui l'accompagnaient. Ses vêtements sont sales, déchirés, trop petits et surtout trop légers pour la saison. Il se tait obstinément, parfois rit sans raison. À l'hôpital militaire dépendant du camp, il refusait de manger, ne dormait pas, pleurait, et il lui arrivait de se montrer violent. Cette conduite fonde le diagnostic de « psychonévrose », justifiant son transfert dans un hôpital civil. Sans trop y croire, je demande si la doctoresse Kozlova est encore en vie. Iouri Léonidovitch secoue la tête : non, il n'y a plus de témoin de l'arrivée d'András Toma, ni des premiers temps de son séjour. Quand lui-même a pris ses fonctions, il y a une dizaine d'années, le patient ne présentait, dit-il, aucun intérêt pour un psychiatre. Paisible, silencieux, retiré en lui-même. En 1997, on a dû lui couper une jambe. Et puis, le 26 octobre 1999, il y a tout juste un an, une huile des services de santé est venue visiter l'hôpital. Iouri Léonidovitch, en promenant son hôte, est passé devant le vieil unijambiste et l'a présenté comme le doyen de ses patients. Il sourit, attendri, au souvenir de cette scène. Je l'imagine lui pinçant l'oreille, comme Napoléon à ses grognards : un brave vieux, bien tranquille, qui est là depuis la guerre et ne parle que hongrois, ah ah ah ! Il se trouve qu'une journaliste locale couvrait l'événement et, comme ce ne devait pas être bien passionnant à raconter, qu'elle a fait son article sur le thème : le dernier prisonnier de la Seconde Guerre mondiale est parmi nous. Le slogan lancé, une agence l'a repris, puis une autre, et il a bientôt fait le tour des rédactions. Alerté, le consul de Hongrie est venu de Moscou, puis des psychiatres de Budapest, qui ont fini par l'emmener cet été. Iouri Léonidovitch, depuis, n'a reçu que d'excellentes nouvelles de lui et se réjouit des progrès dont l'informent avec régularité ses confrères hongrois. La placidité avec laquelle il parle de ces progrès m'étonne un peu. Qu'un homme puisse en deux mois revenir à la vie et la parole après avoir passé cinquante-trois ans chez lui réduit à l'état de bûche, ça ne le trouble en aucune façon et il ne lui vient pas à l'esprit lorsqu'il reçoit des journalistes qu'ils pourraient en tirer des conclusions cruelles sur la psychiatrie dans son pays en général ou dans son hôpital en particulier. Rien de défensif dans sa manière de nous résumer le dossier, et s'il refuse de nous laisser le consulter directement, j'ai l'impression que ce n'est pas tant par méfiance que pour garder son monopole sur le seul objet de curiosité médiatique jamais apparu à Kotelnitch.

Médecin-chef et administrateur de l'hôpital, député à la Douma locale apprendrons-nous par la suite, Iouri Léonidovitch ne sort guère de sa douillette maison de bois et ne voit que rarement les malades. Vladimir Alexandrovitch Malkov, à qui il nous confie après que nous avons beaucoup insisté pour en voir un peu plus, est un médecin soignant, et le responsable du pavillon où Toma a passé les dernières décennies. Très grand, très blond, très pâle, portant blouse blanche et lunettes légèrement teintées, il a ce physique froid qui, dans un roman russe du XIXᵉ, aurait fait dire qu'il avait l'air d'un Allemand. De prime abord moins jovial et coopératif que son patron, il semble avoir gardé un souvenir mitigé des diverses équipes de journalistes dont celui-ci collectionne les cartes de visite. Comment pouvez-vous vivre sans eau chaude ? lui a demandé un cameraman. Et lui, haussant les épaules : vous, vous vivez. Nous, ici, nous survivons.

Salle n° 2. Neuf lits. Le sien était le premier à gauche de la porte, contre le mur, dans un angle. Il n'y a pas eu de mouvement ces derniers temps, les autres n'ont pas bougé depuis son départ, c'étaient ses voisins de chambrée. Survêtements, pantoufles, visages évidés d'hommes à qui on a tout pris. Il y a ceux qui marchent dans la travée entre les lits, de la fenêtre à la porte, en traînant les pieds et remuant les mains. Ceux qui se tiennent assis au bord du lit, des heures, et puis ceux qui restent allongés : l'un sous sa couverture, dont nous ne verrons jamais le visage, l'autre bien droit, comme un gisant, les bras croisés sur la poitrine, le visage refermé sur un rictus qui est désormais sa seule expression. Ils ont échoué ici parce que la vie était trop dure dehors, l'alcool trop fort, leurs têtes trop pleines de voix menaçantes, mais ils ne sont pas dangereux, pas même agités. « Stabilisés », nous explique Vladimir Alexandrovitch. Ces dix dernières années, le budget de l'hôpital n'a cessé de se réduire, il a fallu réduire aussi les effectifs, renvoyer qui on pouvait, tous ceux qui allaient mieux et qui avaient des familles pour les accueillir, mais ceux-là n'ont rien ni personne, alors que voulez-vous ? on les garde. On ne les soigne pas vraiment, on ne leur parle pas vraiment, mais on les garde. C'est peu. Ce n'est pas rien.

On a gardé András Toma. Il avait une famille pourtant, un pays où on aurait pu le renvoyer, ce n'était théoriquement pas impossible de signaler son existence au consulat de Hongrie à Moscou mais l'idée n'est venue à personne, c'est si loin, Moscou, pour ne rien dire de la Hongrie. Il avait échoué là, il y est resté, comme un colis en souffrance, et petit à petit même la souffrance s'est érodée.

Ce n'était pas un gisant, il ne passait pas ses journées sur son lit, mais à la menuiserie, à la serrurerie, au garage, et, au temps où l'hôpital avait une ferme à l'extérieur, il y était tout le temps fourré. Très habile de ses mains, toujours très affairé, il allait et venait librement, c'est pourquoi Vladimir Alexandrovitch juge un peu excessif le slogan le présentant comme le dernier prisonnier de la guerre. Il n'était pas du tout prisonnier, pas même malade : il vivait ici, il y était chez lui, voilà tout. Pas même malade, vraiment ? relance Sacha. Plus. On l'avait diagnostiqué schizophrène à son arrivée, mais c'était un homme en état de choc, qui avait connu les horreurs de la guerre et passé trois ans dans des camps de prisonniers. L'épisode psychotique qu'il a traversé était une réaction à ces traumatismes et ne s'est plus jamais reproduit. Il a dû se dire, plus ou moins consciemment, que pour éviter que cela se reproduise mieux valait filer doux, ne pas se faire remarquer, ne pas parler, ne pas comprendre ce qu'on lui disait, se fondre dans le paysage.

27

Déjà, dans le bureau de Iouri Léonidovitch, chaque fois que je saisissais trois mots j'interrompais la traduction en disant *da, da, ia ponimaiou*, oui, oui, je comprends, et en sortant Sacha exaspéré m'a dit écoute, soit tu comprends et tu n'as pas besoin de moi, soit tu me laisses faire mon boulot, d'accord ? J'ai dit d'accord, mais je n'ai pu m'empêcher de recommencer avec Vladimir Alexandrovitch, et maintenant je lui explique comme je peux que ma mère est d'origine russe, que j'ai parlé russe enfant, que j'ai lu en russe *La Salle n° 6*, la nouvelle de Tchekhov qui se passe dans un asile psychiatrique de province. Sacha fait la gueule, mes progrès l'agacent, Alain et Jean-Marie sont épatés, quant à Vladimir Alexandrovitch, il s'est complètement dégelé. Je parle russe, j'ai lu *La Salle n° 6* ! Nous sommes amis maintenant et, sur ma lancée, je m'enhardis à lui demander s'il n'y aurait pas moyen de consulter le dossier du Hongrois, idéalement d'en faire une copie. Si, sans doute, il faut demander à Iouri Léonidovitch. Le problème, c'est que Iouri Léonidovitch ne veut pas. Là, Vladimir Alexandrovitch fait la grimace : si Iouri Léonidovitch ne veut pas, c'est effectivement un problème.

Prononcer quelques mots en russe m'a littéralement grisé et quand nous nous retrouvons tous les quatre, le soir, dans le seul restaurant que nous ayons trouvé ouvert en ville, je veux à toute force continuer. Ce restaurant, la *Troïka*, est une sorte de bar crapoteux, en sous-sol, où se retrouve une jeunesse fortement imbibée et que nous soupçonnons, au moins pour ce qui concerne sa partie mâle, d'être potentiellement dangereuse. On n'y sert que des pelmenis, les raviolis russes, que j'insiste pour arroser de vodka. Malgré notre cuite de la veille, je n'ai de mal à convaincre ni Alain, qui a le gosier en pente, ni Sacha, qui devient tout de suite plus indulgent à mon égard. Seul Jean-Marie décline en souriant, comme la veille : il ne boit jamais. Quant à moi, j'étais déjà ivre d'excitation avant le premier verre et j'entreprends de tester mes progrès sur deux filles assez ingrates qui, à la table voisine, ne demandent qu'à socialiser. Dans mon russe de cuisine, je les questionne sur notre héros, devenu la célébrité de la ville. Je ne garantis pas que j'ai tout saisi de leurs réponses mais selon l'une, ai-je noté sur mon carnet, il ne voulait pas partir, il a fallu l'emmener de force en Hongrie, et selon l'autre il n'était pas fou du tout, il avait prétendu être fou pour n'être pas envoyé en Sibérie. J'ai le souvenir indistinct, un peu plus tard, des ricanements de Sacha quand je lui ai demandé si à son avis on pouvait appeler la France de l'hôtel – et payer avec ta carte de crédit, c'est ça ? –, puis d'avoir titubé avec lui dans les rues désertes, jusqu'à la poste qui reste ouverte très tard, accueillant les ivrognes dont même un bar aussi peu regardant que la *Troïka* ne veut pas. On peut y trouver un peu de chaleur humaine, des occasions de baston, pour quoi Sacha semble assez partant, accessoirement y téléphoner. Tout en poursuivant une conversation qui depuis la première phrase menace de dégénérer, Sacha m'aide d'assez mauvaise grâce à réclamer ma communication, que je vais attendre dans une cabine en bois où quelqu'un a récemment pissé, en sorte que j'ai le choix entre le haut-le-cœur si je ferme la porte et, si je l'ouvre, la rumeur de la salle qui couvre le grelot lointain de la tonalité. Quand enfin Sophie décroche, je n'ai plus ce choix, il faut que je ferme pour l'entendre et je commence tout de suite à lui décrire la cabine-urinoir, la poste, la ville, l'asile. Ça ne peut que la faire penser à l'histoire du Transsibérien que je lui ai racontée au restaurant thaï de Maubert où nous avons dîné ensemble, le premier soir. Pourtant, je suis euphorique, je lui explique qu'aujourd'hui je me suis mis à parler russe, que je vais continuer, m'y remettre sérieusement, que c'est aussi important pour moi que de l'avoir rencontrée, et d'ailleurs que la succession rapprochée de ces deux événements n'est pas un hasard. Je lui raconte mon rêve du train, en insistant de façon un peu pâteuse sur la promesse de libération qu'il contient et en glissant, par contre, sur Mme Fujimori car bien que je connaisse Sophie depuis moins de deux semaines j'ai déjà remarqué combien elle est jalouse. Je pensais en l'appelant qu'il serait tard de son côté, qu'elle serait couchée peut-être, nue, prête à se caresser à ma demande, mais je me suis embrouillé dans le décalage horaire, en fait il est sept heures à Paris et elle est encore au bureau. Au début de la communication, elle se demandait si je n'étais pas en danger, mais elle comprend maintenant que je suis simplement soûl, exalté, on peut même dire heureux, et que le fond de l'affaire c'est que je l'aime. Elle se met alors à me parler de ma queue, à me dire que vraiment elle aime ça, les queues, et qu'elle en a quand même connu pas mal, mais que c'est la mienne qu'elle préfère de toutes et qu'elle aimerait beaucoup que je la lui mette et qu'à défaut je me mette à me branler. De son côté, elle a fermé la porte de son bureau et glissé la main sous sa jupe, sous son collant, sur sa culotte. Elle effleure le tissu, du bout des doigts. Je pense aux merveilleux poils blonds que comprime sa culotte, mais je suis obligé de dire qu'en ce qui me concerne il est exclu que je me branle dans l'immédiat : ma description du décor était strictement réaliste, je vois à travers la vitre Sacha et le bonhomme qui se cherchent patiemment querelle, ils peuvent me voir aussi, il faudra que j'attende d'être rentré à l'hôtel. Il n'y a pas de chauffage et les draps semblent si sales que j'hésiterai à m'y glisser, je m'apprête donc à dormir tout habillé, en entassant tout ce que je pourrai trouver comme couvertures, mais je promets de me branler quand même et c'est, de retour, ce que j'ai fait.

Kotelnitch est un trou mais un centre ferroviaire important, et il ne s'écoule jamais plus de dix minutes sans que la rumeur d'un convoi souvent très long fasse vibrer les vitres de nos chambres. Ça ne m'a pas gêné pour dormir. Alain, si, et ce matin, dans le café-restaurant de l'hôtel où deux types éclusent en silence ce qui n'est sans doute pas leur première bière et où nous parvenons à grand-peine à obtenir une tasse de thé, il est encore plus défait que d'habitude, malgré cela d'excellente humeur. Pour tromper l'insomnie, il a passé la nuit à enregistrer les passages de ces trains dont il me soumet quelques échantillons. De l'un à l'autre, je ne fais pas bien la différence, il essaie d'éduquer mon oreille, de lui faire distinguer le tchouk-tchouk du wagon de marchandises du tchik-tchik de l'express, je hoche la tête, je dis oui, oui, et il rit : tu verras, au montage, tu seras bien content d'avoir tout ça.

Descendu le dernier, Sacha nous rejoint pratiquement à reculons, regardant ailleurs, se détournant sans cesse, et quand il se résout enfin à nous faire face, on s'aperçoit qu'il s'est fait sévèrement démonter la gueule. Œil au beurre noir, pommette tuméfiée, lèvre fendue. Honteux, il se lance dans une explication embrouillée, comme quoi après m'avoir ramené de la poste il est encore allé faire un tour, piquer une petite fourchette, selon son expression, dans un café qui s'est révélé être un café de bandits, où il s'est fait allumer par des types dont on ne comprend pas bien d'après son récit si c'étaient des bandits ou des flics, toujours est-il – mais ça n'a rien à voir et il tient à nous en convaincre – qu'il ne retourne pas avec nous à l'hôpital ce matin parce qu'il a rendez-vous avec un type du FSB à propos de nos passeports. Le FSB, c'est ce qu'on appelait, avant, le KGB, et une équipe française qui s'incruste plusieurs jours dans une petite ville comme Kotelnitch, ça appelle du point de vue du FSB un traitement de faveur : il serait donc bon de prévoir quelques bakchichs pour faire oublier les irrégularités qu'on trouvera inévitablement dans nos papiers. J'allonge cent dollars à Sacha, il dit que ça devrait suffire pour commencer.

Toute la journée, nous filmons l'hôpital. Les repas, la routine. Le terrain vague qui tient lieu de cour, où achève de rouiller un wagon militaire datant de la dernière guerre.

La grille ouverte sur la grand-route pluvieuse, et les bus qui de loin en loin passent sur cette route, les vitres recouvertes de buée. Les malades qui jardinent, vaquent, roulent et fument des cigarettes, assis des heures durant sur des bancs. Le banc qu'András Toma aimait particulièrement, parce qu'il avait vue de là sur un enclos qui lui rappelait la Transylvanie. C'est ce que dit Vladimir Alexandrovitch, en tout cas c'est ce que je comprends, puisqu'en l'absence de Sacha, retenu en ville par ses négociations avec le FSB, je suis réduit à mes seules ressources linguistiques. L'ivresse les galvanise, mais la gueule de bois les engourdit. Ce type que j'étais prêt hier à embrasser, dont j'étais fier d'avoir conquis l'estime, je ne sais plus aujourd'hui quoi lui dire ni comment le lui dire, les mots me manquent et je l'écoute, dans la menuiserie où aimait travailler Toma, dévider d'une voix monotone ce qui me semble être une litanie incompréhensible. Je la ponctue de *da, da* mornes, quelquefois de *konièchno*, qui signifie bien sûr et n'engage guère. Lui, de son côté, semble déçu de mon apathie, il aimerait bien reparler de Tchekhov, de la Russie et de la France. Il rêve d'aller en France un jour, le problème c'est qu'il ne parle pas un mot de français, en revanche il sait un peu de latin : *de gustibus non est disputandum*, déclame-t-il. Ça devrait te permettre de te débrouiller, l'encourage Sacha qui vient de nous rejoindre, visiblement ragaillardi par ses entretiens avec le FSB. Le lieutenant-colonel qui représente les organes à Kotelnitch s'appelle Sacha aussi, nous dit-il, coïncidence qui n'a rien de miraculeux dans un pays où on n'utilise guère pour chaque sexe qu'une quinzaine de prénoms, agrémentés chacun d'une batterie de diminutifs, mais il s'est révélé qu'ils ont fait tous les deux la guerre en Tchétchénie, le lieutenant-colonel dans l'armée russe, notre Sacha comme interprète pour une équipe de télévision française. Ça crée des liens, que quelques verres ont apparemment resserrés, et Sacha est maintenant d'attaque pour m'assister dans mes entretiens avec les malades jugés présentables par Vladimir Alexandrovitch. Tous racontent les mêmes choses sur leur ancien compagnon : un type tranquille, serviable, qui ne parlait jamais. Comprenait-il le russe ? personne ne l'a jamais su et, à vrai dire, personne ne semble jamais s'être posé la question.

Quand nous quittons l'hôpital, entre chien et loup, Vladimir Alexandrovitch nous dit *da zavtra*, pas *da svidanié*, à demain, pas au revoir, et c'est avec le même détachement routinier qu'il me glisse, juste avant que je referme la portière de la Jigouli et que lui-même tourne rapidement les talons, une épaisse enveloppe de papier kraft. Je l'ouvre dans la voiture : c'est la copie du dossier médical. Il t'a à la bonne, dis donc, rigole Sacha.

Ce soir, on se couche tôt, on ne boit pas, il faut être d'attaque pour la journée de demain, qui est celle du jubilé de l'hôpital. Sacha s'est renseigné : il y aura un banquet, qui se passera dans la salle à manger de notre hôtel. J'attends beaucoup de ce banquet, j'imagine une plongée haute en couleurs dans la Russie profonde, dont le clou, entre toasts enthousiastes et danses à perdre haleine, pourrait être la rencontre d'une vieille infirmière à la retraite, truculente babouchka qui nous raconterait l'arrivée du Hongrois en 1947 et nous laisserait entendre, l'œil pétillant de malice, qu'il avait beau ne rien dire, il avait plus d'un tour dans son sac, le grand coquin. En attendant, et comme la seule solution de repli en matière de restauration semble être le café des bandits où Sacha s'est fait dérouiller, on retourne manger des pelmenis à la *Troïka*, tout en examinant notre butin.

Le dossier médical d'András Toma compte 44 pages manuscrites, d'écritures différentes, qui couvrent les cinquante-trois ans de son séjour à Kotelnitch. Les premières entrées sont celles de la doctoresse Kozlova, que nous a déjà lues et commentées Iouri Léonidovitch. Assez nombreuses et précises les premières semaines, elles se raréfient bientôt et nous comprenons que le règlement de l'hôpital impose aux médecins de consigner une fois tous les quinze jours une note sur l'état du patient. On peut, d'après ces notes que Sacha commence à me traduire, suivre la courbe d'une vie entière, et celle d'András Toma, comme certainement de beaucoup d'autres, est atroce : un processus de destruction inexorable débité en petites phrases neutres, plates, répétitives. Par exemple :

15 février 1947 : le patient est couché, il essaie de dire quelque chose mais personne ne le comprend. À la question : comment allez-vous ?, il répond : Tomas, Tomas. Il ne se laisse pas examiner.

31 mars 1947 : il reste couché avec sa couverture sur la tête. Il dit quelque chose dans sa propre langue avec

colère et montre ses pieds. Il cache de la nourriture dans ses poches. Il est physiquement en bonne santé.

15 mai 1947 : le patient sort dans la cour mais ne parle à personne. Il ne parle pas le russe.

30 octobre 1947 : le patient ne veut pas travailler. Si on l'oblige à sortir, il crie et court dans tous les sens. Il cache ses gants et son pain sous son oreiller. Il s'enveloppe de chiffons. Il ne parle que hongrois.

15 octobre 1948 : le patient est sexuel. Il ricane sur son lit. Il ne se plie pas à l'ordre de l'hôpital. Il fait la cour à l'infirmière Guilichina. Le patient Boltus est jaloux. Il a frappé Toma.

30 mars 1950 : le patient est complètement renfermé. Il reste sur son lit. Il regarde par la fenêtre.

15 août 1951 : le patient a pris des crayons aux infirmiers. Il écrit sur les murs, les portes, les fenêtres, en hongrois.

15 février 1953 : le patient est sale, coléreux. Il collectionne des ordures. Il dort dans des endroits pas convenables : couloir, banc, sous le lit. Il dérange ses voisins. Il ne parle que hongrois.

30 septembre 1954 : le patient est débile et négatif. Il ne parle que hongrois.

15 décembre 1954 : pas de changement dans l'état du patient.

On en est à la page 6 du dossier, on sent que les médecins se lassent, Sacha et moi aussi. On se contente de survoler la suite. Sacha marmonne, chantonne, et bientôt psalmodie : pas-de-changement-dans-l'état-du-patient-il-ne-parle-que-hongrois, pas-de-changement-dans-l'état-du-patient-il-ne-parle-que-hongrois... Ah, si, tout de même, huit pages plus loin, on est en 1965 et il se passe quelque chose. Le patient s'est attaché à la dentiste de l'hôpital et, pour avoir l'occasion de la revoir, il n'arrête pas de montrer ses dents – « avec un sourire bête », précise le dossier. Elle le réexamine, tout va bien. Mais il continue, note-t-on tous les quinze jours, à montrer ses dents. Par gestes, il fait comprendre qu'il veut qu'elle les lui arrache. C'est ce qu'il a trouvé de mieux pour nouer un lien avec elle. Elle refuse d'arracher des dents saines. Alors il se fracasse la mâchoire à coups de marteau. Pas de chance, il est soigné, mais pas par la dentiste qu'il aime. Pauvre vieux, soupire Sacha. Pauvre vieux... Si ça se trouve, il n'a pas baisé une seule fois pendant toutes ces années, et avant, en Hongrie, ce n'est pas sûr non plus. Peut-être qu'il n'a jamais baisé de sa vie...

Encore vingt pages, encore trente ans.

11 juin 1996 : le patient se plaint de douleurs dans le pied droit. Diagnostic : artérite. Les parents du patient doivent être consultés au sujet de l'amputation. Le patient n'a aucun parent.

28 juin 1996 : le patient est amputé aux deux tiers de la cuisse droite. Pas de complications.

30 juillet 1996 : le patient ne se plaint pas. Il fume beaucoup. Il commence à marcher avec des béquilles. Le matin, son oreiller est humide à cause de ses larmes.

Quand nous arrivons à l'hôpital, le lendemain matin, une infirmière nous dit sévèrement que le docteur Petoukhov veut nous voir. Il nous fait poireauter un long moment. Pour s'occuper, Jean-Marie fait quelques panoramiques entre la grisaille qu'encadrent les fenêtres et le lagon polynésien servant de fond d'écran à l'ordinateur. La secrétaire le prie d'arrêter, de remballer sa caméra et quelques minutes plus tard, quand elle répond au téléphone, je ne comprends pas bien ce qu'elle dit et Sacha est sorti fumer une cigarette, mais elle répète en baissant la voix le mot *fransouski*, et on sent que ça commence à bien faire, les *fransouski*. Enfin, Iouri Léonidovitch sort de son bureau, raccompagnant un visiteur à l'air officiel. Il semble à la fois surpris et agacé de nous voir encombrer le passage et c'est très vite, entre deux portes, qu'il nous signifie notre congé. Aucune autre brigade – c'est le mot qu'ils utilisent pour une équipe – n'est restée plus de quelques heures, nous ça fait déjà deux jours, qu'est-ce que nous voulons de plus ? Sacha essaye d'expliquer la différence entre un sujet de journal télévisé de deux minutes et un reportage de cinquante-deux, mais ça ne sert à rien, Iouri Léonidovitch a pris, ou on a pris pour lui, sa décision. Ça suffit comme ça, notre présence perturbe le processus de guérison des malades et, en ce qui concerne les réjouissances du jubilé, nous n'y sommes pas non plus les bienvenus. C'est une affaire privée, une fête pour le personnel, ça n'a rien à voir avec le Hongrois.

Mais, Iouri Léonidovitch, notre film essaie de montrer l'atmosphère de l'hôpital...

C'est ça, et demain vous allez demander à me filmer dans mon bain sous prétexte que ça montre l'atmosphère de l'hôpital ? Je suis désolé, mais c'est non.

Dépités, désœuvrés, nous traînons en ville. D'un côté de la route, à l'entrée, il y a une sculpture en béton d'environ deux mètres figurant la faucille et le marteau, de l'autre une marmite géante qui est depuis des temps beaucoup plus anciens l'emblème de Kotelnitch. C'est cela que veut dire *kotel* en russe, m'explique Sacha : une marmite, ou un chaudron. Un séjour là-dedans, c'est une sorte de trois étoiles du dépaysement dépressif, et il y a tout lieu de penser que cette sensation d'encalminage au fond d'une marmite de soupe froide et figée d'où auraient depuis longtemps, à supposer qu'il y en ait jamais eu, disparu tous les bons morceaux, constitue l'ordinaire des villes de 20 000 habitants de la Russie profonde. On ne va pas dans ce genre de villes. On n'en parle pas. Un beau jour, on apprend qu'il existait un bled appelé Tchernobyl, et c'est en moins terrible, en plus modeste, ce qui est arrivé à Kotelnitch depuis qu'on y a retrouvé le dernier prisonnier de la Seconde Guerre mondiale.

Puisque le banquet a lieu à notre hôtel, dont on ne peut tout de même pas nous interdire l'accès, Alain a résolu de tenter un baroud d'honneur. Quand nous entrons, tous les quatre, dans la salle à manger, il y a une cinquantaine de personnes assises autour des tables disposées en u, pas une place libre, et Petoukhov, debout en face de nous, porte un toast. Il nous voit, fait semblant de ne pas nous voir, normalement nous devrions battre en retraite, mais Alain continue d'avancer vers le centre de la salle et Jean-Marie et moi, ne voulant pas nous dégonfler, lui emboîtons le pas. Je reconnais quelques visages : les infirmières attachées au secteur du Hongrois, notre ami Vladimir Alexandrovitch, l'officiel que raccompagnait Petoukhov ce matin. Tous nous regardent sans comprendre ni piper mot. Petoukhov s'est interrompu dans son toast. Se déroule alors une scène de film burlesque : nous traversons la salle avec des petits sourires polis, des gestes bénins et rassurants qui veulent dire quelque chose comme : nous ne faisons que passer, faites comme si de rien n'était, ne vous dérangez pas. On nous suit des yeux avec effarement, et notre conduite à ce moment-là est tellement absurde qu'elle désarme toute agressivité. Dans

41

un film, les héros détaleraient comme des lapins à l'instant précis où, l'hypnose cessant de jouer, la horde se rue sur eux pour les écharper. Entre la table centrale, que préside Petoukhov, le verre toujours levé, la bouche ouverte, muet, et les tables latérales, il y a par chance un espace pour passer. Alain s'y engage, nous derrière lui. Par chance encore, il y a à l'autre bout de la salle une autre porte, qui nous permet de ressortir sans prendre le risque d'une traversée en sens inverse. Une voûte obscure, malodorante, et nous sommes dans la rue où nous retrouvons Sacha qui secoue la tête : vous êtes complètement cons ou quoi ? Il fait nuit, il fait froid. Derrière les vitres embuées, le toast reprend, le personnel de l'hôpital commence à se murger, il ne nous reste plus qu'à mettre le cap sur la *Troïka*.

C'est sans doute la déception, la fatigue aussi, mais en vidant et en regardant mes compagnons vider en silence leurs écuelles de pelmenis, j'observe qu'en trois jours nous avons acquis les manières de table locales : l'échine basse, le cou tendu pour laper, une main cramponnée à la cuiller en fer-blanc, l'autre au bout de pain et les deux bras, jusqu'aux épaules, formant rempart autour de la nourriture comme si on risquait de nous la voler. Au-dessus du bar, la télévision diffuse sans interruption des spots publicitaires évoquant la vie féerique que mènent à Moscou ou Pétersbourg des jeunes gens bien vêtus et coiffés, au sourire carnassier, sortant de voitures de luxe et payant avec des cartes de crédit dorées des notes de restaurant qui doivent représenter ici quelques années de salaire. Quel effet cela fait-il d'être matraqué par ça quand on habite ici ? Est-ce que les jeunes mecs affalés à ces tables gluantes de bibine renversée voient cette lancinante exhibition de faste et d'arrogance comme une offense ou comme un film de science-fiction se déroulant dans un univers parallèle ?

De la table voisine, soudain, on nous interpelle en français. Me retournant, je me trouve face à une fille d'environ vingt-cinq ans, le nez pointu, les yeux un peu globuleux, pas sans charme pourtant, assise à côté d'un homme beaucoup plus âgé, costume trois-pièces, tronche d'apparatchik alcoolique, qui la serre d'assez près. Elle s'appelle Ania et elle est folle de joie de pouvoir parler français avec des Français. Je me rappelle qu'elle a utilisé cette expression : folle de joie. Elle nous regarde tous les trois avec une excitation enfantine, les yeux brillants, pour un peu elle battrait des mains. Elle rêvait sans l'oser de nous approcher, elle est au courant de notre présence depuis notre arrivée, d'ailleurs tout le monde en ville est au courant de notre présence, on ne parle que de ça, toutes sortes de rumeurs circulent sur notre compte. Des rumeurs ? Par exemple ? Eh bien, que nous venons de faire du scandale au banquet de l'hôpital. Elle pouffe, visiblement ça lui plaît que nous ayons fait du scandale au banquet de l'hôpital. Et puis, dit-elle plus gravement, nous filmons des choses pas jolies. Quelles choses pas jolies ? Des vieilles femmes, des gens pauvres, des gens qui boivent, ce n'est pas joli, ça ne donne pas une bonne idée de la ville. On dit aussi que pour ne pas nous faire trop mauvaise impression on s'est arrangé pour rétablir l'eau chaude à l'hôtel, et cela, beaucoup de gens n'apprécient pas : presque personne n'en a à Kotelnitch, depuis la déroute du pays – car tout le monde parle ici, sur un ton d'évidence, des dix dernières années comme d'une catastrophe historique –, alors pourquoi de l'eau chaude pour nous et pas pour les Russes ? Sur ce point précis, nous pouvons démentir formellement : nous ne sommes pas mieux lotis que les autres. Ania parle d'abondance, dans un drôle de français à la fois hésitant et pointilleux, semé d'expressions désuètes – « je vais fumer une cibiche » – mais tout de même remarquable si elle a aussi peu d'occasions qu'elle le dit de le pratiquer. Elle assure l'avoir appris à l'école des interprètes militaires de Viatka, sur laquelle Sacha se met à la questionner sur un ton carrément inquisiteur : en quelle année ? dans quelle section ? Ça la met mal à l'aise et, pour changer de sujet, elle nous présente son compagnon qui, pendant toute cette conversation et comme s'il n'avait pas remarqué notre présence, a continué à la peloter et, de temps à autre, à se faire distraitement rembarrer. Anatoli Ivanovitch, un cher ami à elle, le directeur de la boulangerie industrielle de Kotelnitch. L'un après l'autre, nous serrons la main baladeuse d'Anatoli Ivanovitch, qui commande de la vodka pour tout le monde, insiste pour que nous buvions cul sec, nous ressert aussitôt et, maintenant qu'il est intégré à notre cercle, approuve d'un hochement de tête énergique tout ce qui pourra s'y dire, bien que la conversation se poursuive en français. Arrive un peu plus tard un grand garçon blond, assez beau, qu'Ania nous présente comme Sacha, et notre Sacha à nous me glisse à l'oreille que c'est son nouvel ami, le lieutenant-colonel du FSB qui a fait la guerre en Tchétchénie et fait maintenant la loi à Kotelnitch. Au fil des confidences d'Ania, il apparaît que ce Sacha est également son amant, qu'il a quitté pour elle femme et enfant, ce qui ne l'empêche pas de considérer sans émotion les privautés d'Anatoli, ni celui-ci de les poursuivre avec une insistance de plus en plus pâteuse. Quant à nous, si nous voulons des filles, de vraies amoureuses russes, il se charge de nous en trouver. On a remarqué en ville que nous étions des types sérieux, nous rentrons nous coucher à notre hôtel sans être accompagnés, pas comme les Américains de CNN qui sont venus le mois dernier. C'est bien d'être sérieux, mais il faut être des hommes aussi, et les hommes ça boit et ça baise. Il raconte ça en russe, bien sûr, et maintenant nous avons deux interprètes, l'une, Ania, qui rosit, pouffe, dit que ça, non, elle aime mieux ne pas traduire, ce n'est pas joli, l'autre, Sacha, qui en rajoute dans le graveleux. D'une cordialité grandissante à mesure que descend la carafe de vodka, Sacha le FSBiste ne se rembrunit qu'en voyant Jean-Marie sortir de sa poche la petite caméra DV apportée en appoint, pour de telles circonstances. Il n'est pas question, nous prévient-il, de le filmer. Les autres, ça lui est égal, mais pas lui. Que ce tabou s'explique par la paranoïa personnelle ou par le règlement de son service, il met à le faire respecter une vigilance sans faille, ne quittant jamais des yeux, malgré l'ivresse, la caméra que Jean-Marie, usant d'un truc éprouvé pour mettre les gens en confiance, fait passer de main en main, chacun la braquant sur son voisin, se regardant lui-même dans le petit écran retourné, rembobinant le film pour visionner les dernières images... Tandis que se poursuit ce tournage d'amateurs, la conversation s'oriente vers l'objet de notre reportage et là-dessus aussi Ania colporte des rumeurs qui nous laissent pantois. Tout le monde, à l'en croire, connaissait parfaitement András Toma en ville. Il y avait des amis, des protecteurs, en fait il n'était pas fou du tout, on nous cache la vérité et elle semble disposée, protégée par la langue française, à nous la révéler. À nous présenter des gens qui nous diront des choses bien différentes de la version officielle fournie par l'hôpital : une vieille dame qui lui apportait du miel, le directeur du musée de la Guerre qui a des archives à son sujet, et puis bien sûr Sacha : c'est son métier de tout savoir sur ce qui se passe ici. Comprenant qu'on parle de lui, Sacha fronce les sourcils, réclame une traduction. Après quoi il nous débite sur le Hongrois un discours dont je ne saisis que le quart, mais qui me semble exactement conforme à celui de Petoukhov. Là, Ania me surprend. Elle est censée traduire, mais à mesure qu'il parle elle secoue la tête et nous dit qu'elle est très déçue : tout ce que son amant nous raconte là n'est que pipeau et langue de bois. Ça ne l'étonne pas trop, cela dit, car l'affaire est vraiment explosive. Heureusement, nous pouvons compter sur elle, il faudra seulement faire très attention, elle passera nous chercher demain matin à notre hôtel. Sacha opine du chef, comme confirmant la traduction de ses propos, Anatoli s'est effondré, la tête entre les carafes vides, et nous, évidemment, nous sommes surexcités. Plus tard, nous dansons, et je suis tellement soûl qu'au point où nous en sommes je ne trouve rien d'étrange à ce que ce soit sur des chansons d'Adamo : *Permettez, monsieur, Tombe la neige*... Plus tard encore je retourne à la poste pour raconter notre soirée à Sophie et lui expliquer avec exaltation que c'est ça, un reportage, que c'est pour ça que c'est tellement passionnant. On avale trois jours durant les bobards servis à tout le monde et puis un soir, dans un boui-boui sordide, on rencontre plus ou moins par hasard une fille qui vous raconte une tout autre histoire. Plus ou moins par hasard ? répète Sophie, qui veut savoir à quoi ressemble la fille. Pas terrible, mais, comment dire ? singulière. Ça ne la rassure pas, et encore moins l'annonce que, vu comme les choses tournent, on va sans doute rester quelques jours de plus.

Nous nous posons sérieusement la question en attendant Ania, le lendemain matin. Elle avait dit dix heures, elle n'est toujours pas là à midi, et Sacha est d'avis que l'autre Sacha, dégrisé, lui a défendu de venir. Si c'est le cas, ce n'est pas la peine de changer nos billets de retour, réservés pour ce soir. Nous sommes déçus mais la vérité, c'est que s'il n'y a plus de rebondissement dans notre enquête nous en avons un peu assez de Kotelnitch, de ses chiottes infectes, des pelmenis de la *Troïka* et des banquets où on ne veut pas de nous. Faute de meilleure piste, nous décidons pour tuer le temps d'aller voir le musée de la Guerre dont Ania nous a parlé. Sacha fait observer que c'est assez bizarre, un musée de la Guerre dans un patelin qui n'a connu aucun conflit armé depuis la guerre civile de 1918, et de fait les collections du musée consistent en un mélange d'animaux empaillés, d'affiches reproduisant la Trinité d'Andreï Roublev, d'instruments aratoires à peine anciens, de photos d'un écrivain local appelé Savkov dont une page est engagée pour l'éternité dans le rouleau de sa machine à écrire, enfin de divers poêlons et marmites illustrant la vocation séculaire de la ville. Le directeur, qui nous reçoit volontiers, n'a rien à dire sur András Toma, et pas davantage les quelques passants que nous interrogeons après lui, dans les rues. Ceux qui veulent bien nous répondre n'ont entendu parler de lui que par les journaux télévisés, ils trouvent que c'est une histoire bizarre et ce qu'ils trouvent le plus bizarre, c'est que pendant toutes ces années il n'ait pas appris le russe.

Assis sur nos bagages, nous attendons l'heure du départ dans le hall de l'hôtel, où il fait un petit peu moins froid que dans nos chambres. La porte s'ouvre, c'est Ania. Quoi ? Nous partons ? Comme c'est dommage ! Elle comptait nous faire voir demain l'usine de saucisson où a longtemps travaillé Toma. L'usine de saucisson ? L'idée nous vient à tous les quatre que si nous restions plus longtemps, elle nous monterait chaque soir un nouveau bateau et chaque matin nous poserait un nouveau lapin. Pour se faire pardonner celui de ce matin, elle propose de nous chanter une chanson, elle a apporté sa guitare pour ça. Dans le hall d'abord, puis dans les escaliers que montent et descendent des clients munis de sacs en plastique dans lesquels cliquettent des bouteilles vides, elle chante une heure durant des chansons sentimentales et patriotiques et là, nous sommes vraiment impressionnés. Elle chante bien, mais ce n'est pas seulement ça : elle n'imite personne, elle chante avec son âme, c'est elle tout entière qui chante. Son visage un peu ingrat en est illuminé. Et c'est pour nous qu'elle chante, c'est vraiment un cadeau. En cours de récital, arrive Sacha, dans un état que notre Sacha à nous qualifie de « désordonné ». Sans cesser de guetter l'objectif de la caméra, il se met à chanter lui aussi, mais nettement moins bien, propose de s'en jeter un petit dernier et pour finir nous accompagne à la gare, en sorte que nous quittons Kotelnitch dans les termes les plus cordiaux avec le FSB. Cela pourra servir, dis-je, si nous revenons. On ne risque pas trop de revenir, rigole Sacha. Je lui demande : qu'est-ce que tu en sais ?

Dans le train, Jean-Marie me montre ce qu'il a filmé la veille à la *Troïka*. Sur le minuscule écran de contrôle, ces images de beuverie chaotiques, tremblantes, mal éclairées, me plaisent beaucoup. Il y a peu de chance, bien sûr, qu'elles trouvent place dans notre reportage, mais elles pourraient ouvrir sur une tout autre histoire, sur un tout autre film. Il faudrait, comme je l'explique à mes compagnons, revenir à Kotelnitch et y passer non pas quatre jours

49

mais un mois ou deux. Sans sujet cette fois-ci, sans autre but que de capter de telles rencontres, de les prolonger, de débrouiller des écheveaux de relations auxquels nous ne comprenons rien. Au fond, qui sont ces gens ? Qui fait quoi dans cette ville ? Qui a du pouvoir et sur qui ? Qu'est-ce que c'est que ce FSBiste à demi maquereau ? Cette fille qui chante comme un ange, rêve sans doute de partir exercer quelque part son français appliqué et désuet, et qui en attendant végète dans un bled traversé par des trains que personne ne prend ? En plus, les habitants seront étonnés de nous voir revenir, plus étonnés encore si nous nous incrustons. De nouvelles rumeurs se propageront sur nous, qu'il sera amusant de suivre et de rapporter. Dans la plupart des documentaires, on fait comme si l'équipe n'était pas là. Il faudrait faire exactement le contraire, le sujet ce ne serait pas la ville mais notre séjour dans la ville, les réactions que suscite notre séjour. Une équipe étrangère qui reste deux mois à Kotelnitch, c'est un événement unique dans les annales de Kotelnitch : filmons cet événement, cela peut être formidable.

Je m'exalte, je décide de me remettre au russe pour être à la hauteur du défi et mes compagnons, gagnés par mon enthousiasme, ne sont pas loin de promettre d'acheter l'Assimil au retour. Nous nous sommes si bien entendus, ne serait-ce pas un plaisir de retravailler ensemble ? Et pour célébrer ça, nous allons au wagon-restaurant baptiser avec quelques vodkas notre futur film : *Retour à Kotelnitch*.

Deux semaines plus tard, nous assistons au retour d'András Toma dans son village natal. « C'est la Hongrie ici, viens ! » répète le jeune psychiatre qui l'accompagne. Le jeune psychiatre, avec ses lunettes rondes, ressemble à John Lennon. Il est très doux, il parle à son patient comme à un petit enfant. Mais le vieil homme ne veut pas sortir du minibus. Il n'en est pas certain du tout, que ce soit la Hongrie. Ceux qui s'occupent de lui depuis son rapatriement doivent sans cesse le lui répéter, le rassurer. Là-bas, en Russie, on lui a dit que la Hongrie n'existait plus. Rayée de la carte. Alors qui sont ces gens qui lui parlent dans cette langue disparue ? Qui se comportent comme s'ils le connaissaient, lui tendent des bouquets de fleurs, lui envoient des baisers ? Est-ce que ça ne cache pas un nouveau piège ?

Le visage, sous la casquette, est en ruine. Un visage de *zek*, comme s'appelaient eux-mêmes les gens du goulag, le visage des types dont Soljenitsyne et Chalamov ont raconté les vies détruites. Le jeune psychiatre lui tend ses béquilles, l'aide à les caler sous ses bras. Il met cinq bonnes minutes à poser son seul pied à terre. Il n'a plus de dents non plus, alors il bave et crache beaucoup. On le guide, clopinant, jusqu'à la maison de sa sœur et de son beau-frère, chez qui il va habiter. Ils ont organisé un repas de fête. On porte des toasts. Les flashes des photographes lui font peur. Son frère, qui était encore enfant quand il est parti pour la guerre, lui pose patiemment des questions, sans doute pour nous montrer qu'il est capable d'y répondre. Il répète des noms d'autrefois, espérant éveiller un souvenir : Sándor Benkö, le maître d'école... Smolar, son ancien camarade de classe... Et l'autre, sous sa casquette, crache, détourne la tête, parfois grommelle des bouts de phrases que personne ne comprend, qui n'appartiennent plus à aucune langue. J'ai l'impression de voir un Kaspar Hauser de soixante-quinze ans.

C'est horriblement triste.

Pendant le repas, je parle avec Smolar, l'ancien camarade de classe. Il dit qu'à dix-huit ans András Toma était très beau garçon, que les filles avaient toutes le béguin pour lui. Mais ce n'était pas un coq de village : il était délicat, chevaleresque, très timide. Smolar faisait les cent coups, lui non. Et Smolar est d'avis qu'il a dû partir pour la guerre sans connaître de femme.

Il raconte ce départ, et ce qu'il raconte diffère un peu de la version officielle, selon laquelle on l'aurait enrôlé de force. À l'automne 1944, quand l'Armée rouge est entrée en Hongrie et que la Wehrmacht a commencé à s'en retirer, il y a eu quelques semaines d'extrême confusion au cours desquelles le parti pro-nazi des Croix fléchées, encore au pouvoir, a ordonné la mobilisation de leur classe d'âge. Convoqués au bureau de recrutement, Smolar et Toma s'y seraient présentés tous les deux, mais Smolar, comprenant qu'il s'agissait d'autre chose que d'exercices de tir et de marches dans la campagne, aurait demandé à aller aux toilettes et se serait sauvé par la fenêtre tandis que Toma, moins audacieux, plus discipliné, attendait de recevoir son uniforme.

En somme, il s'est engagé de son propre chef dans l'armée allemande ? Smolar hausse les épaules. Ils étaient tous les deux des petits paysans, ignorants des enjeux de la guerre et plutôt partisans des Allemands puisque leur pays avait choisi ce camp. L'un a obéi, l'autre pris la tangente, et leurs vies à partir de là ont été complètement différentes, mais la politique n'a rien à voir là-dedans, c'étaient leurs caractères qui voulaient ça. Quand ils étaient collés à l'école, Toma recopiait consciencieusement ses lignes de punition tandis que Smolar, lui, faisait le mur : c'est ce qui l'a sauvé, mais il n'en tire pas gloire.

Je repense, en l'écoutant, à une discussion que j'ai eue avec Sophie avant de partir. Elle s'emporte contre les récits qui, comme *Lacombe Lucien*, montrent qu'on peut devenir milicien – ou résistant – par hasard ou par ignorance. Elle dit que ces récits sont faux et falsificateurs, qu'ils nient la liberté, qu'ils sont de droite. Moi, je les crois justes. Elle dit que c'est parce que je suis de droite, et qu'elle m'aime mais que ça l'ennuie que je sois de droite.

Entre le jour de son départ, le 14 octobre 1944, et celui de son arrivée à Kotelnitch, le 11 janvier 1947, sa trace se perd. Deux ans et trois mois de blanc. J'interroge, après Smolar, le jeune psychiatre qui ressemble à John Lennon et qui, avec le concours de l'armée hongroise, a tenté de reconstituer son itinéraire. Il pense, parce que c'est plausible, que Toma a été capturé en Pologne, interné dans un camp de prisonniers près de Leningrad puis, à mesure que ce camp se remplissait et qu'il fallait faire de la place pour les nouveaux venus, déporté vers l'est. Mais de cet exode il n'y a pas de témoin. Il n'était pas seul, pourtant. Il a forcément eu des compagnons, de combat en Pologne, puis de camp en Union soviétique. Ce qui m'étonne, c'est qu'aucun, après la guerre, ne soit venu dans son village parler de lui aux siens, entretenir l'espoir qu'il reviendrait peut-être. Et un demi-siècle plus tard, quand son nom, son histoire, son visage de vieillard et son visage de jeune homme ont été publiés dans tous les journaux, qu'il ne se soit pas trouvé un ancien combattant pour dire je le reconnais, nous étions dans le même bataillon, dans le même baraquement, un jour j'étais malade, je ne pouvais plus me lever, je serais mort s'il ne m'avait pas donné un peu de sa soupe, un autre jour c'est moi qui ai trouvé à manger, j'avais mis la main sur un sac de pommes de terre gelées, on se couchait dessus pour essayer de les réchauffer, et je me rappelle encore, comme si c'était hier, la dernière fois que je l'ai vu, on pensait qu'on allait partir ensemble, on ne savait pas où, on ne savait jamais où, mais ce qui comptait c'était de rester ensemble, nous les Hongrois, on était sûrs qu'ensemble on s'en tirerait, et à la dernière minute ils nous ont séparés, mis dans des wagons différents, on n'a même pas eu le temps de se souhaiter bonne chance, et quand trois jours plus tard je suis sorti du wagon, dans l'autre camp, là-bas, dans l'Oural, il n'y était pas. J'ai posé des questions mais personne ne savait, je me rappelle que ce jour-là j'ai pleuré, j'ai pensé que c'était fini, que je ne reviendrais pas, maintenant qu'on était séparés j'en étais sûr que je ne reviendrais pas, et lui non plus, et pourtant je suis revenu. Et lui aussi, maintenant, il est revenu. Et vous voyez, je suis vieux, je suis malade, mais je suis content d'avoir vécu jusque-là, je suis content qu'on se revoie tous les deux avant de mourir, mes petits-enfants m'ont dit qu'ils m'emmèneraient, ils disent dans les journaux qu'il est devenu fou, qu'il ne reconnaît pas les gens, mais moi je suis sûr qu'il me reconnaîtra, je lui dirai András, il me dira Géza, et lui aussi il se rappellera les pommes de terre gelées, il se rappellera la dernière fois, avant de monter dans le wagon, et je lui dirai tu vois, en fin de compte, ça n'était pas la dernière fois…

C'est comme si, tout ce temps, il avait été seul.

On l'a très tôt conduit se reposer dans la chambre que sa sœur lui avait préparée, mais le repas et les conversations ont duré jusqu'à la tombée de la nuit. De retour à l'hôtel, nous sommes un peu ivres, repus, et surtout accablés de tristesse. Aucun d'entre nous n'a envie de parler, nous allons nous coucher sans dîner. Ce n'est pas comme à Kotelnitch, les chambres sont trop chauffées, on y étouffe. Je me retourne dans mon lit. Pour tromper l'insomnie, je parcours la seule chose imprimée que j'ai sous la main, qui est la traduction du dossier médical. Et j'y découvre quelque chose qui m'avait jusqu'alors échappé.

Les dix premières années de son internement, András Toma a été un patient teigneux, violent, rebelle. Un jeune type costaud qui se bagarrait, écrivait sur les murs comme on lance des bouteilles à la mer, crachait des jurons à la gueule de ses geôliers. Un cas difficile. Mais vers le milieu des années cinquante, il a changé, et ce changement coïncide avec quelque chose qui est arrivé chez lui, en Hongrie, quelque chose que m'a raconté le jeune psychiatre.

La vie avait repris dans son village, dans tout le pays. Les prisonniers de guerre étaient rentrés, les uns après les autres. Et ceux qui n'étaient pas rentrés, il a fallu se résoudre à les déclarer morts. C'est un acte douloureux, mais psychiquement indispensable : un disparu est un fantôme, source d'une angoisse sans nom capable de contaminer plusieurs générations, alors qu'un mort, on peut en porter le deuil, le pleurer, l'oublier. Le 14 octobre 1954, dix ans jour pour jour après son départ, l'acte de décès d'András Toma a été délivré aux siens. Il ne l'a pas su, là où il était, mais tout s'est passé, étrangement, comme s'il l'avait su. Du jour au lendemain, ou presque, il a baissé les bras. Il est devenu un patient docile. Toujours muré en lui-même, ne frayant avec personne, marmonnant en hongrois, mais tranquille. Du pavillon des agités, on l'a transféré à celui des stabilisés, celui que nous a fait visiter Vladimir Alexandrovitch et, à partir de là, il n'y a plus rien à signaler dans son dossier jusqu'à l'amputation.

On l'a déclaré mort, et il est mort.

2

J'ai fêté mes quarante-trois ans pendant le montage. Ce jour-là, le 9 décembre 2000, ma mère m'a dit : tu sais, cela me fait drôle, tu as atteint l'âge de mon père – comme on dit l'âge du Christ, sous-entendu celui de sa mort. Je n'ai pas réagi, sur le moment. Puis j'ai regardé les notes que depuis quelque temps je rassemblais sur mon grand-père. Il est né à Tiflis, aujourd'hui Tbilissi, le 3 octobre 1898, nul ne sait ni ne saura jamais quand il est mort, mais il a disparu à Bordeaux le 10 septembre 1944, peu avant d'atteindre l'âge de quarante-six ans. J'ai pensé que ce lapsus comptable de ma mère me fixait un délai : j'avais presque trois ans devant moi, jusqu'à l'automne 2003, pour donner à ce fantôme une sépulture, et pour cela il fallait que je réapprenne le russe.

En quelques mots : mon grand-père maternel, Georges Zourabichvili, était un émigré géorgien, arrivé en France au début des années vingt après des études en Allemagne. Il y a mené une vie difficile, aggravée par un caractère difficile aussi. C'était un homme brillant, mais sombre et amer. Marié à une jeune aristocrate russe aussi pauvre que lui, il a exercé divers petits métiers, sans jamais parvenir à s'intégrer nulle part. Les deux dernières années de l'Occupation, à Bordeaux, il a travaillé comme interprète pour les Allemands. À la Libération, des inconnus sont venus l'arrêter chez lui et l'ont emmené. Ma mère avait quinze ans, mon oncle huit. Ils ne l'ont jamais revu. On n'a jamais retrouvé son corps. Il n'a jamais été déclaré mort. Aucune tombe ne porte son nom.

Voilà, c'est dit. Une fois dit, ce n'est pas grand-chose. Une tragédie, oui, mais une tragédie banale, que je peux sans difficulté évoquer en privé. Le problème est que ce n'est pas mon secret, mais celui de ma mère.

Adulte, la jeune fille pauvre au nom imprononçable est devenue sous celui de son mari – Hélène Carrère d'Encausse – une universitaire, puis un auteur de best-sellers sur la Russie communiste, postcommuniste et impériale. Elle a été élue à l'Académie française, elle en est aujourd'hui le secrétaire perpétuel. Cette intégration exceptionnelle à une société où son père a vécu et disparu en paria s'est construite sur le silence et, sinon le mensonge, le déni.

Ce silence, ce déni sont littéralement vitaux pour elle. Les rompre, c'est la tuer, du moins en est-elle persuadée, et je me suis persuadé de mon côté qu'il est, pour elle et moi, indispensable de le faire. Avant sa mort à elle, et avant d'avoir, moi, atteint l'âge du disparu – faute de quoi je redoute qu'il me faille comme lui disparaître.

Mon grand-père aurait maintenant plus de cent ans, et il est très probable qu'il a été abattu quelques heures, quelques jours ou quelques semaines après sa disparition. Mais pendant des années, des dizaines d'années, ma mère s'est efforcée – ou interdit, mais c'est pareil – d'imaginer l'inimaginable : qu'il vivait quelque part, qu'il était prisonnier peut-être, qu'un jour il reviendrait. Aujourd'hui encore, je le sais parce qu'elle me l'a dit, il lui arrive de rêver de son retour.

J'ai compris que si l'histoire du Hongrois m'a tellement bouleversé, c'est parce qu'elle donne corps à ce rêve. Lui aussi a disparu à l'automne 1944, lui aussi s'est rangé du côté des Allemands. Mais lui, cinquante-six ans plus tard, il est revenu. Il est revenu d'un endroit qui s'appelle Kotelnitch, où je suis allé et où je devine qu'il me faudra revenir. Car Kotelnitch, pour moi, c'est là où on séjourne quand on a disparu.

Dire que j'ai parlé russe enfant serait excessif, mais je l'ai entendu, j'ai baigné dans cette langue et il m'en est resté un accent que mes interlocuteurs s'accordent à trouver excellent. À la première phrase, on croit que je parle couramment. Cette première phrase est souvent : *Ia otchen plokho gavariou pa rousski* – je parle très mal russe –, et comme je la prononce très bien elle passe pour une coquetterie. Dès la seconde, force est de me donner raison. J'ai fait du russe au lycée, j'étais nul, et pendant vingt ans je n'ai plus voulu y penser. Le russe et la Russie étaient le territoire de ma mère, je préférais ne pas aller de ce côté-là. Mais depuis quelques années je me suis convaincu qu'apprendre ou réapprendre le russe serait la clé d'un changement décisif. Que, parlant ou reparlant russe, je m'affranchirais de la honte qui étrangle ma voix et pourrais enfin parler à la première personne. Pour dire qu'on parle une langue couramment, on dit *svobodno*, librement, et c'est exactement ce que je me figure : que parler russe me libérera.

J'ai fait une tentative déjà, il y a cinq ans. J'avais commencé un récit sur un enfant dont le père est un criminel, il m'a fallu un an pour arriver enfin à l'écrire et j'ai passé le plus clair de cette pénible gestation, sans bien savoir ce qui m'y poussait, à étudier le russe. Je ne cherchais pas vraiment à parler, ou n'osais pas, mais je lisais. Assez vite, j'ai été capable de déchiffrer des textes pas trop difficiles. Des récits de Tchekhov, d'abord, comme *La Salle n° 6*, puis *Un héros de notre temps*, de Lermontov, que j'ai emporté dans les montagnes du Karakoram, au nord du Pakistan. J'étais parti marcher là-bas avec mon ami Hervé. Nous dormions dans de petites auberges pour trekkeurs, il n'y avait pas l'électricité, je lisais le soir à la lueur d'une bougie et cela convenait parfaitement à ce récit d'un voyage dans le Caucase au début du XIXe siècle. Je me rappelle une phrase en particulier, un chef-d'œuvre selon moi d'économie descriptive : les montagnes, dit le narrateur, sont si hautes qu'on a beau lever les yeux on ne voit jamais les oiseaux se découper sur fond de ciel.

Il n'y avait pas que le célèbre roman dans le volume que je trimballais, mais aussi un choix de vers parmi lesquels, feuilletant au hasard, je suis tombé en arrêt sur ceux-ci :

> *Spi mladiénets, moï prikrasny,*
> *Baiouchki baiou…*

> Dors mon enfant, ma merveille,
> Dors, mon enfant, dors…

Je les ai immédiatement reconnus. Et la mélodie m'est revenue aussi, car ce n'est pas seulement un poème, mais une berceuse. Une berceuse cosaque que connaissent tous les enfants russes et que quelqu'un, quand j'étais petit, me chantait. Ma mère ? Ma *niania* ? Je ne sais pas, tout ce que je sais c'est qu'aujourd'hui encore j'ai envie de pleurer quand je l'entends – en fait, pas quand je l'entends puisqu'il n'y a plus personne pour me la chanter, mais quand je me la chante à voix basse, pour moi-même. Et je sais que ce que j'essaie de faire ici, c'est donner forme à l'émotion qui me submerge quand je fredonne cette berceuse, c'est-à-dire quand revit en moi l'enfance dont je ne me rappelle rien.

J'ai voulu l'apprendre par cœur. Je me la suis répétée, jour après jour, j'y ai accordé mes pas en marchant dans l'Himalaya, et je n'y suis pas arrivé. Elle n'est pourtant pas bien longue : six strophes, de six vers chacune, soit trente-six vers dont je comprends le sens et qui, avec le secours de la mélodie, devraient être à portée d'une mémoire moyenne. La mienne est excellente mais il s'est révélé qu'en russe, non, je n'y arrivais pas. Quelque chose, ou quelqu'un, à l'intérieur de moi, refusait ce cadeau.

Et me voici, cinq ans plus tard, ressortant d'une autre bibliothèque, dans un autre appartement, avec une autre femme, le Tchekhov, le Lermontov et les exercices de grammaire auxquels je n'ai plus touché depuis que j'ai fini *La Classe de neige*. Les exercices de grammaire, je les avais à l'époque faits au crayon, du premier au dernier, et pour me resservir du livre il faut que je gomme mes réponses. Je fais cela au lit, page après page, quelquefois elles se froissent, les particules de gomme pleuvent sur les draps. Sophie me regarde faire, amusée. Je me sens vivant sous ses yeux.

Sophie est venue habiter rue Blanche à mon retour de Hongrie. Elle aurait préféré que nous choisissions ensemble un nouvel appartement, mais j'ai fait valoir que le mien était très bien, très grand, pas loin de chez mes fils, sans passé ni fantôme puisque depuis que j'ai quitté leur mère j'y vis seul, et c'est très facilement que « chez moi » est devenu « chez nous ». Sophie aime dire « chez nous », « à la maison ». Sur le répertoire de son téléphone portable, où mon numéro est désormais le nôtre, elle a remplacé « Emmanuel » par « maison ». Je craignais d'avoir du mal, après treize ans de mariage, à me réengager dans une vie commune, mais avec elle j'adore ça. J'aime faire l'amour avec elle, et aussi m'endormir avec elle, me réveiller avec elle, lire avec elle au lit, préparer pour elle le petit déjeuner, lui parler quand elle prend son bain en revenant du travail, m'attabler avec elle en terrasse rue Lepic, faire le marché. Le marché avec elle reste une des plus fortes expériences érotiques de ma vie. Nous sommes ensemble chez le marchand de primeurs, chacun occupé de son côté, moi à choisir des fruits, elle une salade, et quand je relève la tête, quand nos regards se croisent, je comprends qu'elle m'observait, nous nous sourions et elle me dit que c'est comme si j'entrais en elle, là, devant tout le monde. J'aime le regard des commerçants, des clients du café sur elle, sur sa beauté. Elle est grande, blonde, avec un long cou, des cheveux qui moussent sur la nuque, un port magnifique, et en même temps quelque chose de si ouvert, de si familier que tout le monde a envie de lui offrir des fleurs ou de lui balancer des compliments d'opérette. Je trouve l'adjectif « radieux » fait pour elle. J'aime qu'on m'envie parce que c'est moi qu'elle aime. Je n'ai pas été tellement épanoui en amour jusqu'à présent, mais cette fois j'ai l'impression que ça y est.

Pourtant, ça n'y est pas. Ça n'y est jamais avec moi, jamais durablement. Il suffit qu'un amour soit possible, soit heureux, pour qu'au bout de trois mois j'en découvre l'impossibilité. De la femme que j'aime, je commence à penser qu'elle ne me convient pas, que je me suis fourvoyé, qu'il y aurait mieux ailleurs, qu'en vivant avec elle je renonce à toutes les autres. Et Sophie de son côté se sent immédiatement humiliée. C'est une vieille histoire, pour elle, l'humiliation. Elle est royale, mais en même temps plébéienne. Son père n'a épousé sa mère que longtemps après sa naissance. Sa mère, à la clinique, était seule et pleurait parce qu'elle n'avait personne à qui montrer son bébé. Sophie se sent bâtarde, rejetée. Je mets un peu de temps avant de comprendre cela, et aussi qu'à ses yeux j'appartiens au cercle à la fois enchanté et odieux des héritiers. Tout m'a été donné, dit-elle, à la naissance : la culture, l'aisance sociale, la maîtrise des codes, grâce à quoi j'ai pu librement choisir ma voie et vivre en faisant ce qui me plaît, au rythme qui me plaît. Nos vies sont différentes, nos amis aussi. La plupart des miens s'adonnent à des activités artistiques, et s'ils n'écrivent pas de livres ou ne réalisent pas de films, s'ils travaillent par exemple dans l'édition, cela veut dire qu'ils dirigent une maison d'édition. Là où je suis, moi, copain avec le patron, elle l'est avec la standardiste. Elle fait partie, et ses amis comme elle, de la population qui prend chaque matin le métro pour aller au bureau, qui a une carte orange, des tickets-restaurant, qui envoie des cv et qui pose des congés. Je l'aime, mais je n'aime pas ses amis, je ne suis pas à l'aise dans son monde, qui est celui du salariat modeste, des gens qui disent « sur Paris » et qui partent à Marrakech avec le comité d'entreprise. J'ai bien conscience que ces jugements me jugent, et qu'ils tracent de moi un portrait déplaisant. Je ne suis pas seulement ce petit bonhomme sec, sans générosité. Je peux être ouvert aux autres mais de plus en plus souvent je me braque, et elle m'en veut.

On va dîner chez des amis à moi, dans le Marais. Tout le monde se connaît, tout le monde est plus ou moins dans le cinéma, et plus ou moins au même niveau de réussite et de notoriété. Quand j'arrive avec ma nouvelle fiancée, il se passe quelque chose, qui se passe à chaque fois et dont je jouis intensément. Comme si on avait ouvert grand les fenêtres, comme si avant qu'elle entre la pièce était plus petite, plus sombre, plus confinée. Elle est au centre, d'un coup. À côté d'elle, toutes les filles, même les plus jolies, prennent l'air coincées. Je sens que les hommes m'envient, se demandent d'où je la sors, celle-là, et le fait qu'elle ne soit pas tout à fait aux normes de notre petit milieu, qu'elle rie un peu trop fort, remue un peu trop d'air, montre combien je suis libre, affranchi de l'endogamie qui règne chez nous.

Mais vient le moment, à table, où quelqu'un demande à Sophie ce qu'elle fait dans la vie et où elle doit répondre qu'elle travaille dans une maison d'édition qui fait des manuels scolaires, enfin, parascolaires. Je sens que c'est dur pour elle de dire ça, et moi aussi j'aimerais mieux qu'elle puisse dire : je suis photographe, ou luthière, ou architecte ; pas forcément un métier chic ou prestigieux, mais un métier choisi, un métier qu'on fait parce qu'on aime ça. Dire qu'on fait des manuels parascolaires ou qu'on est au guichet de la Sécurité sociale, c'est dire : je n'ai pas choisi, je travaille pour gagner ma vie, je suis soumise à la loi de la nécessité. Cela vaut pour l'écrasante majorité des gens, mais autour de cette table tous y échappent et plus la conversation continue, plus elle se sent exclue. Elle devient agressive. Et pour moi qui dépends si cruellement du regard des autres, c'est comme si elle se dévaluait à vue d'œil.

Sur cette affaire sociale qui nous empoisonne, je me dis et lui dis quelque chose d'un peu hypocrite. Je dis que ce n'est pas mon problème à moi, mais le sien. Que moi, je l'aime comme elle est, ça ne me gêne pas qu'après un dîner où quelqu'un a parlé avec une passion contagieuse des romans de Saul Bellow elle note dans son carnet, de son écriture un peu enfantine : « lire Solbelo ». Ce qui est embêtant, c'est le ressentiment de sa part, c'est qu'elle se sente tout le temps offensée. Cela devient pénible, à la longue. J'en ai assez d'être mis dans le rôle du nanti qui n'a jamais eu à se battre pour rien et qu'elle se réserve, elle, celui de la prolétaire éternellement rebutée. D'abord, ce n'est pas vrai. J'ai eu à me battre aussi, et durement, même si ce n'est pas sur le terrain social. Sophie n'est pas une prolétaire, elle vient d'une famille bourgeoise un peu bizarre, son père est une espèce d'anarchiste de droite qui vit en homme des bois dans un domaine de trois cents hectares dans la Sarthe. Et j'ajoute : même si c'était vrai, la liberté, ça existe, on n'est pas totalement déterminés, c'est quoi, ces conneries à la Bourdieu ?

Là où je lui mens et me mens, c'est d'abord qu'au fond de moi je n'y crois pas, à la liberté. Je me sens aussi déterminé par le malheur psychique qu'elle l'est par le malheur social, et on peut toujours venir me dire que ce malheur est purement imaginaire, il n'en pèse pas moins lourd sur ma vie. Et là où je mens aussi, c'est quand je dis qu'elle est la seule à avoir honte. Bien sûr que non.

Un jour, elle me dit cette phrase qui me bouleverse : je ne suis pas une femme qu'on épouse. Et je me dis : moi, je l'épouserai.

Je me le suis dit, oui, mais je ne le lui ai pas dit à elle. J'ai dit un jour autre chose, en revanche, dont je ne suis pas fier. C'était à la maison, un dîner improvisé à la sortie d'un cocktail. Nous avions ramené une dizaine de personnes qui allaient et venaient entre le salon et la cuisine, où je préparais des pâtes. Quelqu'un, dans mon dos, a dit en débouchant une bouteille que nous formions vraiment un beau couple, qu'on se sentait bien chez nous, et là-dessus un imbécile a surenchéri : alors, quand est-ce que vous faites un enfant ? J'aurais pu ne pas relever mais sans hésiter, sans me retourner, j'ai répondu : ah non, ça, pas question. Je comprendrais très bien que Sophie ait envie d'un enfant mais il faudra qu'elle le fasse avec quelqu'un d'autre que moi. – Eh bien au moins c'est clair, a dit, un peu soufflé, l'imbécile qui n'était d'ailleurs pas un imbécile mais un type bizarre, louche, qui avait la tête de Guy Georges, le tueur de l'Est parisien, et qu'on imaginait assez bien en serial killer. Concluant de ma réponse que Sophie n'était pas aimée comme elle le méritait, il s'est lancé dès le lendemain dans une cour assidue qui a au fil des semaines tourné au harcèlement. Il lui téléphonait tous les jours, l'attendait des heures au café en face de son bureau. Elle s'en plaignait à moi, mais se plaignait surtout de ce que je lui aie signifié aussi clairement que la voie était libre.

Je dis à ma mère que je me remets au russe, que j'ai un vague projet qui tournerait autour de mes racines russes. Elle dit : très bien, mais je sens que ça l'inquiète. Ce serait très bien, en effet, de parler de mes racines russes, de mes ancêtres russes qui, du côté de sa mère à elle, sont tous princes, comtes, grands chambellans, demoiselles d'honneur de l'impératrice. J'ai toujours vu leurs portraits chamarrés de décorations aux murs de l'appartement où j'ai grandi, rue Raynouard, et, maintenant que mes parents ont emménagé quai Conti, ces portraits font très bon ménage avec ceux des académiciens du passé. Les scandales et les frasques attachés à leurs modèles sont pittoresques. La princesse Panine faisait sensation dans les salons de Pétersbourg en s'y promenant avec des loups. Le comte Komarowsky, celui qui a été vice-gouverneur de Viatka, avait coutume lorsqu'il se mettait en colère de défenestrer ses interlocuteurs, particulièrement les musulmans. Un autre comte Komarowsky, un baroudeur qui a fait toutes les guerres, le Transvaal, la Mandchourie, les Balkans, et dont les photos, généralement équestres, m'ont toujours inspiré beaucoup de sympathie, a fini jeté dans un puits par les révolutionnaires. Son destin est tragique, mais glorieux. Avec ces personnages hauts en couleur, figurant tous dans le gotha, on pourrait écrire un roman historique épatant, mais ma mère se doute bien que je ne veux pas écrire ce roman historique épatant, que ce qui m'intéresse c'est ce dont il ne faut pas parler.

Je vais voir Nicolas, mon oncle. Ce n'est peut-être pas la vérité, mais il me semble que tout ce que je sais de mon grand-père, je l'ai su par lui. Ce que m'a transmis ma mère, c'est ce que je ne sais pas, ce qui fait honte et peur et qui me pétrifie quand je croise son regard. De toute ma famille, c'est Nicolas qui m'est le plus proche. Il y a aussi qu'il avait quatorze ans quand sa mère est morte, qu'ils se sont retrouvés seuls au monde, sa sœur et lui, et qu'elle l'a élevé. Elle a été sa mère autant que sa sœur, et cela fait de lui mon frère autant que mon oncle. Nous avons assez souvent parlé ensemble du grand-père, du secret, de ce qui en transpire dans les livres que j'ai écrits, pour qu'il ne soit pas étonné que je veuille aujourd'hui y revenir. Il pose devant moi le carton à chaussures où il a rassemblé et classé tout ce qu'il possède d'archives sur la famille, et principalement la *perepiska roditeliéi*, la correspondance des parents. Je commence à dépouiller ces documents. Je prends des notes.

Georges Zourabichvili est né à Tiflis, dans une famille de la bourgeoisie cultivée. Son père, Ivane, est jurisconsulte, sa mère, Nino, a traduit George Sand en géorgien. Les photos de famille montrent des moustaches et des chèches, on devine des chapelets d'ambre entre les doigts. Cela sent l'Orient, mais aussi le sérieux propre aux intellectuels des pays colonisés. La Géorgie, longtemps objet de bagarre entre Turcs et Perses, faisait depuis un siècle partie de l'Empire russe. Contrôlée par les mencheviks pendant la révolution de 1917, elle proclame en 1920 son indépendance, qui est reconnue *de jure* par les démocraties occidentales. Les Zourabichvili exultent. Patriotes fervents, ils ont une conscience aiguë des responsabilités que leur crée cette indépendance. La première d'entre elles est la maîtrise de leur langue nationale. « Parler une langue étrangère dans un pays indépendant, ce serait honteux », écrit Nino dans une lettre à l'aîné de ses trois fils, Artchil, qui fait des études d'ingénieur à Grenoble. Et, dans la même lettre, elle note l'humiliation de Georges, le cadet, quand, jouant le rôle d'interprète dans une conférence anglo-géorgienne, il est amené à poursuivre la traduction en russe, faute de connaître assez bien le géorgien. En fait, il semble que ce soit elle et pas lui que cet épisode a humilié. La langue, la culture, le patriotisme géorgiens, il trouvait tout cela provincial. Toute sa famille écrit en géorgien, mais lui en russe. Il y a une lettre de lui, de cette époque, adressée elle aussi à son frère Artchil. Il y parle de tout avec une ironie affectée, y compris de la reconnaissance *de jure* qui a tant de prix pour les siens. À vingt-trois ans, il joue au diplomate

75

cynique, au dandy frivole, ennemi de toute forme de pathos et de sentimentalité, et se juge lui-même « compliqué, peu sincère, superficiel ». Cette attitude choquait évidemment ses parents. Nino, quand elle écrit à son fils grenoblois, répète sans cesse combien elle fait confiance à son bien-aimé, son adorable Artchiliko (père et mère s'adressent à leur fils avec une tendresse touchante et une débauche de diminutifs) : c'est un garçon sérieux et sûr. Elle se fait du souci, en revanche, pour Georges, à cause de son caractère égoïste, paresseux et railleur. Le jeune homme dont on parle et qui parle de lui-même en ces termes est encore fier de sa mauvaise réputation et y voit le signe d'une person-nalité exceptionnelle : il se sent, on le devine, supérieur à ses frères, supérieur à tout le monde. Moins de dix ans plus tard, les pressentiments de ses parents seront vérifiés, le plus brillant des trois sera enfermé dans le rôle du raté de la famille.

Quand la Géorgie proclame son indépendance, les Soviets croient à la révolution mondiale et à l'émancipa-tion des nations. L'échec sanglant des spartakistes en Alle-magne fera changer Lénine de doctrine : la révolution se fera dans un seul pays, mieux vaut donc qu'il soit grand. La Géorgie est reprise en 1921. Les démocraties protestent mollement. Les Zourabichvili prennent la route de l'exil. Ils passent trois ans à Constantinople, Georges de son côté part faire des études à Berlin. Études d'économie politique, de commerce, de philosophie, ce n'est pas bien clair, et sa correspondance avec sa mère n'éclaircit rien. On ne sait rien de ce qu'il fait, s'il passe ou non ses examens, elle le lui reproche, et ça le rend encore plus évasif. Nabokov aussi était à Berlin à cette époque et je pense, en lisant les lettres de mon grand-père, que sans l'avoir connu, lui ni ses œuvres, c'est le genre de personnage qu'il s'appliquait à être : un type qui regarde tout de haut, un dandy persifleur. Mais Nabokov était sûr de lui et de son génie, quelles que soient les épreuves qu'il a traversées on sent bien qu'il s'est réveillé chaque matin en remerciant Dieu du privilège unique d'être né dans la peau de Vladimir Nabokov, alors qu'on devine chez mon grand-père, même jeune homme, une inquiétude et une défiance de soi que je reconnais bien : ce sont les miennes.

Il rejoint les siens à Paris en 1925. Le père a trouvé un emploi de chef de rayon au Bon Marché, on vit, à cinq dans deux petites pièces, une vie d'émigrés pauvres, mais les deux autres frères achèvent leurs études d'ingénieur et entameront bientôt de vraies carrières : l'un construira des barrages, l'autre travaillera chez Ford. Tout en restant fidèles à la communauté géorgienne dont ils seront jusqu'à leur mort des piliers, ils vont parfaitement s'intégrer à la société française. Georges, non. Je ne sais toujours pas bien quels diplômes il a obtenus en Allemagne, mais quels qu'ils soient ils n'ont pas cours en France, en sorte qu'il est réduit à des petits métiers. Ses frères essayaient de l'aider, mais il n'était pas facile à aider : trop orgueilleux, trop ombrageux, trop susceptible.

Un temps, il sera chauffeur de taxi, et c'est une des rares choses que ma mère aime bien raconter à son sujet, une des rares choses qu'enfant j'ai sues de mon grand-père. Chauffeur de taxi à Paris dans les années vingt c'est assez chic, ça fait prince russe. Dans son taxi, dit-elle, il passait le plus clair de son temps à lire, des ouvrages de philosophie, et quand on lui demandait s'il était libre, il répondait d'un ton agacé que non, parce qu'il voulait finir son chapitre. Il aimait les idées, les essais plutôt que les romans, et lire un livre, pour lui, revenait à discuter avec son auteur. Il l'approuvait ou l'insultait, criblait les marges d'annotations fiévreuses («Tu as trouvé ça tout seul, sinistre imbécile?») et, quand il trouvait un interlocuteur à sa hauteur, en chair et en os, il n'aimait rien tant que passer la nuit entière en âpres discussions politiques et philosophiques tout en buvant des litres de thé et fumant cigarette sur cigarette : un vrai intellectuel russe, planant avec superbe au-dessus des réalités quotidiennes.

Sous l'ancien régime, mes grands-parents maternels ne se seraient jamais mariés ni sans doute rencontrés. Lui était un roturier géorgien, elle appartenait à la grande aristocratie européenne. Son père était prussien, sa mère russe, et mon père à moi n'aime rien tant que dresser et commenter leurs arbres généalogiques, pleins de titres, de domaines immenses et de noms chatoyants. Le baron Victor von Pelken et son épouse, née comtesse Komarowsky, ne vivaient ni en Prusse ni en Russie, mais en Toscane, dans une très belle demeure que j'ai un jour visitée. Leur mariage semble avoir été malheureux et quand mon arrière-grand-mère a donné naissance à un second enfant qui n'était pas de son mari, mais du chef jardinier, ils ont divorcé, ce qui ne se faisait guère à leur époque ni dans leur milieu. Le baron von Pelken est retourné à Berlin, laissant sa fille grandir assez tristement entre une mère sans douceur, un demi-frère préféré à elle et une armée de domestiques. Ce petit monde vivait du revenu de vastes domaines, en Russie, et quand la révolution a confisqué ces domaines et tari ces revenus, mon arrière-grand-mère a d'abord congédié les domestiques, puis vendu la maison, puis mal placé le produit de la vente et il a suffi de quelques années pour qu'elle se retrouve totalement ruinée. Comme les trois membres de la famille ne s'aimaient pas, ils se sont dispersés et Nathalie de Pelken qui, à défaut d'être une jeune fille heureuse, aurait dû être une riche héritière, est arrivée à Paris en 1925 à la fois sans un sou et seule au monde. Son principal atout pour s'y débrouiller, c'était de parler cinq langues : le russe, l'italien, l'anglais, l'allemand et le français. Pour le reste, elle avait surtout étudié l'aquarelle. Avec son visage d'un ovale parfait, ses cheveux en bandeaux, séparés par une raie au milieu, on imagine bien cette jeune fille russe, noble mais pauvre et de santé fragile, dans une pension de famille pour héroïnes de Katherine Mansfield : « Notre Natalia Victorovna... »

Il lui écrivait des lettres de 25, 30 pages. Il y compare leur amour à un jardin où il trouve refuge contre les vicissitudes d'une vie passée à courir comme un animal décérébré en quête de sa pitance dans une ville poussiéreuse, assourdissante, hostile. Dans ce jardin merveilleux, auprès de sa Natacha, son âme goûte le repos, par brefs instants, mais ces élans de lyrisme et de confiance ne l'empêchent pas de se présenter lui-même à sa fiancée comme « une chose irrémédiablement pourrie », vouée à une apathie mortelle, sujette à de terribles vagues de chagrin qui montent, montent en lui, obscurcissent le soleil, étouffent les sons et les couleurs, gangrènent la vie. Nicolas m'a traduit et j'ai recopié des pages entières de ces lettres, dont il est difficile de citer des extraits parce que c'est leur mouvement, fiévreux et ressassant, qui importe. En voici, tout de même, un échantillon :

« Mon cœur, écrit-il, est devenu dur et froid comme de l'acier et, s'il n'y avait le contact de ta petite main, la seule chose qu'il soit encore capable de sentir, il aurait complètement oublié jusqu'à l'idée de la lutte. S'il était, ce cœur, vivant et chaud et rempli de sang comme celui des autres hommes, et non pas froid et dur comme de l'acier, il y a longtemps qu'il serait brisé, vidé de ce sang qui se serait répandu dans cet horrible désert qui l'a étranglé de son étau gris et froid. Que deviendrait, Natotchka, un cœur d'homme ordinaire, vivant et chaud, s'il était pris dans cet étau gris et froid d'où ne surgissent que des cohortes de spectres hideux – laids et silencieux, mais qui par leur silence même, leurs ricanements étouffés, leurs clins d'œil, leur démarche si effrontément moqueuse, parlent si clairement et intelligiblement – les spectres de tous les espoirs assassinés ou mutilés, les spectres des croyances forgées par l'âme pure de mon adolescence, les spectres de toutes les bassesses mensongères de la vie – ces spectres qui me disent si clairement par leurs lèvres muettes : eh bien, qu'as-tu gagné ? As-tu obtenu ne serait-ce que quelque chose que tu as désiré ? Tu ne l'obtiendras jamais. Jamais, tu m'entends, jamais. Comprends-tu ce mot : jamais ? Qu'est-ce que tu as à crier : sortez, sortez tous, je ne crains personne, je veux vous voir un à un, visage après visage ! Personne ne sortira, pourquoi le ferions-nous ? Nous sommes les petits, les insignifiants, nous ne sommes pas fiers, nous ne cherchons pas la bagarre, nous n'avons pas besoin de ça pour te croquer tout vif, mon petit faucon. Nous en avons eu de bien plus costauds que toi. Un à un ? Et pourquoi veux-tu que nous acceptions ça ? Pourquoi donc ? Notre force n'est pas là, nous y allons doucement, à tout petits pas. Nous sommes la multitude, nous sommes des légions de légions, nous sommes le monde entier, et toi, tu es qui ? Tu es seul – nous sommes le monde entier et toi tu es seul, tu comprends ça ? Gesticule, gesticule tant que tu veux – nous, nous attendons, nous ne sommes pas pressés, nous sommes de petites gens. Crie donc, mon petit faucon, crie et gesticule – nous attendons, nous ne sommes pas fiers, nous ne sommes pas comme toi, toi qui t'imaginais que le monde avait été créé pour que tu y accomplisses tes rêves. En voilà, un petit futé ! Nous, mon petit vieux, notre force, elle n'est pas là, nous y allons en douceur, tran- quillement – on t'en envoie d'abord un, puis un autre, puis un troisième, puis un dixième, et d'un coup tu t'aperçois qu'il y a foule. Eh bien c'est comme ça qu'on va se poser sur toi, tous ensemble, en foule, pour t'écraser. Et tout le monde sera avec nous – même ceux qui t'étaient les plus proches, eux aussi seront avec nous. Et avec toi, mon petit, qui sera avec toi ? Personne. Car on ne rassasie personne avec de beaux rêves grandioses – et même si toi tu y croyais, à tes rêves ? – est-ce que tu y crois, au moins ? Est-ce que tu crois vraiment que tu peux faire couler un fleuve de la mer vers la montagne, faire en sorte que le soleil se déplace du couchant au levant ? Est-ce que tu crois ça ? Et ton chagrin, alors, d'où te vient-il ? Et l'épuisement mortel de ton âme ? Et ce pli de désespoir au coin de ta bouche ? Est-ce que tu ne le sais pas, que tout ce que tu as touché de ta main s'est transformé en destruction et en malheur ? Tu n'as toujours pas compris, petit faucon ? Tu es seul, complètement seul, personne ne t'accompagne ni ne te suit. Tu gesticules encore ? Pourtant tu le sais déjà, que quand tu n'en pourras plus de gesticuler, alors à ce moment-là nous serons tous au rendez-vous, tout frais, tout dispos, pour t'écraser de notre poids et de notre multitude. Et qui te défendra ? Personne ne te défendra – parce que tu leur as vraiment trop marché sur les pieds avec ton arrogance diabolique. Tu es tout seul, avec tes rêves grandioses. Alors que nous, nous sommes peut-être petits, mais nous sommes la multitude – oh, quelle multitude ! Et toi, petit faucon, tu gesticules... »

L'homme qui écrit cela dans une lettre d'amour à sa fiancée a trente ans. Il se voit déjà comme un déchet, un homme perdu, et perdu pas seulement à cause de la malchance qui l'empêche de trouver dans la société une place digne de lui, mais aussi parce qu'il y a en lui quelque chose de malade, de pourri, ce qu'il appelle « mon défaut constitutionnel » ou, plus familièrement, « mon araignée au plafond ». Le guignon le poursuivait, le monde lui était ennemi, mais il était surtout l'ennemi de lui-même, c'est ce qu'il ne cesse de dire sur un ton et un rythme dont je m'avise, en recopiant ces lignes, qu'ils sont exactement ceux de l'homme du souterrain dont Dostoïevski a transcrit l'inquiétude, la folie ratiocinante et l'atroce haine de soi.

Assez étrangement, cette correspondance entre mes grands-parents se poursuit au-delà du temps de leurs fiançailles. Ils se marient en octobre 1928, leur fille Hélène, ma mère, naît le 6 juillet 1929 et, moins d'un an plus tard, les lettres reprennent de plus belle. C'est qu'ils se sont très vite séparés. Cette séparation s'explique en partie par des raisons matérielles. Ils étaient trop pauvres pour louer un appartement, même petit, et il est souvent arrivé que des amis charitables recueillent Nathalie et sa fille dans une pièce-cagibi où il n'y avait pas de place pour Georges. Lui trouvait à se caser ailleurs, à l'hôtel ou sur le canapé d'autres amis, et ses emplois calamiteux l'entraînaient pour de longues tournées en province, qu'il raconte par le menu avec une ironie amère. Le fond de l'affaire, cependant, c'est qu'il ne supportait pas la vie de famille, et surtout pas la vie de famille pauvre. Le quotidien le blessait, il s'y sentait ligoté. Chargé de responsabilités, il lui fallait renoncer à ses aspirations et mener pour gagner trois sous une vie mesquine et épuisante.

Mais c'était quoi, ses aspirations ? Ces rêves grandioses dont l'hostilité du monde et sa propre nature lui interdisent l'accomplissement? Qu'aurait-il voulu faire, dans l'absolu? De la littérature, de la politique, du journalisme? Ce n'est pas clair, et je n'ai pas l'impression que la vie l'ait empêché de suivre une vocation précise. Sa pauvreté l'humiliait, mais il ne rêvait pas de faire fortune. Il écrivait avec fièvre des lettres interminables, mais il n'a jamais, que je sache, proposé un texte à un éditeur ni même à un journal. Je crois qu'il aurait voulu surtout être respecté. Important. Visible. Exister aux yeux d'autrui. N'être pas perçu comme un raté, un homme qui toute sa vie tirera le diable par la queue.

Il n'écrivait pas seulement à sa femme, ni seulement en russe. Le carton de la *perepiska roditeliei* contient une liasse de lettres en français, patiemment recueillies par Nicolas auprès de correspondants qui étaient surtout des correspondantes : deux ou trois dames de la bonne bourgeoisie française à qui il s'adresse quelquefois sur le ton de l'amoureux transi, quelquefois sur celui du mentor despotique, souvent sur les deux à la fois. Ma mère reconnaît avec indulgence qu'il était coureur de jupons, mais il semble avoir moins recherché des maîtresses que des confidentes et des liens d'amitié amoureuse avec des femmes qui avaient toutes en commun d'être moins soumises que lui au joug dégradant de la nécessité. Il aimait leurs manières délicates, leurs appartements qui sans être forcément fastueux n'étaient pas des gourbis. Sa vie de déclassé lui pesait affreusement et il se déchargeait de ce poids dans des lettres qui sont vite devenues en français aussi labyrinthiques et contournées qu'en russe. Phrases longues, tortueuses, ressassantes, qui courent après la pensée, multiplient tirets et parenthèses, donnent l'impression de boiter jusqu'à ce qu'il les fasse retomber sur leurs pieds dans un éclat d'autodérision cruelle.

Griffonnées au crayon sur des tables de café, ces lettres, après l'époque du taxi, sont postées d'un peu partout en France et en Belgique. Quel métier exerçait-il au juste ? Représentant ? Vendeur à la criée ? Il parle de stands qu'il monte et démonte sur des marchés, de patrons qui l'exploitent. Il est décidé, au début, à considérer ces expériences pénibles et mal payées comme des expériences, justement, un sport qui trempe le caractère. Il se veut énergique, nietzschéen, mais le découragement ne tarde pas à poindre. Tout est compliqué. Il loge, quand il est à Paris, dans un trou à rats rue de Malte, Nathalie et la petite Hélène sont hébergées par de vagues relations à Meudon, mais ces vagues relations disent que cela ne peut pas durer éternellement et il craint de devoir reprendre la vie commune – ce qui serait, confie-t-il à une de ses correspondantes, « la solution la plus désagréable pour tout le monde ».

Que sais-je de la petite Hélène, ma mère, à cette époque ? On l'appelle Poussy, on s'émerveille de sa vivacité. Les photos sont rares, c'était alors un luxe, mais sur ces rares photos elle est ravissante. Jusqu'à l'âge de quatre ans – c'est elle qui me le raconte – elle ne parle pas français. Dans la société d'émigrés où elle grandit, on parle russe et seulement russe. Elle croit même qu'elle vit en

Russie. Meudon se prononce *Miédonsk* et Clamart *Kliémar*. Un jour, se rappelle-t-elle, son père l'emmène au Bois de Boulogne, où ils canotent en compagnie d'une dame française. La dame ne parle pas russe, la fillette pas français, elles ne peuvent échanger que des sourires. De retour à la maison, son père explique à la petite Hélène qu'elle va bientôt partir en vacances avec cette gentille dame française. Hélène a déjà l'habitude de passer des vacances chez des gens qu'elle connaît à peine ou pas du tout, ses parents n'ayant les moyens de l'emmener nulle part, mais ce sont des Russes, d'habitude. Elle ne proteste pas, passe l'été en Bretagne, entourée de gens qui parlent une langue à laquelle, au début, elle ne comprend rien. Elle l'apprend vite et bien, au point qu'à son retour en septembre elle a pratiquement oublié le russe – qui lui est revenu en quelques jours.

J'adorais, enfant, que ma mère me raconte cette histoire et elle ne se faisait jamais prier pour la raconter. J'en aimais chaque détail. Aujourd'hui pourtant, j'ai du mal à croire qu'elle n'a absolument pas parlé français avant ce séjour en Bretagne, qu'elle a réellement cru vivre en Russie. Comment une petite fille intelligente et curieuse ne se serait-elle pas avisée que dans la rue, au jardin public, chez les commerçants, partout, on parlait une autre langue qu'à la maison ?

Tandis que dans d'obscures villes de province et pour un salaire de misère Georges emballe et déballe des stands, Nathalie est triste, inquiète de l'avenir. Ses seules joies sont sa fille et le chœur de l'église où elle chante. « Au plus haut de ma tour, écrit-elle, je ne vois personne, personne ne vient chez moi, je ne vais chez personne. Je deviens de plus en plus sauvage et aussi, entre nous, de plus en plus fatiguée. » En 1936 pourtant, elle attend un second enfant, et quand Nicolas naît, Georges reprend la vie commune. Il trouve un travail à Paris, comme vendeur chez Vilmorin, quai de la Mégisserie. La famille habite un petit deux-pièces à Vanves. Comme une de ses amies prend quelques jours de vacances à Nice, Nathalie lui demande d'en profiter pour rendre visite à sa mère qui vit là-bas, dans un hôtel miteux portant le nom étrange d'hôtel Ric et Rac. Elles ont depuis des années perdu tout contact : « Souviens-toi qu'elle ne sait naturellement pas la vérité sur ma vie et sur Nicolas, elle ne comprendrait pas et cela la peinerait inutilement. Donc, version officielle, foyer très heureux. »

Version officielle, foyer très heureux...

Le 18 juillet 1936, les troupes franquistes s'insurgent contre le Front populaire espagnol. Des Brigades internationales se forment pour venir à son secours. Mais lui, Georges, s'il n'avait, comme il dit, « Natacha et la petite *to take care of* », c'est une autre brigade qu'il rêverait de rejoindre : la Bandera, qui soutient les franquistes et rassemble, selon lui, « les derniers amants du propre et du chevaleresque, de la hiérarchie et de l'ordre, du dévouement désintéressé ». Cela fait plusieurs années déjà qu'il admire Mussolini et Hitler, qu'il engage ses correspondantes à lire Béraud, Kérillis, Bonnard, les compagnons de route du fascisme français. Il recopie pour elles des citations pleines de mots comme vermine, pourriture, décadence, et quand il utilise, textuellement, l'expression « la bête immonde », c'est pour désigner les démocraties qui en 1921 ont sans réagir laissé les bolcheviks envahir son petit pays. Tous les thèmes du fascisme figurent dans ses lettres : dégoût du parlementarisme, de l'Amérique, du matérialisme, de la boutique, de la petite-bourgeoisie ; admiration pour l'autorité, la force, la volonté. Je remarque cependant que, quels que soient les destinataires, on n'y trouve aucune trace d'antisémitisme. C'aurait été, a priori, l'exutoire idéal à son mode de pensée obsessionnel, amer et ressassant. Mais il semble, chose somme toute assez curieuse, qu'il n'ait jamais rendu les Juifs responsables de ses malheurs. Peut-être, en tant que Géorgien apatride, se sentait-il solidaire de ces persécutés. Mais cela aurait pu jouer en sens inverse : un type qui se trouve tout en bas de l'échelle, humilié de tous, trouve habituellement du réconfort à en trouver un autre encore plus bas que lui, et à l'humilier à son tour. Ce n'est pas ce qui s'est passé.

Politiquement, il est vers la fin des années trente de plus en plus enragé et place tous ses espoirs de renaissance pour l'Europe – sinon pour lui, dont la perte est déjà consommée – dans les dictatures espagnole, italienne et surtout allemande. Mais il tourne en même temps autour de la foi chrétienne, comme ultime recours pour une âme comme la sienne. Cette foi dans laquelle il aspire à s'abîmer n'est pas la foi de sa femme, héritée, paisible, résignée, cette foi qui s'exprime en chantant dans le chœur de l'église orthodoxe et qui est le seul soutien de Nathalie dans les vicissitudes de la vie. Sa foi à lui, du moins celle dont il rêve, est un élan mystique, une brûlure plus qu'un baume, et quand une bonne âme lui cite une phrase de Claudel sur « l'élection à rebours » du réprouvé, sur « le malade et le saint, que Dieu ne laisse pas tranquilles », il éclate en sarcasmes contre l'écrivain en lui reprochant d'en parler « du dehors ».

« Que sait-il du vrai désespoir qui est comme un acide qu'on vous verse dans l'âme goutte à goutte et qui vous pénètre jusqu'à la moelle des os ? Il en parle bien, très bien, car il est un grand artiste, comme tel capable d'imaginer avec une véracité, une crédibilité inouïes la "chose", exactement comme il saurait imaginer et décrire l'état d'esprit d'un homme enfermé pour le restant de ses jours dans un cul-de-basse-fosse. Mais qu'en sait-il vraiment ? Qu'il me montre le bout de ses doigts. Si j'y vois, au lieu d'ongles bien policés, des moignons sanguinolents à force de creuser la pierre vive et les os de ses poignets mis à nu par ses propres dents, je le croirai, pas avant. »

Pour parler du désespoir, il s'estime, lui, autorisé, et c'est dans le désespoir qu'il s'efforce d'enraciner sa foi. Ces phrases, et d'autres encore qui relèvent à la fois de l'apologétique et d'une insistante autopersuasion, rendent pour moi un son familier. Elles me rappellent une époque où, étant affreusement malheureux, j'ai essayé de devenir chrétien. J'y retrouve ce que j'ai connu : le même désir de croire, pour accrocher son angoisse à une certitude ; le même argument paradoxal selon lequel la soumission à un dogme contre quoi se révoltent l'intelligence et l'expérience est un acte de suprême liberté ; la même façon de donner sens à une vie insupportable, qui devient une succession d'épreuves imposées par Dieu : une pédagogie supérieure, qui éclaire par la souffrance.

Nathalie, sa femme, résumait ainsi son histoire : « Un homme dans la vie de qui Dieu s'est installé de force et le gâchis qui en résulte. »

D'où me vient cette scène ? Ma mère, petite fille, est dans le métro avec son père. À côté de lui, sur la banquette, ou bien chacun sur un strapontin. Il porte des vêtements à la fois pauvres et corrects : une veste sombre, une cravate, une chemise propre et élimée, un tricot de grosse laine, peut-être à motifs jacquard, qui lui donnent l'air de ce qu'il est, exactement : un émigré pauvre, ce qu'on n'appelle pas encore un travailleur immigré – mais son visage étroit et creusé par le souci, son teint mat, ses cheveux et ses yeux noirs, sa moustache noire le feraient facilement confondre vingt ou trente ans plus tard avec un Arabe. Son visage aussi est sombre, et sa voix sourde. Il parle de sa vie à sa petite fille, avec colère et avec honte. Il a échoué en tout, il est un raté. Il est intelligent, pourtant, cultivé, il a étudié la philosophie dans des universités allemandes, il lit des livres ardus, il parle couramment cinq langues, et tout cela ne lui sert à rien, au contraire l'enfonce encore plus. Ses frères se sont débrouillés, eux. Ils sont ingénieurs tous les deux, ils ont des diplômes qui valent quelque chose, des postes dans des entreprises solides, ils n'ont pas de problèmes pour faire vivre leurs familles. Ce sont des types raisonnables, des types fiables. Pas des génies, c'est sûr. Lui était différent. Le plus doué, le plus brillant, tout le monde était d'accord là-dessus, et malgré cela ou plus probablement à cause de cela il n'est arrivé à rien. Dans la société française, il n'est personne. Personne. Littéralement, il n'existe pas. Un ticket de métro usagé, un crachat par terre, parmi les éclats de mica. Il fait irrémédiablement partie de cette tourbe des gens qu'on voit dans le métro, pauvres et gris, les yeux éteints, les épaules courbées sous le poids d'une vie dont il n'ont rien choisi, des gens qui se savent insignifiants, quantité négligeable, pauvre bétail humain attelé sous le joug... Le plus triste, c'est que malgré tout ces gens ont des enfants. C'est affreux, cela. Pour ses enfants au moins, il faudrait qu'un homme soit fort, intelligent, respecté. Un petit garçon ou une petite fille qui prononce le mot « papa » devrait être certain que Papa est un héros, un preux, et un père qui n'est pas capable d'apparaître ainsi aux yeux de ses enfants n'est pas digne d'être appelé Papa.

J'imagine ces mots, et peut-être cette scène. Il me semble pourtant que ma mère m'a un jour raconté quelque chose de ce genre. Je la vois, elle, assise dans le métro à côté de son père, écoutant ce monologue amer et sourd et luttant pour ne pas pleurer. Je la vois mal habillée, avec de mauvaises chaussures aux semelles trouées, comme dans les romans misérabilistes, et j'imagine sa honte à lui de ne pouvoir lui en acheter de neuves, de devoir compter sans fin, économiser pour acheter à sa fille des chaussures qui de

91

toute façon seront moches et de mauvaise qualité, parce que les gens comme lui ne peuvent acheter à leurs enfants que des choses moches et de mauvaise qualité. Cette scène est très précise dans ma conscience, mais je suis incapable de me rappeler quand ma mère – si c'est bien ma mère – me l'a racontée. Ce qui est sûr, c'est que je ne peux pas voir un pauvre type avec son enfant dans le métro sans me figurer sa honte et son humiliation, la conscience qu'a l'enfant de cette honte et de cette humiliation, et avoir à mon tour envie de pleurer.

Au début du printemps, je suis invité à Amsterdam pour parler de mes livres. Je me méfie, habituellement, de ce genre d'invitations, mais c'était l'occasion de passer trois jours avec Sophie en amoureux : j'ai accepté. La veille du départ, nous nous querellons violemment, comme il arrive de plus en plus souvent, et je pars seul. Je le regrette aussitôt arrivé, en me retrouvant dans mon hôtel de charme, assis sur le lit *king size* où il aurait été si plaisant de faire l'amour ensemble. Crétin, pauvre crétin, *biedny dourak*!

Toute honte bue, j'appelle Sophie, lui dis que je suis malheureux sans elle, qu'elle peut encore me rejoindre, je vais téléphoner pour lui réserver un billet. Elle m'écoute en silence, puis me dit, calmement, qu'elle m'aime mais qu'elle n'accepte pas d'être suspendue à mes changements d'humeur. Je ne sais pas ce que je veux, j'oscille perpétuellement entre le désir le plus fusionnel et le rejet le plus blessant. Elle est comme elle est, avec son rire bruyant et ses amis banlieusards, je ne la changerai pas, et ce qu'elle n'aime pas, elle, c'est voir l'homme drôle, charmant, courageux dont elle est tombée amoureuse se transformer en un petit personnage sec, amer et cruel, qui en la jugeant sans bienveillance se juge lui-même et se condamne. Voilà.

Il est sept heures, je n'ai aucun plan, les organisateurs de la conférence n'ont rien prévu pour moi avant le lendemain et la perspective inquiétante se dessine d'une soirée solitaire, allongé sur mon lit, pendant que les gens se promènent dans les rues, se retrouvent dans des bars, bavardent, sourient, s'embrassent, bref font ce que font les gens le samedi soir dans une grande ville, pourvu que ce soient des gens normaux. Toute ma vie je me suis considéré comme pas normal, exceptionnel, à la fois merveilleux et monstrueux, ce qui est ordinaire quand on est adolescent mais inquiétant à mon âge et j'ai beau aller trois fois par semaine chez le psychanalyste, je vois de moins en moins de raisons pour que ça change.

En sortant de l'hôtel, situé comme il se doit au bord d'un canal parfaitement romantique, je remarque, au rez-de-chaussée de l'immeuble voisin, un salon de massage et, en m'approchant, que ce salon de massage ne propose pas seulement des massages, mais aussi des séances de *floating* – qui consiste à flotter dans un caisson d'eau salée, sans avoir besoin de faire aucun mouvement pour se maintenir à la surface. Le caisson, dont on voit des photos en vitrine, a la taille d'une grande baignoire, mais munie d'un couvercle et hermétiquement close, de façon qu'aucune stimulation extérieure, visuelle ou auditive, ne gêne la relaxation. Inutile d'être très malin pour observer que ce *tank* est très semblable à une tombe, et deviner que la perspective de passer un moment dans une telle tombe m'a tout de suite ragaillardi : j'ai trouvé comment occuper ma soirée.

Comme il n'y a pas de *tank* libre pour le moment, je réserve ma place pour plus tard et pars me promener. Je dîne légèrement dans un restaurant où je suis seul à être seul, et le supporte mal. Je rappelle Sophie, que mon projet pour les heures qui viennent n'enchante pas. C'est quoi, dit-elle, l'idée ? De revenir dans le ventre de ta mère ? Tu ne crois pas que tu ferais mieux d'en sortir, plutôt ?

La pièce où se trouve le *tank* tient du jacuzzi, de la cabine à U.V. et du salon mortuaire. Je prends une douche, puis j'entre dans le caisson. Je referme le couvercle sur moi.

Je flotte, nu, à la surface de l'eau tiède, légèrement gluante. Obscurité totale, silence total, hormis le battement du sang dans les artères. On peut, si on le souhaite, appuyer sur des boutons qui procurent musique *new age* et lumière tamisée, mais je préfère m'en passer. Est-ce que ça me plaît ou non ? Difficile à dire. Le monde extérieur n'existe plus. Je suppose que c'est une expérience enrichissante pour des gens qui passent leurs journées dans l'incessante trépidation d'une vie professionnelle stressante, des hommes d'affaires qui rêvent – de loin – de calme et de vie intérieure. Mon problème à moi est exactement inverse. Je ne fréquente pas beaucoup le monde extérieur, la vie réelle, et passe le plus clair de mon temps dans mon propre monde intérieur, dont je suis fatigué, justement, et où je me sens prisonnier. Je ne rêve que de quitter cette prison, mais je n'y arrive pas, et pourquoi donc? Parce que j'en ai peur et aussi, c'est le plus déplaisant à admettre, parce qu'au fond j'aime ça.

Sophie a raison. Je suis adulte, j'ai quarante-trois ans et pourtant je vis encore comme si je n'étais pas sorti du ventre de ma mère. Je me pelotonne, me recroqueville, me réfugie dans le sommeil, la prostration, la chaleur, l'immobilité. Bienheureux et épouvanté. C'est cela, ma vie. Et tout à coup, je ne peux plus la supporter. Pour de bon, je n'en peux plus. Je pense : le moment de sortir est arrivé. Comme le paralytique de l'Évangile qui a passé sa vie couché, à se lamenter en vain, et voici qu'on lui dit : lève-toi et marche, et il se lève et marche.

Je me lève. Je soulève le couvercle du caisson et j'en sors. Je reprends une douche, me rhabille et, comme la fille de la réception s'étonne de me voir sortir si vite, je lui dis que non, ça ne m'a pas vraiment plu, je ne devais pas être dans un bon jour pour ça, peut-être une autre fois.

Peut-être, dit-elle, à votre service.

Il pleut dehors, mais je me sens plein d'énergie. Je me répète que voilà, ça y est, je suis libre. Je me suis levé, j'ai ouvert la porte de la prison – découvrant au passage qu'elle n'avait jamais été fermée – et maintenant je marche par les rues. Et marchant de la sorte, d'un pas vif et léger, je me dis qu'après toute une vie passée à gésir comme le paralytique, il faut que je me rattrape. Marcher, marcher droit devant moi, sans m'arrêter, sans me reposer, et surtout sans jamais revenir en arrière. Telle sera la règle de ma nouvelle vie : aller droit devant moi, là où me portent mes pas, sans retour ni regret.

Aller droit devant moi, oui, mais jusqu'où ? Jusqu'aux confins de la ville ? Jusqu'à la mer ? Jusqu'au port ? L'idée du port me plaît, parce qu'il s'y associe d'autres idées, de vague danger. Chacun sait que dans les ports on fait plus facilement qu'ailleurs de mauvaises rencontres, avec des marins ivres prompts à sortir leur couteau, et je m'aperçois avec étonnement que je ne suis pas loin d'espérer ce genre de rencontre.

Attention, je ne suis pas un chercheur de bagarre. J'ai très peur de tout affrontement physique et quand, il y a dix ans, j'ai décidé de pratiquer un art de combat, j'ai comme par hasard choisi le taï-chi-chuan, auquel on s'entraîne seul, sans adversaire : une manière d'onanisme martial. Ce soir-là, pourtant, j'ai envie de bagarre, et peu importe au fond que je frappe ou sois frappé. Bien sûr, j'aimerais mieux qu'on ne me tue pas, ni même ne me blesse grièvement, mais je suis tout à fait partant pour me faire casser la gueule, sans masochisme aucun, je le crois sincèrement, simplement j'attends avec excitation que se passe ce que j'ai évité toute ma vie : un combat. Pour la première fois, je désire aller au devant du danger, droit devant moi, et ne pas m'arrêter avant de l'avoir affronté.

Qu'on se rassure – ou modère sa déception : rien ne s'est passé cette nuit-là. Je me suis contenté de marcher dans divers quartiers d'Amsterdam sans rencontrer aucune aventure, ni d'autre souci que la difficulté d'aller droit devant soi dans une ville dont les rues et les canaux décrivent des circonvolutions de coquille d'escargot. J'ai fait ce que j'ai pu

97

pour me perdre, mais je dois avouer que pour cela je ne suis pas allé bien loin. Mon errance nocturne a duré seulement quelques heures, traversé de paisibles banlieues, et quand, l'aube pointant, j'ai trouvé un taxi, je me suis fait reconduire à l'hôtel. C'est là que j'ai repensé à Kotelnitch.

Ce que j'ai pensé, c'est que Kotelnitch était un endroit pour combattre. La Russie en général, qui passe pour un pays dangereux, mais particulièrement Kotelnitch. Après notre reportage, je m'étais exalté avec Jean-Marie, Alain et Sacha, à l'idée d'y retourner plus longtemps, pour un documentaire sans sujet bien précis. C'est le genre d'idée avec quoi on joue comme, avant de se quitter, on échange des adresses et promet de se revoir : il y avait peu de chances qu'elle survive à notre cuite, dans le train du retour, et voilà que six mois plus tard, après une marche nocturne dans les rues d'Amsterdam, elle s'impose à moi avec l'éclat de l'évidence. Bien sûr, je vais retourner à Kotelnitch. Tourner un film peut-être, écrire un livre peut-être, et peut-être rien de tout cela. Peut-être que juste y être, ce serait aussi bien.

Je raconte tout à Sophie, à mon retour. Le caisson, la sortie du liquide amniotique, la marche droit devant soi, l'envie d'en découdre, et la conclusion logique : Kotelnitch. D'autres trouveraient cela tiré par les cheveux : à elle, cela paraît aussi naturel qu'à moi. Elle dit que c'est bien, que c'est juste. En même temps, cela l'inquiète. Cela veut dire que je vais repartir, peut-être longtemps, sans elle. Que je vais être attiré, plus seulement par une langue, mais par un pays, par un monde où elle ne pourra pas me suivre. Sans compter que les femmes russes sont des rivales sérieuses. Elle est jalouse, elle plaisante de sa jalousie. J'en plaisante aussi. L'un dans l'autre, cependant, cela se passe beaucoup mieux entre nous après le caisson qu'avant.

J'essayais d'écrire quelque chose à partir des notes prises au sujet de mon grand-père, je n'y arrivais pas et cela me fait du bien de laisser tomber. Comme je ne suis pas, en temps normal, un tel foudre de guerre qu'au sortir d'un caisson amniotique, je laisse tomber aussi l'idée de prendre seul mes quartiers à Kotelnitch. J'appelle Alain et Jean-Marie, comme d'Artagnan, au début de *Vingt ans après*, bat le rappel des mousquetaires dispersés. Ils sont tous deux partants, en principe, mais il nous faut un cadre, une commande, et je me rends vite compte qu'il n'est pas très facile de se faire commander un documentaire quand on n'en connaît pas le sujet. Je vois des gens de télévision, de cinéma. Je leur montre notre reportage, je leur explique que je voudrais retourner dans un bled appelé Kotelnitch et y passer un mois pour filmer ce qui arrive, s'il arrive quelque chose, ce qui n'est pas garanti. On me dit qu'il faudrait affiner mon approche, trouver un angle. En fait, qu'il faudrait faire un synopsis, c'est-à-dire résumer ce qu'il y aura dans le film. Je réponds que je ne sais pas ce qu'il y aura dedans, que je ne veux pas le savoir, que si je veux faire le film c'est pour l'apprendre. Mes interlocuteurs soupirent : c'est un projet pointu.

Cela va prendre plus de temps que je n'avais pensé. Peu importe : je vais mettre ce temps à profit pour progresser en russe et, comme en prévision d'une ascension sérieuse on s'entraîne dans la montagne à vaches, je décide de passer le mois d'août à Moscou, où un ami me prête son appartement. Sophie a, comme elle dit et comme je n'aime pas qu'elle dise, « posé » trois semaines de « congé » à partir du 14 juillet, je décrète donc que nous passerons quinze jours ensemble à Formentera, après quoi je m'envolerai pour la Russie et elle, puisqu'elle m'a dit qu'elle aimerait bien faire de la randonnée, je lui en conseille une que j'ai déjà faite, dans le Queyras. Elle pourrait y aller avec son amie Valentine. Tu ne crois pas, me dit-elle, que tu es un peu dirigiste ? Je la regarde, étonné : il me semble que j'arrange tout au mieux.

Un soir de la fin juin, Valentine vient dîner. J'ai acheté au Vieux Campeur les cartes de l'Institut géographique national et le guide des sentiers de grande randonnée. La boucle de six jours que je propose aux deux filles, je l'ai faite au mois de juin, il n'y avait personne, c'était magnifique. La première semaine d'août, ce sera forcément moins bien, mais cela, je ne le dis pas, je ne tiens pas à lancer Sophie sur le thème des privilégiés libres comme moi de partir quand ça leur chante et des damnés de la terre réduits comme elle à le faire en même temps que tous leurs semblables. Ce que je dis, en revanche, c'est qu'il faut réserver dans les gîtes. Je leur ai préparé un itinéraire, dont le point culminant est le col Agnel. Il y a là un refuge dont j'ai un bon souvenir. En descendant la seconde bouteille de saint-véran, j'improvise sur le thème : les aventures de Sophie et de Valentine sur les sentiers du Queyras. Je les imagine, ces deux très jolies filles, la brune et la blonde, le sac au dos, le tee-shirt trempé de sueur et leurs belles jambes dorées découvertes entre le bas du short effrangé et le haut des chaussettes en bouclette – j'insiste sur la bouclette, qui est le meilleur moyen de prévenir les ampoules. Elles arrivent au sommet d'une longue côte, sous le soleil qui tape dur, il y a une fontaine ou bien un abreuvoir, elles tendent le cou sous le filet d'eau, boivent goulûment, s'aspergent, elles rient de plaisir sous le soleil, la neige des sommets brille, les clochettes des vaches tintent, on n'a plus qu'une envie c'est de s'allonger dans l'herbe de l'alpage et quand on ferme les yeux on est au paradis. Les filles qu'on croise sur les G.R. sont plutôt moches, d'habitude : deux beautés comme elles, c'est un rêve pour le randonneur. Tandis que Valentine roule des joints, je brode, je fais accourir de musculeux bergers, le refuge du col Agnel se charge d'une électricité érotique digne du train de nuit Moscou-Kotelnitch qui est dans mes rêves, comme on sait, le théâtre de partouzes carabinées. Mon histoire, dont je ne me rappelle plus les détails, fait pleurer de rire Sophie et Valentine. Et toi, pendant ce temps-là, dit Sophie, tu dragueras des mannequins russes. Elle le dit sans acrimonie, tout est drôle et doux ce soir-là. J'aime, conclut-elle, quand tu t'occupes de moi.

En tête du carnet noir que j'ai emporté à Moscou avec le projet d'y tenir mon journal, j'ai collé deux photos. Sur la page de gauche, mon grand-père, le visage penché, le front soucieux, le regard noir; sur celle de droite Sophie, nue sur la terrasse de la maison de Formentera. C'est une des photos d'elle que je préfère. Elle est joyeuse, offerte. Elle me sourit. En regard l'une de l'autre, ces photos opposent l'ombre de ma vie et sa lumière.

À la page suivante, j'ai noté le numéro du refuge du col Agnel et la date du passage de mes deux randonneuses. Je téléphone ce soir-là, visant l'heure du dîner. Quand je dis, pour expliquer la friture, que j'appelle de Moscou, le gardien du refuge est impressionné et cela m'amuse de l'entendre dire à la cantonade, d'une voix forte, qu'il y a un appel de Moscou pour mademoiselle Sophie L. J'imagine la table d'hôte, le coup d'œil qu'échangent Sophie et Valentine, le regard des autres randonneurs sur Sophie qui se lève et traverse la salle et, quand elle prend la ligne, je la sens fière d'être cette fille à qui l'homme de sa vie téléphone de Moscou dans un refuge de montagne du Queyras. Je lui demande si tout est comme je le lui ai décrit, si Valentine et elle font des ravages. Elle rit, dit que c'est magnifique, qu'elle a affreusement mal aux genoux dans les descentes, qu'elle aime que je l'appelle et qu'elle m'aime.

Le carnet à la main, je regarde sa photo en lui parlant, et il me semble soudain que mon grand-père, de la page d'à côté, la regarde lui aussi de son regard si sombre, à la fois sardonique et traqué. Il m'envie, il me veut du mal, mais je pense à cet instant qu'il ne peut rien contre nous. J'aime une femme, cette femme m'aime. Je ne suis plus seul.

Je relis le journal de ce mois d'août. Dans l'ensemble, je suis content. Les gens à qui on m'a adressé ne sont ni des nouveaux Russes ni de vieux Soviétiques, mais des représentants, plutôt intellectuels ou artistes, de cette classe moyenne dont l'émergence est ce qui pourrait arriver de mieux à ce pays : des trentenaires qui lisent l'édition russe de *Elle* et se meublent chez Ikea. Évidemment, on est assez loin des rixes avec des hooligans dans des banlieues sordides, mais ça me va comme ça. Je retrouve mes nouveaux amis dans des cafés qui font également librairie et galerie d'art, ils m'emmènent le dimanche à la datcha et, comme je suis écrivain, à Iasnaia Poliana, le domaine de Tolstoï. À ce régime, je fais des progrès en russe, et c'est ce qui m'importe avant tout. Les quelques épisodes dépressifs qu'enregistre ce journal sont directement liés à des baisses d'assurance linguistique. La plupart du temps, je comprends ce qu'on me dit, j'arrive à m'exprimer, je porte des toasts pleins de chaleur. Tout le monde, moi le premier, me trouve un compagnon charmant. Je me représente ma vie à venir comme une suite de bonheurs et de victoires. Mais il arrive qu'avec certains interlocuteurs je sois moins à l'aise. Je reste coi, je souris pour me donner une contenance, je répète de loin en loin *konièchno*, bien sûr, pour montrer que je suis la conversation, et je commence à me dire que je stagne ou, pire, que je régresse, que mon enthousiasme de la veille n'était qu'une illusion, que ma vie va tout droit à la catastrophe. En fait, c'est aussi simple que cela : parler russe me fait du bien, et ne pas y arriver du mal.

Tolstoï, raconte le guide qui fait visiter Iasnaia Poliana, a appris le grec ancien en deux mois, au terme desquels non seulement il le lisait et traduisait Ésope, mais il le parlait couramment. Cet exploit dégoûtait le poète Fet, qui s'escrimait à la même tâche depuis dix ans. Je me sens plutôt du côté de Fet.

Je parle russe tant que je peux, pourtant, et même quand je suis seul. Je marche dans Moscou en me répétant des mots russes. Je m'endors en lisant non seulement des récits en russe mais le dictionnaire. J'essaye de repérer à partir d'une racine commune toutes les variantes qu'on peut former au moyen de préfixes. C'est souvent décourageant, vu la difficulté d'établir un lien logique entre, par exemple, *nakazyvat'*, punir ; *otkazyvat'*, refuser ; *pokazyvat'*, montrer ; *prikazyvat'*, ordonner. Cependant je m'obstine et surtout j'y prends plaisir. Les mots russes prennent leurs aises dans ma bouche, où je les fais tourner voluptueusement. Il me semble n'avoir jamais eu ce rapport sensuel avec la langue française.

Galia a vingt-trois ans. Elle est journaliste et championne amateur de basket-ball. Nous nous promenons souvent ensemble, elle m'emmène à Melikovo voir la datcha de Tchekhov. Quand je l'embrasse sur les deux joues, je lui serre légèrement le bras ou l'épaule, et je suis chaque fois étonné de sentir sa chair si dure, si compacte. Un dimanche après-midi, elle m'appelle. Me demande ce que je fais. Je dis que je travaille à la maison, mais que si elle veut passer, cela me fera plaisir. Elle dit qu'elle a aussi du travail, un article à rendre le lendemain matin, mais qu'elle pourrait venir l'écrire chez moi. En arrivant, elle précise qu'elle a apporté ses affaires pour la nuit. Je l'installe dans le salon, où elle branche son ordinateur portable, puis je retourne dans la chambre, où j'étais en train de lire sur le lit. Par la porte entrouverte, je l'entends qui tape régulièrement sur le clavier. Plus tard, je vais faire du thé à la cuisine, je lui en apporte une tasse et je pose la main sur son épaule si dure, sans insister. Elle pose quelques instants sa main sur la mienne, sans insister non plus, puis reprend son travail. Il règne dans l'appartement une quiétude conjugale qui rend la situation beaucoup plus sexy pour moi que si nous nous étions rués l'un sur l'autre quand je lui ai ouvert la porte. Nous savons tous les deux ce qui va se passer : quand elle aura fini son article, elle cliquera pour fermer le fichier, le portable émettra un petit jingle d'au revoir et elle viendra tranquillement me rejoindre sur le lit. Je l'attends sans impatience. J'ouvre mon carnet, reprends mon journal. Mais au bout de quelques lignes, une pensée me met mal à l'aise. J'imagine Sophie lisant ce journal et tombant sur ce passage : je risque d'en entendre parler longtemps, de la petite Galia. Alors je fais quelque chose dont je ne soupçonne pas encore l'importance : ce que je viens de raconter là, je me mets à l'écrire en russe. J'écris : *I vot, Galia pichet statiyou v salonié, a ia v komnatié iéio jdou, i my skoro boudièm zanimatsia liouboi* – et voilà, Galia écrit son article au salon, et moi je l'attends dans la chambre et nous allons bientôt faire l'amour.

En la tenant dans mes bras, je ressens ce que doit ressentir un nageur qui se baigne pour la première fois dans la mer Morte : un changement de densité. Son corps de basketteuse est si incroyablement ferme que j'ai l'impression d'étreindre une statue. Sauf qu'elle est en même temps chaude, vivante, très tendre. Tout ce qui suit est délicieux, mais le plus délicieux pour moi, ce sont ses mots. C'est la première fois que je fais l'amour en russe, que j'entends une fille jouir en russe. Les sons qui sortent d'elle me bouleversent. Je lui dis ma gratitude, qui lui fait plaisir.

Au bout de deux jours, cependant, je suis ainsi fait que je me sens coupable. Galia et moi nous promenons en nous embrassant gentiment au bord de l'étang du Patriarche, là où se passe le premier chapitre du *Maître et Marguerite*, quand je la fais asseoir sur un banc et lui tiens tout à trac un petit discours vertueux sur le fait que je vis en France avec une femme et que pour cette raison notre histoire si charmante et agréable n'a pas d'avenir... Elle me regarde comme si j'étais devenu fou. Moi aussi, dit-elle, j'ai un petit ami, mais il est aux États-Unis, ta femme en France, ils n'ont aucune raison de le savoir, ça ne leur fait aucun mal et à nous ça nous fait plaisir, où est le problème ? J'admire sa santé morale, mais je répète que pour moi c'est plus compliqué que ça et, comme un imbécile, je romps. Si attirants que soient son corps trop ferme et ses douces obscénités en russe, je préfère regarder la photo de Sophie.

Le pli est pris, maintenant : je continue à écrire en russe. Mal, mais en russe. Ce que j'écris, au début, reste un journal, mais il s'y mêle bientôt des récits de rêves, des souvenirs d'enfance, des notes sur mon grand-père – des choses qui remontent de très loin à la surface et que je n'aurais pas pu, je pense, écrire en français.

En russe, je n'écris pas ce que je veux, mais ce que je peux : ma pauvreté vient à mon secours. Je ne me demande plus quoi écrire, mais comment. Bâtir une phrase qui se tienne, je trouve cela déjà beau. Et j'aime l'écrire à la première personne du singulier : *V piervom litsé edinstvennovo tchisla*, dans le premier visage du chiffre unique. J'adore cette expression. Il me semble, grâce au russe, que se découvre à moi mon premier visage.

Mon ami Pavel me raconte une histoire juive. C'est Abraham qui supplie Yahweh : Yahweh, Yahweh, je voudrais tellement, un jour, gagner à la loterie ! Je t'en supplie,

Yahweh, je t'en conjure, je te le demande depuis tellement longtemps, accorde-moi ça, juste ça, juste une seule fois, et je ne te demanderai plus rien. Yahweh, fais que je gagne à la loterie. Il pleure, il est à genoux, il se tord les mains. Finalement Yahweh surgit de la nuée et dit : Abraham, je t'ai entendu, je veux t'exaucer. Mais je t'en prie, toi, donne-moi une chance. Rien qu'une fois dans ta vie, achète un billet !

Moi qui demande sans cesse à être délivré, je me dis qu'écrire en russe, c'est acheter mon billet, donner une chance à Dieu de me sauver.

À mon retour à Paris, dès le premier soir, j'ai fièrement montré à Sophie mes carnets remplis de caractères cyrilliques. Ma petite aventure avec Galia y était bien cachée et deux semaines plus tard elle n'avait déjà plus grande importance : ce que je voulais, c'est qu'elle admire mon exploit. Je tournais les pages, je lui faisais remarquer combien du français au russe mon écriture changeait, devenait plus large et plus aérée. Un an après, c'est moi qui ai fiévreusement parcouru le carnet où, de loin en loin, elle tenait son journal, et trouvé son récit de ces retrouvailles. Je n'ai fait que parler de moi, dit-elle, de ce que représentait la langue russe dans ma vie, de mon projet d'écrire sur mon enfance en russe, et c'était comme si elle n'existait pas. Ce qui lui était arrivé, à elle, cet été, je m'en moquais. Je ne la voyais pas.

Mais cela, c'est plus tard.

Aujourd'hui, le 10 octobre 2001, on enterre Martine B., dont j'ai été tellement amoureux dans mon adolescence. C'était une amie de mes parents, plus exactement la femme, plus jeune que lui, d'un ami de mes parents. Elle était blonde, radieuse, il arrive que Sophie me fasse penser à elle. J'ai eu beaucoup plus tard, longtemps après son divorce, une courte liaison avec elle et quand j'y ai mis fin, je me suis comme d'habitude senti coupable. La dernière fois que je l'ai vue, elle souffrait déjà du cancer de la mâchoire qui devait la tuer et, avant de la tuer, détruire sa merveilleuse beauté (« J'ai passé quarante-cinq ans de ma vie dans la peau d'une jolie fille, c'est déjà drôlement bien, non? » a-t-elle dit à ma mère avant une des nombreuses et vaines opérations qui l'une après l'autre ravageaient son visage). J'étais mal à l'aise, elle pas du tout : toujours simple, bonne, présente, étonnée de mon malaise et me le pardonnant certainement. J'ai l'air de l'idéaliser mais je suis convaincu que cette femme n'en voulait à personne sur terre. Elle me regardait avec affection, intérêt, indulgence, et moi, au lieu de répondre simplement à ce regard, je me répétais que c'était mon destin de décevoir tous ceux qui m'aiment, que j'étais décidément, définitivement, un type pas fiable, un félon, un sournois, bref la vieille antienne. Définitivement? Si j'étais capable de prier, je prierais Martine morte de me donner un peu de sa tendresse, de sa joie, de l'amour qui émanait d'elle et sans quoi, comme dit bien saint Paul, on peut être tout le reste, on n'est rien. Je me rappelle la première fois que je l'ai embrassée, dans les bois près de Pontoise, c'était en automne, et je me la rappelle nue dans mon lit, rue de l'Ancienne-Comédie. Mais je préfère me la rappeler longtemps avant, à Grasse, où elle avait une maison. Nous y avons passé une semaine, ma mère, mes sœurs et moi. Elle avait quoi? moins de trente ans? Et moi quatorze, quinze? Nous écoutions ensemble des disques de Billie Holiday et j'étais à l'affût de toutes les occasions d'être seul avec elle. Un soir, nous étions tous allés dîner dans un petit village et je ne sais pas comment nous nous sommes éloignés des autres et nous sommes promenés tous les deux, juste tous les deux, dans les rues tortueuses et pentues. Nous nous sommes arrêtés sous le porche d'une maison. Je l'ai regardée : son visage, son sourire, sa joie. J'avais le cœur qui battait et j'ai envie de penser qu'elle aussi. Je n'ai bien sûr pas osé la prendre dans mes bras, mais j'ai passé les jours suivants et d'une certaine façon le reste de ma vie à rêver que je l'avais fait, à rêver de son corps qu'on a enterré aujourd'hui.

112

Pendant que nous attendions le début du service funèbre, ma mère m'a dit ceci : ce qui est bien, tu vois, c'est que Philippe a été avec elle toute la dernière nuit.

Philippe est le fils aîné de Martine. J'ai eu envie de pleurer pendant tout le service, pas tant parce qu'elle était couchée dans le cercueil à quelques mètres de moi qu'en pensant à la mort de ma mère et à ce qu'implicitement elle venait de me demander. Non pas que je n'y aie jamais pensé : je soupçonne depuis longtemps qu'en dépit de notre éloignement elle compte sur moi pour le moment de sa mort, et j'espère seulement être prêt quand ce moment viendra. J'écris ceci pour m'y préparer, pour apprendre à regarder ma mère dans les yeux, pour avoir moins peur de l'amour entre nous.

J'ai parlé de Martine à Sophie, le soir de l'enterrement, et je lui ai rapporté la phrase de ma mère. Elle l'a trouvée terrible : une sorte de chantage. Je n'étais pas d'accord. Cette phrase ne me choquait pas. Passer auprès de ma mère sa dernière nuit, je ne sais pas si je serais à la hauteur mais, non, je trouverais ça bien. Ce serait ma place.

Le lendemain, elle m'a appelé pour parler de choses et d'autres, pas très naturellement, et à un moment, tout à trac, elle m'a dit qu'elle voulait me faire lire une lettre de son père. Ce sera bien, pour commencer, a-t-elle même ajouté. J'ai répondu que oui, ce serait bien.

Il a écrit cette lettre à sa mère en 1941. En français et non en russe, comme il lui écrivait d'habitude – sans doute à cause de la censure. Elle était à Paris, lui à Bordeaux. C'est une très longue lettre, comme la plupart de ses lettres, entièrement consacrée à expliquer pourquoi il n'attend plus rien de la vie. Il développe le thème à sa façon répétitive, jusqu'à l'écœurement. Par son caractère et sa formation, il n'a jamais pu trouver et ne trouvera jamais de place dans la société contemporaine. Il est condamné, irrévocablement, à une vie pénible, mesquine et sans espoir, une vie réduite à la survie matérielle. Il ne veut pas, en lui disant cela, se plaindre ni faire de peine à sa mère, seulement lui représenter, pour qu'elle en soit consciente, la réalité nette et nue de son existence. Non, ce n'est pas une plainte, répète-t-il inlassablement, seulement un constat, le constat d'une réalité à laquelle il n'a aucune chance d'échapper et que rien ne pourra modifier.

Je suis assis sur un canapé, en face de ma mère, dans son fastueux bureau du quai Conti. Je lis la lettre. Elle me regarde la lire. J'ai déjà lu des lettres semblables, mais elle pense que c'est la première à laquelle j'ai accès et je n'ose pas la détromper. Je ne lui ai rien dit du carton à chaussures qu'a ouvert pour moi Nicolas. Elle aussi, c'est dans un carton à chaussures qu'elle garde ses trésors. Elle l'a retrouvé, dit-elle, lors du déménagement de la rue Raynouard à l'Académie. Retrouvé? Elle ne savait vraiment pas où il était? Elle assure que non et, après tout, c'est bien possible. Il lui arrive maintenant, tard le soir, au retour des grands dîners mondains qui sont l'ordinaire de la vie de mes parents, d'ouvrir ce carton et de lire une lettre ou deux. Elle pleure alors et, me l'avouant, elle a les larmes aux yeux.

Elle a trente ans de plus que son père quand il a disparu. Et quand elle pense à lui, elle pense : le pauvre petit...

Plus les années passent, me dit-elle, plus je lui ressemble. C'est vrai. Mon visage s'est creusé comme le sien. Et j'ai peur que mon destin ressemble au sien.

Je lui ai proposé de continuer, de venir une fois par semaine et de consacrer quelques heures à lire ces lettres ensemble. Nous n'avons pas précisé ce que j'en ferai ensuite, mais elle ne peut pas ne pas se douter qu'un jour ou l'autre j'écrirai un livre sur son père. J'ai longtemps pensé qu'il n'en serait pas question tant qu'elle vivrait et, en sortant de l'Académie ce jour-là, je pense le contraire : que je dois l'écrire et le publier avant sa mort. Que je l'écris pour elle. Pour la délivrer, elle, et pas seulement moi.

Je me rappelle ceci : il y a quelques années, ma mère a été sérieusement tentée de faire de la politique. Elle a accepté de prendre la tête de la liste RPR aux élections européennes, on la voyait très bien ministre des Affaires étrangères. Et puis il y a eu dans un petit journal d'extrême-droite, *Présent*, un article qui faisait allusion à son père. On disait quelque chose comme : avec un père collabo, victime de l'épuration, elle devrait être des nôtres, pas du côté de la droite hypocrite. Personne ne lit *Présent*, ça s'est arrêté là, mais j'ai vu ma mère pleurer comme une petite fille quand elle a eu l'article entre les mains. Elle a pensé attaquer en justice, compris que ce serait attirer l'attention sur ce qu'elle veut au contraire enterrer. Elle a renoncé à se lancer en politique et je pense que c'est pour cela. On a beau lui expliquer que, même si son père avait été le plus compromis des collabos, elle n'y est absolument pour rien, elle continue à croire que ce passé qui n'est pas le sien peut la briser.

Je pense : la pauvre petite...

Elle avait onze ans, Nicolas quatre, quand la famille est arrivée à Bordeaux, à l'automne 1940. Mon grand-père, au début, y a travaillé comme « interprète dans un grand garage ». La première fois que je suis tombé sur cette formule, dans une lettre de Nathalie, j'ai trouvé qu'elle sonnait comme une phrase absurde, entendue en rêve. Qu'est-ce que cela signifie, être interprète dans un grand garage ? En fait, c'était bien simple : ce garage, le garage Malleville et Pigeon, travaillait essentiellement pour l'occupant – comme à vrai dire la plupart des garages – et on l'avait engagé pour la correspondance en allemand. Pour la première fois, sa connaissance des langues lui servait. Au début 1942, cependant, il a perdu sa place, et c'est alors que M. Mariaud lui a proposé de le présenter à des amis qui travaillaient pour les services économiques allemands.

M. Mariaud avait épousé une amie russe de Nathalie. C'était un homme d'affaires véreux, cordial, qui sans aucun état d'âme mettait à profit l'Occupation pour s'enrichir au marché noir. Ma mère et Nicolas se rappellent que quand ils allaient chez les Mariaud, ils s'y régalaient de pain beurré, de chocolat et d'autres choses rares et délicieuses. Leurs parents étaient contents pour les enfants, qui mangeaient si mal d'ordinaire, mais eux-mêmes réprouvaient le marché noir et refusaient d'en profiter. Des officiers allemands venaient chez les Mariaud, tout ce petit monde festoyait gaiement et M. Mariaud, bien sûr, a eu quelques ennuis à la Libération – mais on ne l'a pas tué, seulement mis en prison.

Mon grand-père a-t-il hésité ? C'est possible. Il paraît que ses frères et sa femme ont voulu le dissuader. On ne travaillait pas pour l'occupant de son pays d'adoption, c'était contraire aux lois de l'hospitalité. Mais ces principes étaient ceux de gens qui avaient su s'intégrer dans ce pays. À lui, il n'avait réservé que des déboires. En outre, il respectait les Allemands. Méprisait les démocraties occidentales qui n'avaient rien fait quand les bolcheviks avaient envahi son pays natal. Pensait sincèrement qu'Hitler montrait à l'Europe, entre corruption parlementaire et terreur communiste, la voie d'une renaissance. En collaborant, il agissait par conviction, non par opportunisme, et ce qui devait lui déplaire le plus, c'est d'être dans le même camp que des agioteurs comme le père Mariaud, qui incarnait à ses yeux toute la vulgarité contemporaine et à qui, comme de juste, tout réussissait.

Au contraire de tous ses employeurs français, les Allemands lui montraient de la considération. Il ne parlait pas seulement bien l'allemand, mais connaissait les grands écrivains et penseurs allemands. Sa qualité d'homme cultivé, qu'il avait pris le pli de considérer comme un handicap dans la société française, éveillait le respect des Allemands.

S'est-il lié d'amitié avec certains d'entre eux ? Il existe une photo d'un repas de Noël avec, à la table familiale, un officier allemand en uniforme, l'air débonnaire. Cela devait faire chuchoter, dans l'immeuble. Au rez-de-chaussée vivait une famille qui, pour d'obscures raisons, n'aimait pas la famille du troisième. Le type du rez-de-chaussée aurait demandé à mon grand-père de faire le nécessaire pour que ceux du troisième soient expulsés – le cas échéant, qu'on les arrête. Mon grand-père aurait refusé avec indignation et menacé le voisin de le faire arrêter, lui, s'il insistait. C'est ce voisin qui, à la Libération, l'aurait dénoncé. Rien de tout cela n'est démontré, ni d'ailleurs n'est invraisemblable. Cette hypothèse a dû réconforter un peu ma grand-mère et ma mère dans leur malheur : leur mari et père aurait été dénoncé, non parce qu'il avait mal agi, mais au contraire parce qu'il aurait refusé de dénoncer un innocent – celui-ci était-il juif, je n'en sais rien.

Que faisait-il, au juste ? Il était interprète, et pour les services économiques, pas pour la police. Cela exclut, je pense, toute participation à des interrogatoires musclés. Mais, même dans un bureau où on ne se salissait pas les mains, il n'a pu éviter de savoir ce qui arrivait à ces Juifs dont les services où il travaillait confisquaient les biens. Il n'a pas pu ne pas comprendre ce que faisaient ses chers Allemands, défenseurs de la civilisation contre le communisme. Et à partir de là, dit ma mère, il s'est transformé en fantôme. Les deux dernières années, se rappelle-t-elle, c'était un homme brisé, un homme qui se savait condamné et pour qui cette condamnation était l'aboutissement logique de sa vie fourvoyée, le chiffre de son destin.

Il aurait pu partir, changer de camp, rejoindre la Résistance. Il ne l'a pas fait. Alors que ce n'était pas une crapule, j'en suis sûr, il est resté comme pétrifié, comme s'il était coupable, de toute façon, depuis toujours, et n'avait plus à attendre que le moment où le châtiment s'abattrait sur lui.

Le 15 juin 1944, il adresse à une de ses amies une carte qui commence ainsi : « Comme j'ai mes raisons de croire que l'automne ne me verra plus vivant... »
Ce sont les derniers mots que j'ai lus de sa main.

La dernière image que ma mère a de lui, c'est sur le bassin d'Arcachon, où Nathalie et ses enfants avaient loué une cabane pour les dernières semaines de vacances. Il était resté à Bordeaux, fraîchement libérée et donc dangereuse pour lui, et il a fait l'aller et retour dans la journée pour les embrasser. Savait-il que c'était la dernière fois, nul ne peut le dire, mais ce que me dit ma mère, c'est que lorsqu'il s'est approché d'elle, elle ne l'a tout d'abord pas reconnu. Puis elle l'a regardé avec un profond malaise, comme s'il était devenu un étranger.
Il avait rasé la moustache qu'il portait depuis l'âge de vingt ans et sans laquelle elle ne l'avait jamais vu.
Je ne sais ce que vaut cette certitude, mais je suis tout de même certain de n'avoir jamais auparavant entendu cette

histoire de moustache. Je n'en avais en tout cas pas de connaissance consciente quand, il y a vingt ans, j'ai écrit un récit dont le protagoniste perd progressivement tout contact avec la réalité et finalement se perd lui-même après avoir rasé sa moustache. On m'a souvent demandé comment m'était venue l'idée de ce récit et je n'ai jamais su quoi répondre.

Je regarde ma mère maintenant, je lui dis : mais enfin, ça ne te rappelle rien ?

Elle dit non.

J'insiste : Maman, *La Moustache* ! Mon roman !

Elle semble étonnée, secoue la tête.

La psychanalyse t'a vraiment déformé, conclut-elle.

Rentré à Bordeaux le soir même, il se serait rendu au 2e Bureau, où un officier l'aurait interrogé sur ses activités et pour finir muni d'un blanc-seing, tout en l'avertissant du risque qu'il courait en se promenant en ville durant ces jours troublés. Il lui aurait conseillé de se faire oublier quelque temps dans un endroit tranquille, et l'endroit le plus tranquille qu'il pouvait pour sa part lui proposer, c'était la prison où il lui offrait une place. Mon grand-père aurait accepté, mais voulu d'abord repasser chez lui prendre quelques affaires. Un ami qui l'accompagnait et de qui la famille tient ce récit a tenté de l'en dissuader, craignant que des voisins l'aient dénoncé, mais il y est tout de même allé. Des hommes armés de mitraillettes l'attendaient – ou ont été appelés quand les voisins dénonciateurs l'ont vu dans la maison. Ils l'ont arrêté, fait monter avec eux dans leur traction avant et à partir de ce moment, dans l'après-midi du 10 septembre 1944, on ne l'a plus revu.

Nicolas, qui avait alors huit ans, se rappelle confusément les jours qui ont suivi. Sa mère pleurait et chuchotait avec sa sœur. Tous les matins, elle partait faire antichambre dans divers bureaux et administrations, avec l'espoir d'obtenir des renseignements sur son mari, et elle emmenait souvent le petit garçon avec elle. Tous deux restaient des heures dans des couloirs, des salles d'attente. Elle guettait les portes par lesquelles entraient et sortaient en coup de vent des fonctionnaires affairés, dont elle essayait en vain d'attirer l'attention. N'osant pas s'adresser à eux directement, elle espérait que l'un d'entre eux remarquerait cette dame modeste, triste et cependant distinguée qui passait toute la journée là, sur une chaise, avec son petit garçon, et qu'il lui proposerait spontanément son aide. Quand votre mari disparaît, c'est normal d'aller trouver la police. Mais dans sa situation, c'était plus compliqué. Elle savait bien que se plaindre pouvait être dangereux, et en tout cas l'exposerait à la honte. Son mari n'était pas un bon Français, d'ailleurs n'était même pas français. Monsieur quoi? Zourabichvili? C'est quoi, ça? Géorgien? On l'a enlevé? Et qui ça? Des hommes armés? Des partisans? Des résistants?… Un collabo, alors.

Et le petit garçon? Qu'est-ce qu'on lui disait? On n'a rien dû lui expliquer, parce qu'au début du moins on ne

121

pouvait rien expliquer. On ne savait rien et il aurait été cruel tant qu'on ne savait rien de lui faire partager cette terrible incertitude. On n'avait pas encore mis au point la version selon laquelle Papa était parti pour un long voyage, parce qu'il y avait encore l'espoir qu'il soit prisonnier ou caché quelque part et qu'on le retrouve bientôt. Les premiers jours, les premières semaines, l'attente était atroce, mais pas désespérée, et pour cette raison, mère et fille n'avaient pas encore mis au point un plan cohérent pour protéger l'enfant. Le moment le pire est venu ensuite, quand il a fallu admettre que la vie allait reprendre et continuer sans qu'on sache rien.

Autour d'eux, partout à Bordeaux et en France, il y avait une vérité sur laquelle tout le monde s'accordait : les résistants étaient des héros, les collaborateurs des salauds. Mais chez eux, une autre vérité avait cours : les résistants avaient enlevé et probablement tué le chef de la famille, qui avait été collaborateur et dont ils savaient bien que ce n'était pas un salaud. Il avait un caractère difficile, se mettait souvent en colère, mais c'était un homme droit, honnête et généreux. Ce qu'on pensait, on ne pouvait le dire au-dehors. Il fallait se taire, avoir honte.

Après guerre, quand Nicolas partait en vacances chez des amis de la famille ou en camp scout, il écrivait chaque semaine une carte postale à sa mère, et à la fin de chacune de ces cartes postales il répétait la même petite histoire.

« Quand Papa reviendra, on entendra toc-toc.

C'est qui ?

C'est Papa qui est bien content de revenir voir Maman, Hélène et moi ! »

Toc-toc. Toc-toc. Jusqu'à quand y a-t-il cru ?

Nos séances de lecture ont tourné court, ma mère s'est refermée et je me demande si ma remarque sur la moustache n'y est pas pour quelque chose. Je décide alors de repartir pour Moscou, d'y passer le mois de décembre à parler et écrire en russe.

Juste avant mon départ, Sophie s'est fait opérer d'un genou, qui l'avait lâchée lors de sa randonnée dans le Queyras. C'est une opération assez lourde, douloureuse, suivie d'un mois de rééducation dans un centre spécialisé, en Bretagne. Comme je n'allais de toute façon pas rester là-bas avec elle, je m'étais dit que c'était le bon moment pour partir moi aussi, de mon côté : on reviendrait en même temps, je pourrais m'occuper d'elle pendant sa convalescence, à la maison. Cela semble, dit comme ça, très raisonnable, mais quand deux jours après l'opération je l'ai conduite dans cet endroit sinistre, peuplé d'éclopés plus ou moins graves, j'ai bien compris qu'elle se sentait mal et que sans m'en faire ouvertement le reproche elle pensait qu'un homme vraiment amoureux ne l'y aurait pas laissée en plan comme ça : à défaut de rester tout le temps, il serait venu la voir deux ou trois jours par semaine, ce que contrairement à la plupart des gens j'étais parfaitement libre de faire. Durant les 24 heures que j'ai passées auprès d'elle, et que je ne pouvais pas prolonger parce que j'avais déjà pris mon billet d'avion et mon visa, je n'ai pas cessé de lui demander si ça allait, si ça allait aller, parce que si ça n'allait pas, bien sûr, je pouvais changer mes plans, et elle répondait que oui, bien sûr, ça allait aller, d'un ton horriblement peu convaincant.

J'ai apporté à Moscou mon dossier de notes sur mon grand-père et je me propose d'écrire une sorte de rapport sur ce que je sais de sa vie, d'aligner des faits, des dates, des conjectures, de recopier des extraits de correspondance et, en parallèle, de raconter l'histoire du Hongrois : tout cela en russe. Je pensais que c'était un programme réalisable, un travail de compilation pour apprivoiser le monstre. Mais ce n'est pas réalisable du tout, ce n'est littéralement pas possible. Je reste pétrifié face au monstre.

De plus, mon russe régresse. Le soir, je vois des amis français, ou des Russes parlant mieux français que je ne parle russe, et je vérifie ce que j'avais déjà observé en août : que mon humeur dépend directement de mes progrès linguistiques. Je lis et j'écris en russe, mais je n'arrive pas à parler. Dès qu'il faut les adresser à quelqu'un, les mots se dérobent.

J'appelle Sophie tous les jours. Ces conversations sont pénibles. Le centre de rééducation l'angoisse, elle a peur que l'opération n'ait pas bien réussi et qu'au lieu de marcher mieux elle marche moins bien qu'avant. Elle est lointaine, évasive, je sens bien qu'elle m'en veut. Je me dis que je suis un imbécile, moi aussi je suis mal ici, sans elle, je ferais mieux d'avancer mon retour et de courir la retrouver, l'emmener manger des huîtres à Douarnenez. Mais je ne le fais pas.

Je reste au lit jusqu'au milieu de l'après-midi, immobile, lové dans l'angoisse. Je fredonne pour moi-même, très bas, ma berceuse russe.

Cette berceuse, c'est une mère qui la chante à son fils. Elle s'adresse à lui avec les mots les plus tendres, les plus doux : *Spi, malioutka, boud' spakoien...* Dors, mon bébé, sois tranquille... *Spi, moï angel, tikho, sladko...* Dors en paix, mon ange, mon tendre... et, les plus bouleversants de tous pour moi : *Spi, ditia moié radnoié...* Dors, enfant de mes entrailles. Une mère qui chante cela à son enfant le tient serré contre son sein, comme s'il lui appartenait. Pourtant il ne lui appartient pas, et elle le sait. Elle le protège, tant qu'il en a besoin, comme les animaux protègent leurs petits, mais elle ne le possède pas, ne le retient pas dans son ventre. Son désir, c'est qu'il grandisse et devienne un brave comme son père. Elle sait que lorsque viendra *vrémia brannoié jitio*, le temps de la vie guerrière, il ira vaillamment au combat, et qu'elle versera, elle, des larmes amères, qu'elle ne dormira plus d'inquiétude, mais elle ne souhaite pas pour autant que cette inquiétude lui soit épargnée. S'il y avait un moyen qu'il reste avec elle à la maison, bien au chaud, bien tranquille, au lieu d'aller risquer sa vie sur le champ de bataille, elle le refuserait sans hésiter et même avec indignation. L'enfant qu'elle serre si fort dans ses bras ne doit pas devenir une poule mouillée mais au contraire un preux, *kazak douchoï*, un vrai cosaque, en prenant exemple sur son père.

Ce que les mots de cette berceuse expriment, et qui me serre le cœur quand je le reconnais, c'est une loi, une loi archaïque et universelle concernant les relations au sein de la famille : le père doit être un guerrier, et la mère désirer que le fils en soit un aussi, sans quoi tout est faussé. Dans mon cas, tout a été faussé. J'ai très tôt pris conscience que mon père n'était pas un guerrier et que ma mère préférait que je reste auprès d'elle plutôt que d'aller au combat.

Pourtant, il y a eu dans mon enfance une autre femme que ma mère, qui m'a chanté les mots de la vieille loi, grâce à qui ils ont une sorte d'existence en moi, enfouis qu'ils sont avec la langue russe.

Cette femme était vieille, laide, et elle m'aimait.

Elle est arrivée chez nous à ma naissance. Son vrai prénom était Pélagie, mes parents l'appelaient Polia et moi Nana, version française du *niania* russe, qui désigne une gouvernante, mais beaucoup plus qu'une gouvernante : un membre de la famille à qui on reconnaît une autorité considérable. Mes parents racontaient volontiers sa vie, du moins ce qu'ils en savaient et qui était digne d'un roman d'aventures. Elle venait d'une famille de tziganes très célèbres, qui se produisaient dans un cabaret fréquenté avant la révolution par la meilleure société de Pétersbourg. Tolstoï lui-même serait allé les voir, dit-on, et aurait applaudi leurs chants et leurs danses. Jeune, elle était déjà laide, mais cela ne l'empêchait pas d'avoir énormément de succès auprès des hommes. Même dans sa vieillesse, on sentait qu'elle y était habituée, qu'elle aimait les hommes, et j'ai été le dernier de sa vie.

Elle avait dix-huit ans quand un prince daghestanais nommé Nakachidzé l'a enlevée à sa famille et à son cabaret. Ils ont mené ensemble une vie extrêmement romantique, en pleine tourmente révolutionnaire, jusqu'à ce que le prince soit assassiné sous ses yeux par les bolcheviks. Après quoi elle s'est débrouillée pour émigrer, en suivant à peu près le même chemin que la famille Zourabichvili : Constantinople, puis Paris. Là, tandis que mon grand-père nourrissait à grand-peine sa famille en faisant le chauffeur de taxi, Pélagie a gagné sa vie, nettement mieux, de la seule façon qu'elle connaissait, en chantant et dansant dans des cabarets. Elle se faisait appeler Pélagie Nakachidzé, peut-être même princesse Nakachidzé, bien que le point reste obscur de savoir si le prince l'avait épousée avant de mourir. De toute façon, tous les papiers étaient perdus et personne ne pouvait savoir, ni ne cherchait à savoir, comment elle s'appelait vraiment, quel âge elle avait vraiment, si elle était la veuve ou seulement l'ex-maîtresse d'un prince daghestanais : on croit ou non ce genre de récits, mais on ne les contrôle pas. Elle a mené à Paris une vie plutôt agitée, que dans sa vieillesse elle racontait volontiers, avec des contradictions et des incohérences qui n'étaient pas forcément des mensonges. Du brouillard de ces années surnage une amitié avec Coco Chanel, qui était encore vivante quand la vieille Pélagie travaillait chez nous. Elle allait quelquefois lui rendre visite, et revenait de ces visites avec de luxueux sacs du soir ou des flacons de parfum dont elle faisait cadeau à ma mère. Elle a vécu dans ce monde – le cabaret et la haute couture, les émigrés russes et les fêtards français – jusqu'à la fin de la guerre, je suppose, peut-être un peu plus, mais pas beaucoup : une carrière dans la danse et la galanterie ne peut guère se poursuivre au-delà de cinquante ans. Elle ne savait rien faire d'autre, elle parlait mal français, elle n'avait pas d'argent de côté. Par ailleurs, elle était très pieuse et même pendant ses années de bringue parisienne n'avait jamais cessé de fréquenter la cathédrale orthodoxe de la *riou Dariou*, où elle s'était fait des amis fidèles, parmi lesquels le docteur Serge Tolstoï, l'un des nombreux petits-fils de l'écrivain. Du cabaret, elle est directement passée à l'église, où elle a trouvé une place de gouvernante chez un prêtre. Le prêtre, malheureusement, était vieux et malade, et à sa mort, en 1957, elle s'est promis de ne plus jamais travailler chez des vieillards, mais autant que possible dans une maison où il y aurait des enfants. Elle ne voulait plus être gouvernante, mais *niania*, ce qui est tout autre chose. C'est ainsi que, sur la recommandation des Tolstoï, elle s'est rendue *riou Reïnouar*, où mes parents venaient d'emménager et moi de naître.

Ma mère dit que Nana lui a fait peur la première fois qu'elle est entrée dans l'appartement. Elle avait un peu l'air d'une sorcière, avec des yeux noirs et perçants, et il émanait d'elle une autorité qui fait certes partie du rôle d'une *niania*, mais enfin jusqu'à un certain point. D'emblée, elle s'est comportée comme chez elle et s'est montrée désagréablement surprise quand ma mère lui a annoncé qu'elle pensait, au moins le premier mois, rester à la maison avec son petit garçon. Je suppose qu'en parlant avec la vieille tzigane, elle me serrait contre elle, peut-être me nourrissait. Elle devait, au fond d'elle, avoir peur qu'on lui prenne son merveilleux enfant, son petit garçon si beau, si tendre, son Emmanuel qu'elle aimait comme elle n'avait jamais aimé personne au monde, sauf sans doute son père, quand elle-même était petite. On lui avait pris son père, mais son petit garçon, personne ne le lui prendrait, personne ne le séparerait d'elle, jamais.

Nana avait beau vivre en France depuis trente ans, elle parlait mal français, mélangeait mots français et mots russes dans un sabir haut en couleur qui faisait rire les gens, au Trocadéro où elle nous emmenait tous les jours, mes sœurs et moi. Mais d'après ma mère, elle parlait mal russe aussi. Ou plutôt, elle ne parlait pas « un joli russe ». Ma mère est fière de son « joli russe », qu'elle a reçu en héritage et à l'aune duquel elle juge volontiers les gens. C'était la seule richesse qu'avaient pu garder et lui transmettre ses parents, et cette richesse, nul ne pouvait la leur prendre, elle prouvait qu'ils avaient vécu dans des palais. Encore aujourd'hui, le plus grand éloge que ma mère puisse faire de quelqu'un, c'est de lui reconnaître un « joli russe », c'est-à-dire un russe qui ne soit ni petit-bourgeois, ni soviétique : un russe d'ancien régime. Moi-même, sans parler russe, je parle un joli russe. C'est mon héritage, et j'en suis fier aussi. On me félicite de mon accent, et je sais qu'on a raison, du reste je distingue bien le joli ou pas joli russe des autres : mon oncle Nicolas, par exemple, parle un joli russe, aucun des deux Sacha ne parle un joli russe, ni personne à Kotelnitch. Peu de choses me charment autant que ce joli russe, et mes efforts jusqu'à présent vains pour apprendre la langue visent à m'enrichir réellement de ce charme que je sais exister chez moi à l'état virtuel, et cependant inaliénable.

Quand je dis que c'est mon héritage, cela veut dire qu'il me vient de ma mère et non de Nana. Ma mère insiste là-dessus très fermement : elle parle un joli russe, je parle un joli russe, Nana parlait un russe épouvantable.

Cependant, c'est Nana qui me parlait russe, pas ma mère.

C'est elle qui m'a chanté la berceuse cosaque. C'est sa voix qui revit en moi quand je me la chante tout seul, à voix basse.

C'est elle que j'ai tuée.

J'ai onze ans. Il y a ce soir-là des invités. Pendant que nos parents les reçoivent au salon, mes sœurs et moi jouons au fond de l'appartement. Nana, comme d'habitude, râle parce que nous ne voulons pas nous coucher. Elle nous court après, s'énerve, et plus elle s'énerve plus nous sommes excités – de cette excitation qui peut pousser des enfants à faire ce qu'en temps normal ils n'oseraient jamais faire, comme s'ils n'étaient plus eux-mêmes, mais de petits démons qui auraient pris leur place. Et je me rappelle cet instant : Nana se tient sur le seuil de ma chambre, dos au couloir, elle nous engueule. Je cours dans le couloir, tout à coup je me trouve derrière elle et je la pousse dans le dos. Elle tombe, face contre terre. Je ne me rappelle pas bien ce qui s'est passé ensuite. J'ai dû prendre peur, appeler mes parents. Tout le monde est accouru dans ma chambre, invités compris, bientôt une ambulance est arrivée, qui a emporté Nana à la clinique où elle est morte quelques jours plus tard. Au cours de ces jours, nous, les enfants, sommes allés plusieurs fois lui rendre visite. Nous avons parlé avec elle. On nous a dit qu'elle avait eu un infarctus, et il n'a jamais été question des circonstances dans lesquelles était survenu cet infarctus. Il me semble que Nana était à mon égard particulièrement tendre et gentille, comme si je n'étais en rien responsable de son état. Je ne l'avais pas poussée, elle n'était pas tombée, seulement tombée malade comme cela arrive un jour ou l'autre aux gens de son âge. Avait-elle oublié, ou décidé d'oublier, dans l'espoir que j'oublie moi-même et ne passe pas toute ma vie dans la peau d'un enfant meurtrier ? Et mes parents ? Que savaient-ils ? Que devinaient-ils ? Est-ce qu'ils ont décidé, connaissant la vérité, de la cacher de leur mieux, et avant tout à moi ? Est-ce qu'il y aurait dans ma famille un second secret, touchant non plus au père assassiné mais au fils assassin ?

Peu de temps avant de partir pour Moscou, j'ai invité mes parents à dîner et mis la conversation sur Nana. Ils ont évoqué son souvenir avec tendresse et émotion, raconté des anecdotes à son sujet. Rien dans leur ton ne pouvait faire penser à un cadavre dans le placard. Quant aux circonstances de sa mort, voici leur version : Nana, depuis le matin, était très fatiguée, et ma mère avait exigé qu'elle reste dans sa chambre à se reposer tranquillement. Le soir, les invités sont arrivés et, tout en remplissant son rôle de maîtresse de maison, ma mère allait régulièrement dans la petite chambre de Nana, au fond de l'appartement, pour voir comment elle se sentait. De plus en plus mal. Douleur aiguë dans la poitrine. On a appelé un médecin, qui a posé le diagnostic d'infarctus et organisé le transport de Nana à la clinique. Elle y est restée une semaine, durant laquelle ma mère est allée la voir tous les jours. Nous, les enfants, n'étions pas admis à l'intérieur, mais on nous y a tout de même emmenés pour que, du jardin, nous puissions faire des signes et envoyer des baisers à Nana par la fenêtre – sa chambre était au rez-de-chaussée. Puis elle est morte, paisiblement.

Je connais assez l'expression de ma mère quand on s'approche d'un sujet pénible pour conclure avec certitude que mes parents ne mentent pas. Si leur version est juste, ce dont je suis à présent convaincu, la mienne est fausse. Mon souvenir, pourtant, reste précis, vivace, il renvoie à quelque chose de réel, et le sentiment de culpabilité qu'il éveille m'a accompagné toute ma vie. Je n'ai peut-être pas tué Nana, mais alors qui ai-je tué? Quel crime ai-je commis?

Rentré de Moscou, je vais chercher Sophie en Bretagne et nous passons les vacances de Noël au lit, à Paris. Comme sa jambe lui fait encore mal, elle ne sort presque pas, moi seul me risque dehors pour acheter de quoi manger et je rentre vite me glisser auprès d'elle. Nous faisons l'amour, écoutons de la musique, parlons des heures durant. Est-ce qu'il faisait très froid, cette année-là ? Est-ce que nous avons dit que nous partions pour les fêtes ? Je ne me rappelle plus, mais je n'ai pas de rendez-vous, le téléphone sonne rarement, personne ne vient nous voir, et les journées s'écoulent dans une clandestinité chaude, fusionnelle, comme j'imagine qu'elles peuvent s'écouler l'hiver dans le Grand Nord. Le lit devient un bateau, une tente, un igloo, et le trajet jusqu'à la cuisine ou la salle de bains une petite expédition – bien que l'appartement soit parfaitement chauffé.

Un jour, à la fin de cet hivernage, nous sommes par exception assis dans la cuisine, elle me regarde avec les yeux soudain remplis de larmes et me dit : il y a un autre homme.

Ça, je ne m'y attendais pas. Je me tais. J'attends.

Elle dit : cela fait des semaines, des mois que je veux t'en parler et je n'y arrivais pas. Je veux que tu comprennes. Et elle parle, elle pleure en parlant, les mots se bousculent. Elle dit qu'elle m'aime, qu'elle sait que je l'aime à ma façon, mais que c'est terrible pour elle de se sentir comme ça sur un siège éjectable, tout le temps à la merci de mes changements d'humeur. Qu'elle a toujours peur de ne plus me plaire, peur du regard sans indulgence que je porte sur elle, peur de se sentir indigne de moi. Alors ce qui s'est passé, c'est qu'elle a rencontré quelqu'un, pendant mon premier séjour à Moscou, l'été dernier. Il s'appelle Arnaud. C'est un garçon plus jeune que moi, et plus jeune qu'elle aussi. Il est tombé amoureux d'elle. Il n'a jamais rencontré de femme comme elle. Quand elle était en rééducation, il est allé la voir tous les week-ends, en Bretagne. Il sait qu'il y a moi et qu'il a affaire à forte partie, mais ce qu'il propose, lui, c'est autre chose. Pas un siège éjectable, une liaison sans avenir. Il veut l'épouser, avoir des enfants avec elle. Il sait qu'elle est la femme de sa vie. Il l'aime, vraiment.

Je demande : et toi, tu l'aimes ?

Je ne sais pas. Je sais que je t'aime, toi. Mais j'ai peur que tu ne m'aimes pas.

Alors qu'est-ce que tu veux ? Partir avec lui dont tu es sûre qu'il t'aime et que tu n'es pas sûre d'aimer ? Ou rester avec moi que tu es sûre d'aimer sans être sûre que je t'aime ?

Je ne sais pas… C'est horrible, la façon dont tu présentes les choses.

C'est toi qui les présentes comme ça. Si tu préfères, on peut les présenter autrement. En me racontant ça, tu attends que je te dise quoi ? Tu voudrais que je te dise quoi ? Pars ou reste ?

Elle réfléchit, les yeux pleins de larmes, puis répond : je voudrais que tu me dises « reste ».

Je dis : reste.

Ensuite, on n'en reparle plus.

Tout de même, elle y revient, et pour me dire ceci : tu n'as pas remarqué que je porte une grosse bague d'homme, au pouce ? Ça se remarque, pourtant, une bague d'homme au pouce d'une femme. C'est lui qui me l'a donnée. Je la porte depuis trois mois. En trois mois, tu ne l'as pas remarquée.

Je baisse la tête. Un peu plus tard, doucement, je lui demande de la retirer et de la lui rendre. Je lui demande de n'être qu'à moi.

Elle dit : c'est ça que je voudrais, tu sais. C'est vraiment ça que je voudrais.

Elle a peur de mes voyages, de mes absences, de son désarroi pendant mes absences, et je me prépare à partir pour plus d'un mois. J'ai trouvé une productrice, Anne-Dominique, que mon projet de film intéresse. Ensemble, nous le soumettons à la commission d'avance sur recettes, qui demande un synopsis. J'écris trois pages, qui se terminent ainsi :

« Tel que je l'imagine aujourd'hui, le film devrait être le journal de notre séjour à Kotelnitch, le portrait des gens que nous y rencontrerons, la chronique des relations que nous aurons avec eux – tout cela doublé par l'histoire, plus intime, de mon immersion dans la langue russe.

Mais peut-être ne sera-t-il pas du tout ce que j'imagine aujourd'hui.

Je pense que nous apparaîtrons à l'écran, mais peut-être que finalement nous n'apparaîtrons pas. Je pense qu'il y aura un commentaire en voix *off*, mais peut-être que finalement il n'y en aura pas. Peut-être que finalement ce sera le portrait d'un seul habitant de la ville – ou d'une ville voisine.

Je n'en sais rien et je tiens par-dessus tout à ne pas le savoir.

J'aimerais bien, je ne sais pas si c'est possible, préserver cette ignorance jusque pendant le tournage. Découvrir ce que raconte le film seulement au montage : quand ce qui nous arrivera deviendra ce qui nous est arrivé. »

Certains, parmi les membres de la commission, trouvent cet argumentaire désinvolte, mais nous obtenons tout de même l'avance et la production se met en route. En dehors de Sacha, toujours disponible, il n'est pas possible de reconstituer la première équipe. Jean-Marie ne peut pas se libérer un mois et Alain, m'apprend-il, est gravement malade : tumeur au cerveau, courte rémission, métastases. Je lui téléphone pour prendre des nouvelles et je dis, par gêne, quelque chose dont j'ai honte encore aujourd'hui : il paraît que *tu as eu* un gros pépin de santé… Il a un petit rire, et corrige : ben non, j'ai pas eu. J'ai. Il blague, il se bat, mais il sait très bien que c'est foutu. Je lui raconte le projet *Retour à Kotelnitch*. Il regrette de ne pas en être. Trois semaines plus tard, il meurt.

Je recrute, à l'image, Philippe, un cameraman français qui vit depuis dix ans en Russie, et il me propose, pour le son, une nommée Liudmila avec qui il a l'habitude de travailler. Le seul problème, c'est qu'elle ne parle que russe. Je dis que ce n'est pas un problème, au contraire.

Un journaliste du *Monde* m'appelle pour me proposer d'écrire une nouvelle pour leur série d'été. Ce sont des suppléments qui paraissent le week-end et qui, paraît-il, sont très lus. 35 000 signes sur le thème du voyage. Mon premier mouvement est de refuser parce que je n'ai pas d'idée, puis il me revient que Sophie m'a demandé un jour : pourquoi tu n'écrirais pas une histoire érotique ? Pour moi ? J'ai dit : j'y penserai. Et j'y repense, en effet. Je rappelle le journaliste en lui disant qu'en fait, si, j'ai une idée, mais il y a une condition pour la mettre en œuvre, c'est que je puisse choisir la date de parution. Cela devrait pouvoir se faire. Alors d'accord. Je boucle l'histoire en trois jours, juste avant de partir pour Kotelnitch. Je n'en dis rien à Sophie. Je ne sais pas encore que cette histoire fera dans ma vie d'affreux ravages et je crois n'avoir de ma vie jamais rien écrit avec tant de facilité et d'allégresse. Je ne pense plus au grand-père. Je m'amuse, je ris tout seul, je suis très content de moi.

3

Au kiosque de la gare, avant de monter dans le train, tu as acheté *Le Monde*. C'est aujourd'hui que paraît ma nouvelle, je te l'ai dit ce matin au téléphone en ajoutant que ce serait une excellente lecture de voyage. Tu as répondu que trois heures, c'était un peu beaucoup pour une nouvelle et que tu emporterais un livre aussi. Pour ne pas éveiller tes soupçons, j'ai reconnu que oui, sans doute, ce serait plus sage, mais maintenant je te parie que quel que soit ce livre tu ne l'ouvriras pas.

Tu as pris ta place, regardé les gens s'installer, il y a probablement pas mal de monde. Quelqu'un doit être assis à côté de toi : homme ou femme, jeune ou vieux, agréable ou non, je n'en sais rien. Tu as attendu que le train démarre pour ouvrir le journal, comme on fait quand on a du temps devant soi. Murs tagués le long de la voie ferrée, trouée vers le sud, sortie de Paris. Tu as parcouru la première page, la dernière où il y a un article sur moi, puis tu as pris le cahier central, tu l'as déplié, découpé, replié, j'espère que tu n'as pas piqué de phrases au vol. Maintenant tu commences à lire.

Drôle d'impression, non ?

Ce qui est drôle, d'abord, c'est que tu ne sais rien de cette histoire. Nous étions ensemble quand je l'ai écrite, mais je n'ai pas voulu te la montrer. Je t'ai dit, évasivement, que c'était plus ou moins de la science-fiction. À première vue, cela fait plutôt penser à ce roman de Michel Butor, *La Modification*, qui se passait dans un train et qui était écrit à la deuxième personne. Je suppose que parmi les lecteurs arrivés jusqu'ici certains y ont déjà pensé. Mais tu es trop étonnée, toi, pour penser à Michel Butor. Tu réalises qu'en fait de nouvelle je t'ai écrit une lettre que 600 000 personnes, c'est le tirage du *Monde*, sont invitées à lire par-dessus ton épaule. Tu es touchée, peut-être aussi un peu mal à l'aise. Tu te demandes où je veux en venir.

Je te propose quelque chose. À partir de maintenant, tu vas faire tout ce que je te dirai. À la lettre. Pas à pas. Si je te dis : arrête de lire à la fin de cette phrase et reprends seulement dans dix minutes, tu arrêtes de lire à la fin de cette phrase et tu reprends seulement dans dix minutes. C'était un exemple, ça ne vaut pas. Mais sur le principe, tu es d'accord ? Tu me fais confiance ?

Eh bien maintenant je te le dis : à la fin de cette phrase, arrête de lire, referme le cahier et consacre dix minutes, montre en main, à te demander où je veux en venir.

146

Lecteurs, lectrices surtout que je ne connais pas, je n'ai le droit de rien vous ordonner mais je vous conseille tout de même de faire pareil.

Voilà. Les dix minutes sont passées.
Les autres, je ne sais pas, mais toi, forcément, tu as compris.

J'aimerais maintenant que tu fasses un effort de concentration. Un effort sans effort, si je peux dire, parce que je vais t'en demander beaucoup d'autres, il faut y aller progressivement. Tu vas juste essayer de te visualiser. Ton environnement immédiat, d'abord, dont pas mal de variables m'échappent : sens de la marche ou non, fenêtre ou couloir, banquette normale ou carré, donc vis-à-vis ou non, c'est évidemment un détail important. Et puis toi, assise, ce journal ouvert entre les mains. Est-ce que tu veux que je te décrive, pour t'aider ? En fait non, je ne crois pas que ce soit nécessaire, d'abord parce que je ne suis pas très bon pour décrire, ensuite parce que l'idée n'est pas seulement de te faire mouiller toi mais de faire mouiller aussi toute autre femme qui lit ceci et qu'une description trop précise nuirait à l'identification. Rien que dire une grande blonde avec un long cou, la taille fine et les hanches épanouies, ce serait déjà trop, je ne dis donc rien de tel. Même flou en ce qui concerne tes vêtements. Je serais évidemment partisan d'une robe d'été, laissant bras et jambes nus, mais je ne me suis pas permis de te donner d'instruction à ce sujet et il se peut très bien que tu portes un pantalon, c'est pratique en voyage, on s'arrangera avec. Quel que soit le nombre de couches que tu as superposées, et même si en cette saison on peut raisonnablement espérer qu'il n'y en a qu'une, la seule chose certaine c'est que tu es nue en dessous. Je me rappelle un roman dont le narrateur prenait conscience avec émerveillement du fait qu'en toutes circonstances les femmes sont nues sous leurs vêtements. J'ai partagé, je partage encore cet émerveillement. J'aimerais que tu y penses un peu.

Second exercice, donc : prendre conscience du fait que tu es nue sous tes vêtements. Distinguer, petit a les zones de peau qui ne sont en contact avec aucun tissu, mais directement avec l'air libre – visage, cou et mains, plus une partie variable des membres supérieurs et inférieurs –, petit b les zones recouvertes de tissu, et là s'ouvre tout un éventail de nuances, selon que ce tissu adhère – sous-vêtements, jean moulant – ou flotte à plus ou moins de distance – chemisier ample, jupe battant les mollets. Il reste un petit c que je gardais pour la fin et qui concerne les zones de peau en contact avec d'autres zones de peau, par exemple, sous une jupe toujours, les cuisses croisées, le dessous de l'une sur le dessus de l'autre, le haut du mollet contre le côté du genou. Tu vas fermer les yeux et inventorier tout ça, tous ces points de contact de ta peau avec de l'air, du tissu, de la peau ou une autre matière – tes avant-bras sur les accoudoirs, ta cheville contre le plastique du siège devant. Tu vas passer en revue tout ce que touche ta peau, tout ce qui touche ta peau. Détailler tout ce qui se passe à la surface de toi.

Un quart d'heure.

Il y a un moment qui est toujours délicat, plaisant mais délicat, dans les plans cul au téléphone, c'est celui où on passe du dialogue normal au vif du sujet. Presque invariablement, cela se fait en demandant à l'autre de décrire sa position dans l'espace – « Mmmm, je suis sur mon lit... » –, puis ce qu'il porte comme vêtements – « Juste un tee-shirt, pourquoi ? » –, après quoi on lui demande de glisser un doigt quelque part entre ces vêtements et la peau. Là, j'hésite. C'est comme aux échecs ou dans une analyse, où tout est paraît-il contenu dans le premier coup. L'ouverture la plus classique, ce serait un sein, qu'on abordera différemment selon qu'il est ou non enveloppé par un soutien-gorge. Habituellement, tu en portes un. J'en connais la plupart, je t'en ai offert plusieurs, c'est une chose que j'aime bien, choisir de la lingerie sexy. J'aime discuter avec la vendeuse, lui décrire la destinataire, le mélange légitime d'échange purement professionnel et de sous-entendu sexuel crée une petite complicité telle qu'on en arrive vite à demander : et si c'était pour vous, qu'est-ce que vous choisiriez ?

Je pourrais te demander de te caresser un sein, d'en effleurer la pointe du bout des doigts à travers robe et soutien-gorge, aussi discrètement que possible. Encore une chose que j'aime, que nous aimons tous les deux, regarder ensemble les femmes et imaginer les pointes de

149

leurs seins. Leurs chattes aussi d'ailleurs, mais du calme, pour l'instant nous en sommes aux pointes de leurs seins. Comme il m'est plusieurs fois arrivé de l'expliquer à des vendeuses de lingerie afin qu'elles soient mieux à même de me conseiller, les tiennes sont assez particulières, en ce sens qu'elles ont l'air d'avoir été montées à l'envers, le bout vers l'intérieur, et qu'elles ressortent, comme un petit animal de son terrier, sous l'effet de l'excitation. Je suppose que c'est ce qu'elles font en ce moment, et que tu n'as même pas besoin de les toucher. Ne les touche pas. Interromps le mouvement que tu avais peut-être commencé, laisse ta main suspendue en l'air et contente-toi de **penser** à tes seins. Là encore, visualise-les. Je t'ai déjà expliqué, c'est une technique de yoga extrêmement efficace – bien que son efficacité serve habituellement d'autres fins – de visualiser une partie du corps, avec la plus grande précision, et de s'y transporter en pensée et en sensation. Poids, chaleur, grain de la peau, grain différent de l'aréole, frontière entre la peau et l'aréole, tu es tout entière dans tes seins. Normalement, à l'instant où tu lis ceci, quelqu'un qui te fait face – mais quelqu'un te fait-il face ? – doit voir leurs bouts pointer sous la double couche de tissu aussi nettement que sous un tee-shirt mouillé.

Stop encore. Tu refermes le journal. Tu ne penses qu'à tes seins, et à moi y pensant, pendant un quart d'heure. Tu fermes les yeux ou non, comme tu veux.

C'était bien ?

Tu as pensé à mes mains sur tes seins ? Moi, c'est à ça que j'ai pensé. En fait, pas à mes mains **sur** tes seins, à mes mains **près** de tes seins. Tu sais, les paumes qui les enveloppent et en épousent la courbe, un quart de millimètre de plus et elles les effleureraient, mais justement elles ne les effleurent pas. Effleurer, cela veut dire « toucher légèrement », or je ne te touche pas, je m'approche aussi près qu'on peut approcher sans qu'il y ait pour autant contact, tout le jeu consiste à éviter le contact et en même temps à garder une distance constante, ce qui implique d'infimes rétractations de la paume en réponse au sein qui avance sous l'effet de l'excitation ou simplement de la respiration. Quand je dis en réponse, c'est plus subtil que ça, il ne s'agit pas de répondre, ce serait trop tard, comme dans les arts martiaux où le but n'est pas de rendre un coup mais de ne pas le prendre. Ce qu'il faut, c'est anticiper et pour cela se laisser guider par la chaleur corporelle, l'intuition, le souffle, avec un peu d'entraînement on en arrive à ce que pointe de sein et creux de paume fonctionnent comme deux compteurs Geiger, et nous sommes toi et moi bien entraînés. Touché, perdu. Cela peut se pratiquer d'ailleurs avec n'importe quelles parties du corps et même s'il est certain que paume et doigts, lèvres et langues, seins, clitoris, gland et anus permettent les combinaisons les plus éprouvées, celles qui en quelques minutes font pousser des cris à rendre fous les voisins – encore que se retenir de crier ne soit pas mal aussi –, on aurait tort de se cantonner aux zones muqueuses et érectiles classiquement érogènes et de négliger des variations du genre cuir chevelu-creux poplité,

151

menton-plante du pied, os de la hanche-creux de l'aisselle, je suis personnellement un fervent de l'aisselle et en particulier des tiennes dont je comptais justement te parler.

Cela te fait sourire parce que tu sais que moi j'adore ça, alors que toi tu n'as rien contre mais enfin ce n'est pas ce qui te fait faire le tour de la maison par le plafond. Mon enthousiasme t'attendrit plus qu'il ne t'excite. Donc, tu souris. Écrivant ceci, deux mois avant que tu ne le lises – si tu le lis, si tout se passe bien –, j'essaye d'imaginer ce sourire, le sourire d'une femme lisant, seule dans un train, une lettre porno qui lui est adressée mais que lisent en même temps des milliers d'autres femmes en se disant, je suppose, que tu as bien de la chance. C'est une situation assez particulière, il faut reconnaître, qui doit provoquer un sourire particulier aussi, et je trouve que provoquer un tel sourire est un objectif littéraire exaltant. J'aime que la littérature soit efficace, j'aimerais idéalement qu'elle soit performative, au sens où les linguistes définissent un énoncé performatif, l'exemple classique étant la phrase « je déclare la guerre » : dès l'instant où on l'a prononcée, la guerre est de fait déclarée. On peut soutenir que de tous les genres littéraires la pornographie est celui qui se rapproche le plus de cet idéal, lire « tu mouilles » fait mouiller. C'était juste un exemple, je n'ai pas dit « tu mouilles », donc tu ne mouilles pas encore, ou si tu le fais tu n'y prêtes pas attention, tu mets toute ton énergie mentale à détourner ton attention de ta culotte. Il y a une histoire, comme ça, que j'aime bien, c'est le type à qui un magicien promet la réalisation de tous ses vœux, mais à une condition, c'est que pendant cinq minutes il ne pense pas à un éléphant rose. Si on ne le lui avait pas dit, évidemment, ça ne lui serait jamais venu à l'esprit, mais maintenant qu'on le lui a dit, et interdit, comment penser à autre chose ? Je vais quand même essayer de t'aider, on va penser à autre chose, s'occuper de tes aisselles, on va même **faire** autre chose.

Tu as droit maintenant à un peu de contact. Tout en continuant à tenir le cahier de la main gauche, tu vas placer la main droite sur la hanche gauche. Ton avant-bras, que je suppose nu, repose donc sur ton ventre, à hauteur du nombril. En partant de la hanche, tu vas remonter la main jusqu'au petit renflement qui se forme chez toutes les femmes au-dessus de la jupe ou du pantalon, paume et doigts caressant à travers le tissu la chair particulièrement tendre et élastique à cet endroit. C'est tiède, doux, reposant, on s'attarderait bien à ce camp de base. Attarde-toi un moment avant de reprendre l'ascension vers les côtes et le bas du soutien-gorge. La situation, à ce stade, varie un peu selon qu'une seconde couche de vêtements – chemisier sur tee-shirt, veste légère – te permet d'opérer relativement à l'abri des regards ou que tu avances à découvert. Tu peux toujours, de toute façon, rapprocher la main qui tient le journal et plus ou moins masquer celle qui maintenant enveloppe carrément ton sein gauche. Là, tu as quartier libre. Prends le temps qu'il faut pour faire, autant que la décence le permet, tout ce que tu as eu envie de faire tout à l'heure, quand le contact était interdit. Ne perds pas de vue, cependant, que notre objectif actuel n'est pas le mamelon, mais le creux de l'aisselle vers lequel pointent tes doigts. Là, il y a certainement un accès à la peau nue, ouverture de la robe ou du tee-shirt, et si par hasard tu portes un chemisier à manches longues, il ne te reste plus qu'à passer par le col que je suppose largement échancré. Quelle que soit la voie empruntée, par-dessus ou par-dessous, pour la première fois depuis le début de cette lettre tu touches directement ta peau. Écarte légèrement le bras gauche, il suffit pour le faire avec naturel d'appuyer le coude sur l'accoudoir. Du bout des doigts lisse l'attache de ton bras, puis commence à explorer le creux de ton aisselle. Un après-midi de juillet, dans un train que je suppose assez chargé, cela m'étonnerait beaucoup que tu ne recueilles pas quelques gouttes de sueur. J'aimerais que d'ici quelques minutes – surtout, ne te presse pas – tu les portes à ton nez, pour l'odeur, puis à tes lèvres, pour les goûter. J'adore ça : sans pousser jusqu'aux extrêmes qui ont fait la gloire d'Henri IV, je ne suis pas fou de la peau trop fraîchement rincée, et toi aussi tu aimes qu'on sente la bite, la chatte et le dessous de bras. Les tiens ne sont pas épilés, j'adore ça aussi. Pas forcément en règle générale, ce n'est pas une religion, plutôt du cas par cas, mais dans celui-ci, aucun doute, je pourrais passer des heures, en fait je passe des heures dans cette mousse légère de poils blonds. Cela fait partie, estimes-tu avec raison, d'un ensemble de préférences érotiques qui me situerait plutôt, disons du côté des photos de feu Jean-François Jonvelle que de celles d'Helmut Newton : la fille en petite culotte qui se masse les seins avec de la crème hydratante tout en vous souriant dans le miroir de la salle de bains plutôt que le genre talons aiguilles, moue dédaigneuse et collier de chien. Mais il n'y a pas que ça dans le goût des poils sous les bras, il y a aussi, comment dire ? une sorte d'effet métonymique, comme quand on dit une voile pour un bateau, l'impression que tu te promènes avec deux petites chattes supplémentaires, deux petites chattes que la bienséance autorise à montrer en public bien qu'elles fassent irrésistiblement penser, en tout cas moi elles me font irrésistiblement penser, à celle d'entre tes jambes. En principe, je réprouve ce genre de raisonnement. Je suis, devant une chatte, pour penser à cette chatte, devant une aisselle à cette aisselle, et pas pour m'engager dans des associations postulant que tout répond à tout dans un système d'échos et de correspondances ineffables qui conduit sans tarder au romantisme, du romantisme au bovarysme et de là au déni généralisé du réel. Je suis pour le réel, rien que le réel, et pour s'occuper d'une seule chose à la fois, comme le guru indien qui, dans une autre de mes histoires favorites, répète sans se lasser à ses disciples : « *When you eat, eat. When you read, read. When you walk, walk. When you make love, make love* », et ainsi de suite. Sauf qu'un jour, lors d'une session de méditation, ses disciples le trouvent en train de prendre son petit déjeuner en lisant le journal. Comme ils s'en étonnent, il répond : « *Where is the problem ? When you eat and read, eat and read.* » Je m'autorise de cet exemple pour, contre mes positions philosophiques, penser à ta chatte en caressant et te faisant caresser tes aisselles, d'ailleurs tu y penses aussi et je ne dis rien de ton voisin qui depuis cinq minutes te regarde du coin de l'œil en train de te lécher les doigts.

Pour le moment non, je n'en dis rien.

Ça aussi, c'est un émerveillement inépuisable : non seulement les femmes sont nues sous leurs vêtements, mais elles ont toutes cette chose miraculeuse entre les jambes, et le plus troublant c'est qu'elles l'ont tout le temps, même quand elles n'y pensent pas. Longtemps, je me suis demandé comment elles faisaient, il me semblait qu'à leur place je n'aurais pas arrêté de me branler, en tout cas d'y penser. Une des choses qui m'ont tout de suite plu chez toi, c'est l'impression que tu y pensais plus que la moyenne. Un jour, quelqu'un t'a dit que tu avais ta chatte sur la figure, tu as hésité sur comment le prendre, goujaterie gratinée ou compliment, et finalement c'est la version compliment qui l'a emporté. Je suis d'accord. J'aime qu'en regardant le visage d'une femme on puisse l'imaginer en train de jouir. Il y en a, c'est presque impossible, on ne sent aucun abandon, mais toi, on te voit bouger, sourire, parler de tout autre chose, on devine tout de suite que tu aimes jouir, on a tout de suite envie de te connaître quand tu jouis et quand on te connaît, eh bien on n'est pas déçu. Ce n'est pas vraiment le ton de ce texte mais tant pis, je me permets une remarque sentimentale : je n'ai jamais autant aimé voir jouir quelqu'un, et quand je dis voir, bien sûr, ce n'est pas seulement voir. Je t'imagine lisant cela, ton sourire, ta fierté, fierté de femme bien baisée qui n'a d'égale que celle de l'homme qui baise une femme bien baisée. Tu peux enfoncer ta pensée dans ta culotte, maintenant. Mais attends, ne te précipite pas. Fais comme pour l'éléphant rose. Ne pense pas encore à ma bite, ni à ma langue, ni à mes doigts, ni aux tiens, pense à ta chatte toute seule, telle qu'elle est maintenant entre tes jambes. C'est terriblement difficile, ce que je te demande là, mais l'idée serait que tu penses à ta chatte comme si tu n'y pensais pas. Les gens qui font beaucoup de méditation disent que le but, et l'illumination vient par surcroît, c'est d'observer sa respiration sans pour autant la modifier. D'être là comme si on n'était pas là. Essaye d'imaginer ta chatte, de l'intérieur, comme si elle était simplement entre tes jambes et que tu pensais à autre chose, comme si tu étais en train de travailler ou de lire un article sur l'élargissement de la Communauté européenne. Essaye de rester neutre tout en détaillant chaque sensation. La façon dont l'étoffe de la culotte comprime les poils. Les grandes lèvres. Les petites lèvres. Le contact des parois l'une contre l'autre. Ferme les yeux.

Ah? c'est mouillé? Je m'en doutais un peu. Très mouillé? Je reconnais que l'exercice était difficile, mais bon, même si c'est très mouillé ce n'est pas ouvert : assise dans un train avec une culotte et sans y mettre le doigt, ça ne peut pas être ouvert. Alors tiens, on va voir maintenant si c'est possible d'écarter un petit peu les lèvres de l'intérieur, sans aide. Je ne sais pas. Je ne crois pas. Tu as une excellente musculature vaginale mais ce n'est pas la musculature vaginale qui commande l'ouverture des lèvres, ce que tu peux faire en revanche c'est serrer relâcher, serrer relâcher, aussi fort que tu peux, comme si j'étais dedans.

Là, j'ai un peu glissé, je suis allé plus vite que je ne pensais, mais il serait déloyal de revenir en arrière. Tu as donc le droit de penser à ma bite. Mais sans te jeter dessus. Sans te presser. Je suis sûr que tout de suite tu ne penses qu'à te l'enfoncer tout du long et à te branler en même temps, mais non, il va falloir patienter, suivre mon rythme qui en gros consiste à toujours ralentir, retarder, retenir. J'ai été éjaculateur précoce dans ma jeunesse, c'est une expérience affreuse, et de cette expérience affreuse m'est venue par la suite la conviction que la plus grande jouissance consiste à être tout le temps au bord de la jouissance. C'est là que j'aime être, exactement : **au bord**, et toujours repousser ce bord, effiler toujours plus cette pointe. Tu trouvais ça un peu perturbant au début, maintenant non. Maintenant tu aimes qu'avant de te lécher je te caresse longtemps le clitoris rien qu'en respirant très près, en jouant de la chaleur du souffle, en étirant l'attente du premier coup de langue. Tu aimes qu'avant de te l'enfoncer à fond je reste longtemps le gland à l'entrée de tes lèvres, tu aimes alors me dire en me regardant dans les yeux que tu aimes ma bite dans ta chatte, tu aimes le répéter et c'est ce que tu vas faire maintenant. Là, dans le train. Tu vas dire « j'ai envie de ta bite dans ma chatte », à voix très basse évidemment, mais tu vas le dire quand même, pas seulement en pensée, tu vas former les sons avec tes lèvres. Tu vas prononcer ces mots aussi **fort** que tu peux le faire sans que tes voisins t'entendent. Tu vas chercher ce seuil sonore et t'en approcher aussi près que tu peux sans le franchir. Tu as déjà vu quelqu'un réciter un chapelet ? Fais pareil. Le mantra de base étant « j'ai envie de ta bite dans ma chatte », toutes les variations sont bienvenues et je compte bien que tu donnes libre cours à ton imagination. Vas-y. Jusqu'à Poitiers qui ne doit plus être très loin, si mes calculs sont bons.

Pendant ce temps, moi, je pense à tes voisins. Il faut avouer que ne suis pas très à l'aise avec ces personnages qu'il est tentant d'utiliser mais qui échappent dangereusement à mon contrôle. J'ai bien conscience, du reste, que cette lettre présente à la fois l'aspect délicieux d'un objet de pur plaisir et celui, légèrement angoissant, d'un truc de *control freak* caractérisé. Si tout s'est bien passé, si tu as respecté les temps indiqués, tu lis cette page le samedi 20 juillet vers 16 h 15, le train venant de repartir après l'arrêt à Poitiers. Moi, je l'ai écrite fin mai, avant de partir tourner mon film en Russie. J'ai demandé très tôt aux gens du *Monde* qu'on fixe la date de parution, ils ne comprenaient pas pourquoi j'y attachais tant d'importance, alors je leur ai dit comme à toi que c'était une histoire d'anticipation et que pour anticiper j'avais besoin d'une échéance précise. C'était vrai. Je ne savais pas encore ce que nous ferions au mois d'août, en revanche il était entendu que je serais avec mes fils dans l'île de Ré à partir de la mi-juillet et que tu nous y rejoindrais la deuxième semaine. Les nouvelles paraissant le samedi, il fallait que tu prennes le train ce samedi-ci, et surtout pas avant 14 heures, pour que *Le Monde* soit déjà en kiosque. Avec l'espoir qu'en cette période de vacances il serait difficile de le changer, j'ai pris soin de réserver à l'avance ton billet. On peut donc dire qu'en bon obsessionnel j'ai mis le maximum de chances de mon côté. Mais ça ne m'empêche pas de savoir, comme le sait tout obsessionnel, que de l'autre côté il y a le hasard, l'imprévu, tout ce qui peut foutre en l'air les plans les mieux goupillés. Et là, c'est l'horreur.

Écrire ceci m'a procuré un plaisir immense, mais aussi de sévères angoisses – celles-ci, il faut reconnaître, aiguisant sans doute celui-là. Je voyais un segment de temps, à un bout le point petit a : j'ai rendu le texte au *Monde*, je ne peux plus y toucher, plus revenir en arrière, le train est lancé, et à l'autre bout le point petit b : c'est le terminus, tu as lu, tu vas à ma rencontre sur le quai de la gare, tu es éperdue de désir et de gratitude, tout s'est passé exactement comme je le rêvais. Entre petit a, fin mai, et petit b, le 20 juillet 2002 à 17h45, tout peut arriver, et tu peux me faire confiance pour avoir tout imaginé, du contretemps bénin à la catastrophe sans remède. Que la SNCF fasse grève, ou les NMPP. Que tu rates le train ou que le train déraille. Que tu ne m'aimes plus, que je ne t'aime plus, que nous ne soyons plus ensemble, en sorte que ce truc joyeux et léger se transforme en quelque chose de triste ou, pire encore, d'embarrassant.

Il faudrait être parfaitement affranchi de toute pensée magique pour planifier à ce point son plaisir sans craindre de défier les dieux. Imagine, tu es dieu et un mortel vient te dire, par la voie du *Monde* que tu reçois des éternités à l'avance : voilà, ce jeudi 23 mai j'ai décidé que le samedi 20 juillet, dans le train de 14h45 pour La Rochelle, la femme que j'aime se branlera en suivant mes instructions et jouira entre Niort et Surgères, comment est-ce que tu le prendrais? Je pense que tu trouverais ça gonflé. Mignon, mais gonflé. Tu te dirais que ça mérite une petite leçon. Pas la foudre qui s'abat sur l'imprudent, pas le vautour qui lui dévore le foie, mais quand même une petite leçon. Quel genre de petite leçon? Moi, je crois qu'à ta place – toujours si tu étais dieu – je chercherais à arranger ça comme dans un film de Lubitsch, où le spectateur reçoit toujours ce qu'il voulait, mais jamais de la façon qu'il voulait. Et je crois que pour donner à ce scénario trop bien programmé le *twist* inattendu qui à la fois déjoue et comble l'attente, Lubitsch se servirait justement de ton voisin ou de ta voisine. Il pourrait par exemple être sourd-muet. Tu imagines, une jolie sourde-muette qui depuis dix minutes regarde à la dérobée les lèvres de la femme assise à côté d'elle en train de psalmodier, les yeux fermés, extatiquement : « j'ai envie de ta bite dans ma chatte »? Pour développer la scène, le choix est large, cela va du léger et gracieux moment de trouble entre filles au registre plus franchement porno. Cela dit, si l'idée est de me donner une leçon en faisant échapper ta jouissance à mon contrôle et en la détournant vers un bénéficiaire imprévu, la jolie sourde-muette devrait céder la place à **un** joli sourd-muet et cela, comme tu t'en doutes, m'enthousiasme nettement moins. Passons, d'autant que je pense à une autre situation.

Se retrouver dans un lieu public en face d'un inconnu occupé à lire votre livre, c'est une chose qui arrive dans la vie d'un écrivain mais pas tellement souvent. On ne peut pas compter dessus. Il est en revanche certain que pas mal de voyageurs dans ce train lisent *Le Monde*. Essayons de calculer. La France a 60 millions d'habitants, *Le Monde* tire à 600 000 exemplaires, ses lecteurs représentent donc 1 % de la population. La proportion d'entre eux dans le TGV Paris-La Rochelle un samedi après-midi de juillet doit être beaucoup plus élevée, je serais tenté de multiplier carrément par 10. À la louche, 10 %, dont la plupart, parce qu'aujourd'hui ils ont le temps, jetteront au moins un coup d'œil, pour voir, à la nouvelle offerte en supplément. Là-dessus, je ne voudrais pas paraître prétentieux, mais les chances que ces jeteurs-de-coup-d'œil-pour-voir lisent ceci jusqu'au bout avoisinent selon moi les 100 %, pour la simple raison que lorsqu'il y a du cul on lit jusqu'au bout, c'est comme ça. Cela signifie qu'environ 10 % de tes compagnons de voyage lisent, ont lu ou vont lire ces instructions au cours des trois heures que vous passez ensemble dans ce train. C'est un tout autre ordre de probabilités que celui d'avoir une jolie sourde-muette à tes côtés. Il y a une chance sur dix, j'exagère sans doute mais pas tant que ça, pour que la personne assise à côté de toi lise en ce moment la même chose que toi. Et si pas la personne à côté de toi, d'autres pas loin.

Tu ne crois pas que le moment est venu d'aller au bar ? Alors prends ce cahier, roule-le dans ton sac, lève-toi et commence la traversée du train. Je t'attends là-bas. Ne ressors le cahier que quand tu y seras.

Voilà. Tu as fait la queue, commandé un café ou de l'eau minérale. Il y a beaucoup de monde dans le bar. Tu as quand même trouvé une place sur un tabouret, ressorti de ton sac le journal qui est ouvert devant toi, sur la tablette en plastique gris, et maintenant tu reprends ta lecture. Est-ce que la même idée t'est venue qu'à moi, en traversant les wagons? Quelqu'un, dans ce train, lit cette histoire. Il lit, peut-être qu'il sourit en lisant, peut-être qu'il se dit tiens c'est marrant, qu'est-ce qui leur prend, au *Monde*? Et puis à un moment il lit que ça se passe dans le TGV Paris-La Rochelle de 14h45, le samedi 20 juillet. Il lève les sourcils, il lève les yeux au-dessus de son journal, il a un petit instant, de vertige serait trop dire, mais enfin de trouble, il relit la phrase et il se dit : bon sang, c'est mon train! Et puis, l'instant d'après : mais alors, la fille dont il est question, la destinataire, elle y est aussi, dans ce train! Homme ou femme, mets-toi à sa place. Est-ce que tu ne trouverais pas ça excitant? Est-ce que tu n'essaierais pas de la repérer, la fille? Tu n'as pas de description physique, je m'en suis bien gardé, mais tu disposes d'un indice, et un indice extrêmement précis : tu sais qu'entre Poitiers et Niort, c'est-à-dire entre 16h15 et 16h45, on doit pouvoir la trouver au bar. Alors qu'est-ce que tu fais? Tu y vas. Moi, en tout cas, j'irais. Lecteurs, lectrices, je vous invite, ne restez pas à faire tapisserie : prenez votre exemplaire du *Monde* en signe de reconnaissance et rendez-vous au bar.

Je ne sais pas si tu y es entrée, toi, en ayant pris conscience de ce que cela impliquait ou si tu le découvres seulement à l'instant, je ne sais pas ce que tu en penses, mais je dois dire que, moi, j'adore cette situation. Ce qui me plaît, c'est que, contrairement à la scène avec la jolie sourde-muette, elle ne repose sur rien d'aléatoire mais découle de façon certaine du dispositif mis en place. Si la nouvelle est bien parue le jour dit, si le train circule bien le jour dit, si le bar n'est pas en grève, il est absolument certain – ou alors c'est à désespérer – que quelques-uns des passagers et j'espère des passagères s'y pointeront à l'heure dite, c'est-à-dire **maintenant,** dans l'espoir de t'identifier. Ils sont là, autour de toi. Je ne les connais pas mais je les ai convoqués il y a deux mois et ils sont là. Ça, c'est de la littérature performative, non ?

Tu as beau être plutôt exhibitionniste, j'imagine que tu plonges le nez dans le journal et que tu n'oses plus lever les yeux. Tu vas les lever un peu. Tu es face à la fenêtre. S'il faisait nuit, ou si le train s'enfonçait dans un tunnel, l'intérieur du wagon se refléterait dans la vitre et tu pourrais **les** voir sans te retourner, mais il n'y a pas de tunnel, pas de reflet, seulement le paysage morne de la Vendée, châteaux d'eau, maisons basses, chemins de halage, sous le soleil encore haut dans le ciel.

Et **eux**, derrière toi.

Allez. Ça ne sert à rien de faire l'autruche.

Tu vas prendre une grande respiration et puis te retourner.

L'air de rien, tout naturellement.

Vas-y.

Ils sont tous là.

Des hommes, des femmes. L'air de rien eux aussi, mais plusieurs ont *Le Monde* à la main.

Ils te regardent?

Je suis sûr qu'ils te regardent. Je suis sûr qu'ils te regardent depuis plusieurs minutes, tu n'as pas senti leurs regards dans ton dos? Ils attendaient que tu te retournes et maintenant ça y est, tu leur fais face, c'est comme si tu étais nue devant eux.

Tu trouves que là, c'est trop? Que ça se met à ressembler à une scène de film d'épouvante? L'héroïne croit s'être réfugiée en lieu sûr, dans un bar plein de gens, quand un détail en apparence anodin lui révèle tout à coup que ces gens qui l'entourent, eux aussi anodins en apparence, font tous partie de la conspiration. Espions, zombies, envahisseurs extraterrestres, peu importe mais ils lisent tous *Le Monde*, c'est à ça qu'on les reconnaît, et ils l'encerclent, et leur cercle se resserre...

Tu te sens prise au piège?

Mais non, c'était pour rire. Ce n'est pas ça, l'histoire. Réfléchis. D'abord, tu n'es pas la seule suspecte, je suis sûr que d'autres femmes affichent *Le Monde* dans ce bar. Combien? Une, quatre, onze? À partir, disons de trois, j'estimerai que c'est un grand succès. À ces femmes, je n'ai pas seulement demandé de venir, seules de préférence et aussi nombreuses que possible pour ne pas laisser tout le terrain à une horde d'hommes, j'ai encore demandé autre chose. Enfin, je le leur demande maintenant, mais je me doute bien que contrairement à toi elles n'ont pas strictement respecté les consignes de lecture, en sorte qu'elles ont découvert avant toi ce paragraphe. Ce que je leur demande, c'est ceci : si vous avez lu cette lettre et qu'elle vous a un peu, rien qu'un peu excitée, alors jouez le jeu et pendant la dernière heure du voyage, entre Niort et La Rochelle, faites comme si vous en étiez la destinataire. Le rôle est simple à tenir, il suffit de lire *Le Monde* en buvant un café ou une eau minérale au bar du TGV et de faire attention à ce qui se passe autour de vous. C'est simple, mais ça peut être extrêmement sexy. Je compte sur votre concours.

Voilà, tout est en place, je rappelle la règle du jeu : il y a dans ce wagon-bar un certain nombre d'hommes et de femmes qui ont lu cette histoire et qui, avec des arrière-pensées diverses mais essentiellement sexuelles, cherchent à en identifier l'héroïne. L'héroïne, c'est toi, mais tu es la seule à le savoir et les autres femmes font semblant d'être toi. L'héroïne mouille comme une folle depuis deux heures et les autres femmes se mettent à mouiller comme des folles aussi. Enfin, contrairement à l'héroïne, elles ont lu l'histoire jusqu'au bout et savent donc, elles, ce qui se passe dans les pages qui restent.

J'adore cette situation, j'adore que, grâce au *Monde*, elle existe **réellement**, en revanche je ne vois plus comment la contrôler. Trop de personnages, trop de paramètres. Alors je ne contrôle plus. Je lâche. Je continue bien sûr à imaginer des choses : un ballet de regards, des sourires discrets, un clin d'œil entre filles ; un rire étouffé, peut-être un fou rire, peut-être un *acting out* carabiné ou alors un scandale, pourquoi pas ? quelqu'un qui dit haut et fort que c'est dégoûtant et qu'il n'achète pas le journal d'Hubert Beuve-Méry pour y lire des cochonneries pareilles; peut-être un dialogue cru et sophistiqué sur le modèle je-sais-que-vous-savez-que-je-sais, et peut-être deux personnes qui, arrivées au bar sans se connaître, le quittent ensemble. Je me demande ce que perçoivent les gens qui se trouvent sur les lieux sans avoir lu *Le Monde* : est-ce que tout leur échappe? est-ce qu'ils sentent qu'il se passe quelque chose sans savoir quoi? Je me demande, j'imagine, mais je ne décide plus, je laisse maintenant chacun improviser son rôle et j'attends que tu arrives tout à l'heure, dans une heure, pour tout me raconter, au lit et puis devant un grand plateau de fruits de mer, on verra dans quel ordre, tu vois que je ne suis pas si directif que ça.

Il reste trois quarts d'heure de trajet, et à moi 5 000 signes, j'ai droit à 35 000 maximum. Ce qui peut se passer encore, en dehors de tout ce qui échappe à mon contrôle, les autres lectrices du *Monde* le savent déjà et toi, évidemment, tu t'en doutes. Tu en as vu une se lever il y a quelques minutes, tu l'as suivie du regard et tu as vu que les autres la suivaient du regard aussi. Ils savent tous ce que cela veut dire et elle sait qu'ils le savent. Cela veut dire : je vais me branler.

La femme sort donc du bar et se dirige vers les toilettes les plus proches. Elles sont occupées. Elle attend un peu. Elle croit entendre, évidemment couvert par le bruit du train, un bruit de respiration saccadée derrière la porte. Elle y colle son oreille, elle sourit, un type debout près de la portière la regarde un peu surpris, il a un autre journal à la main et elle se dit le pauvre, il ne sait pas ce qu'il perd. Enfin la porte s'ouvre, une autre femme sort des toilettes, *Le Monde* dépassant de son sac. Elles échangent un regard, on voit sur son visage que la femme qui sort des toilettes a joui très fort et cela excite beaucoup celle qui va y entrer, au point qu'elle s'enhardit à demander « c'était bon ? » et l'autre répond « oui, c'était bon », d'une voix extrêmement convaincante, et le type qui ne lisait pas *Le Monde*, le pauvre, se dit que décidément il se passe des trucs bizarres dans ce train. La femme referme la porte, tire le verrou. Elle se regarde dans le miroir qui descend jusqu'au lavabo, ça lui permet en relevant sa robe – ou en baissant son pantalon – de bien voir ce qu'elle va faire. Elle retire sa culotte trempée, elle soulève une jambe de manière à poser un pied sur le rebord du lavabo, d'une main elle se tient à l'espèce de poignée qui permet de rester en équilibre et de l'autre elle commence à se caresser la chatte. Direct, les doigts dedans, le temps des raffinements est passé, elle en a trop envie, ça fait au moins une heure qu'elle en a envie. Elle met tout de suite deux doigts, elle les enfonce, c'est complètement inondé et ça l'inonde encore plus de regarder dans le miroir sa main qui empoigne sa chatte et ses doigts qui la fouillent. Peut-être qu'elle s'y prend différemment, qu'elle va directement au clitoris, chaque femme a sa technique propre pour se branler, j'adore qu'elle me la montre et là je projette la tienne sur elle, ce n'est pas grave. C'est peut-être la première fois qu'elle se branle debout dans les toilettes d'un train, et c'est la première fois à coup sûr qu'elle se branle en sachant que les gens derrière la porte savent ce qu'elle est en train de faire. C'est comme si elle le faisait devant tout le monde, elle regarde sa chatte dans le miroir comme si tout le monde la regardait, comme si tout le monde voyait ses doigts glisser entre ses lèvres trempées, c'est incroyablement excitant. Elle pense à toi, qu'elle n'a pas repérée à coup sûr mais elle a quand même son idée : la grande blonde au long cou, à la taille fine et aux hanches épanouies dont il était question au début, c'était peut-être une fausse piste mais peut-être pas, et il y avait une fille qui correspondait bien. Elle se dit que sans doute, à l'heure qu'il est, tu es aux toilettes aussi, dans un autre wagon, et que tu fais la même chose, elle imagine tes doigts qui s'enfoncent entre tes poils blonds et elle a beau ne pas être spécialement portée sur les filles, là elle aurait envie, vraiment envie. Elle voit ses propres doigts dans sa chatte, et les tiens dans la tienne, et les doigts d'autres femmes dans leurs chattes, toutes se branlant en même temps dans le même train, toutes trempées, toutes approchant mainte-nant de leurs clitoris, et tout ça parce qu'un type, deux mois plus tôt, a décidé de profiter d'une commande du *Monde* pour se faire un petit scénario érotique avec sa nana. Main-tenant ça y est, ses doigts sont sur son clitoris, elle tire sur les lèvres pour bien le dégager, pour le voir dans la glace au-dessus du lavabo, on va dire qu'elle s'y prend comme toi à ce moment-là, le bout des doigts, index et majeur, qui frotte de plus en plus fort, elle aimerait bien de l'autre main se caresser le bout d'un sein mais il faut qu'elle se tienne sinon elle va tomber, elle regarde son visage, c'est rare de se regarder soi-même quand on va jouir, elle a envie de crier, ça monte vite, elle sait qu'il y a quelqu'un derrière la porte, elle sait qu'elle respire fort, qu'elle fait du bruit et qu'on l'entend, elle est tout près maintenant, elle a envie de crier, elle a envie de dire oui, elle a envie de crier oui, elle se retient de crier oui au moment où elle jouit mais quand même tu l'entends, tu es derrière la porte, tu dis oui aussi, oui, on arrive à Surgères, ça va être ton tour maintenant.

De retour à ta place, juste avant l'arrivée, tu lis le dernier paragraphe. J'y invite ceux et celles qui auront fait le voyage, dans le train ou ailleurs, à m'en raconter leur version. Ça fera peut-être une suite, qui ne sera pas seulement performative mais interactive, qui dit mieux ? Je leur donne même mon mail : emmanuelcarrere@yahoo.fr. Tu trouves que je suis gonflé. Tu as raison, je suis gonflé. Je t'attends sur le quai.

4

Tout de même, m'a dit Anne-Dominique la veille du départ, ce serait bien, non pas que tu saches d'avance ce que tu veux faire, j'ai bien compris que ce qui te plaît c'est de ne pas le savoir, mais que tu te poses dès maintenant cette question : est-ce que tu vas être présent à l'image ? Quand le train arrivera en gare, est-ce que tu vas demander à Philippe de descendre le premier avec la caméra et de te filmer en train de débarquer, ou est-ce que tu préfères que la caméra soit ton regard ?

Je n'ai pas su quoi répondre. C'est étrange : depuis que j'ai formé le projet de ce film, j'en ai beaucoup parlé, avec un enthousiasme généralement contagieux, j'ai écrit des notes d'intention, convaincu des décideurs, recruté une équipe, mais cette question toute simple ne m'a jamais effleuré. Et maintenant, dans le train de nuit parti de Moscou, elle commence à me tracasser. Comme le barbu à qui on a demandé s'il dort la barbe au-dessus ou au-dessous de

173

la couverture, je me retourne sur ma couchette sans trouver grand réconfort dans les mots d'ordre que je répétais jusqu'alors comme des mantras : ne rien prévoir, être aux aguets, laisser venir.

Et si rien ne venait ?

Et si je n'étais pas capable de faire un film ? Cela dépendra, j'en ai clairement conscience, de ma capacité à parler russe, et sur ce point seulement je suis un peu inquiet. J'ai passé deux mois à Moscou cette année, fait tous les jours des exercices de grammaire, lu de la prose russe et même tenu une sorte de journal en russe, malgré quoi et malgré mon oreille excellente je ne progresse pas. Je peux à peu près lire, écrire, et presque pas parler. Mais je compte sur un déclic : un jour, d'un coup, cela se débloquera. Les données patiemment emmagasinées et dont je n'ai pour l'instant pas l'usage me deviendront accessibles. Je parlerai russe. Cela se produira peut-être à Kotelnitch. Et alors oui, bien sûr, j'apparaîtrai dans le film.

Je repense à mon premier voyage, dans le même train, et au rêve augural que j'y ai fait. Des mots russes se mélangent aux phrases de ma nouvelle ferroviaire, le visage de Sophie brouille celui de Mme Fujimori. Je l'imagine en train de lire *Le Monde*, six semaines plus tard exactement, dans un autre train à l'arrivée duquel je l'attendrai. J'imagine notre joie, sa fierté. Hier, tandis que je bouclais mon sac, un journaliste du *Monde* est venu m'interviewer, pour un portrait qui doit accompagner mon texte. Il s'étonnait que je parte en voyage si insouciant, alors que je laissais derrière moi, disait-il, « une grenade dégoupillée ». Je

174

l'ai trouvé bien prude, ce garçon, bien effarouché. Suis-je si insouciant ? Pour le moment, oui.

Comme la première fois, à la descente du train, nous affrétons l'unique voiture stationnée près de la gare et faisant office de taxi. C'est la même Jigouli que la première fois, conduite par le même Vitali qui, pas spécialement surpris de notre retour, nous conduit au même hôtel *Viatka*, puis à la *Troïka*, où nous allons déjeuner et tenir conseil. Sur le plan pratique, Sacha préconise d'aller aussitôt que possible nous présenter aux autorités et nous faire enregistrer – formalité indispensable quand on arrive dans une ville russe et dont l'oubli, cet hiver à Moscou, m'a valu d'être arrêté dans le métro et de passer deux heures dans une petite cage avant que le milicien, jugeant m'avoir suffisamment intimidé, me propose d'arranger l'affaire pour une centaine de roubles. Sur le plan artistique, Philippe aimerait savoir à quel genre de personnages je souhaite a priori m'attacher. J'ai une arrière-pensée : Ania la francophone et Sacha le FSBiste. Mais je la garde pour moi et, avec une confiance évasive, je réponds que je n'ai pas d'a priori sur la question, que ces personnages, le hasard se chargera de nous les présenter. Tout ce qu'il faut, c'est être prêt, quand une porte s'ouvre, à filmer celui qui va entrer.

La porte s'ouvre, justement, sur un trio de clochards qui s'attable et compose avec nous, ce matin, la seule clientèle de la *Troïka*. Nous nous approchons pour lier conversation, et filmer cette conversation. La première tâche incombe à Sacha, qui ne manque pas de défauts, notamment un caractère de cochon, mais n'a pas son pareil pour palabrer à la russe, avec une goguenardise complice et des soupirs fatalistes. L'un des clochards se lance dans un long monologue, que Sacha ponctue, comme un psychanalyste ou un sociologue rompu à l'entretien dit « ouvert », de brèves incises visant à relancer ce qui n'a aucun besoin de l'être. De temps à autre, il se penche vers moi pour me faire un résumé. Mais je n'ai pas besoin d'un résumé, il n'est pas difficile de comprendre que le type râle, et a toutes les raisons de râler parce que la vie est dure, qu'il trouve que ce n'était pas bien avant, mais quand même mieux. Ce que je voudrais saisir, ce sont les détails, qui se perdent dans la diction grumeleuse, et je ne veux pas non plus demander à Sacha une traduction simultanée : parce qu'elle nuirait au naturel de l'échange et surtout parce qu'il faudrait avouer et m'avouer que malgré mes efforts je ne comprends décidément pas grand-chose. Vexé, je vais m'asseoir seul un peu plus loin. La serveuse, une femme âgée au visage douloureux, s'approche de moi et me demande pourquoi nous filmons ces gens : ce n'est pas joli. Elle a été la première bénéficiaire du petit discours que j'ai par la suite perfectionné et servi, je crois bien, à tous mes interlocuteurs : non, ce n'est pas joli, mais c'est la réalité, et nous sommes venus pour filmer cette réalité. Les choses jolies il y en a certainement – à vrai dire je ne sais pas lesquelles – et nous les filmerons aussi. Apprenant que nous sommes français, la serveuse prend l'air encore plus douloureux : à quoi bon venir de France pour filmer ça ? Je l'invite à s'asseoir, me présente. Elle, c'est Tamara. Elle commence à parler, ce qu'elle dit sur le fond ne semble pas très différent de ce que dit le clochard mais je la comprends un peu mieux et m'applique, du coup, à transformer le monologue en dialogue, saisissant toute occasion de placer, comme Sacha, une phrase approbatrice ou compréhensive. Tamara lit la Bible mais ne tire de l'existence et de la toute-puissance de Dieu aucun motif de réconfort. Elle serait plutôt du côté de l'Ecclésiaste : tout passe, tout casse, tout lasse, et manifestement ces vérités cruelles elle les a vérifiées dans sa chair, plus souvent qu'à son tour. Moins parce que j'espère l'intéresser que comme on s'impose un exercice de thème difficile, j'entreprends d'expliquer que la Bible, justement, je l'ai traduite, enfin j'ai participé à une nouvelle traduction, en France, mais je dois m'exprimer mal et elle ne paraît pas intéressée. Je ne le serais sans doute pas à sa place.

Dans le bureau du maire, je parle français et Sacha traduit, ce qui donne à l'entretien un tour plus officiel. Je fais de notre projet une présentation résolument positive, dans une langue de bois impeccable et qui semble convaincre, car le maire charge son adjointe, Galina, d'obtenir pour nous toutes les autorisations nécessaires et même de nous trouver un appartement.

Sur ce point, et à la surprise de mes compagnons, je tique. Cette histoire d'appartement était un élément essentiel de mon plan. Je m'étais dit ceci : l'hôtel *Viatka*, ça va une semaine, mais un mois c'est beaucoup, il faudrait chercher mieux, louer quelque chose. Pour quelques centaines de dollars, pas mal de gens seraient sans doute prêts à nous céder leur appartement et à s'installer un mois chez des cousins. Sans doute ; peut-être pas : on verrait. Ce dont j'étais certain, en tout cas, c'est qu'une équipe de cinéma française prétendant louer un appartement à Kotelnitch, c'était une situation totalement inédite dans l'histoire de la ville et qu'il en découlerait des rencontres, des palabres, des déboires, toutes sortes de petits événements qui mériteraient d'être racontés. Plus qu'un léger progrès en termes de confort, j'attendais de cette recherche qu'elle donne à notre chronique un fil conducteur. C'est pourquoi je suis un peu ennuyé de voir l'affaire se régler si vite. Galina, en effet, prend les choses à cœur et en main. Le jour même, une Volga de la mairie vient nous chercher et nous conduit, hors de la ville, à l'usine de traitement d'électricité, un complexe de bâtiments en brique ceinturé de barbelés et donnant sur des terrains vagues. Non moins cordial que le maire, le directeur de l'usine s'amuse gentiment de notre description du *Viatka*, bien sûr des hôtes de marque comme nous ne vont pas croupir là-bas, et il nous emmène visiter, à l'entrée de l'usine, une maisonnette qui sert à héberger des ingénieurs de passage et qu'il pourrait mettre à notre disposition. C'est propre, presque coquet, il y a trois chambres tapissées jusque sur les murs de moquette lie-de-vin, une cuisine, une douche, en somme c'est exactement ce que nous cherchons, sauf que j'aurais aimé que nous le cherchions, justement, que nous y accédions au terme d'un parcours mouvementé et non qu'il nous soit dès notre arrivée obligeamment fourni par l'administration de la ville. Je demande donc à réfléchir et, dans l'après-midi, nous ten-

178

tons d'autres pistes, c'est-à-dire questionnons des passants qui tous secouent la tête et achetons le journal local, où les quelques annonces immobilières concernent, au mieux, une chambre dans un appartement. Conscient de lâcher prise un peu vite, mais soucieux du confort de mon équipe, j'accepte que nous déménagions, sans toutefois abandonner notre objectif : l'usine d'électricité, c'est une base provisoire, nous allons trouver mieux – enfin, pas mieux, je m'en doute, mais autre chose, plus pittoresque, plus mérité, en tout cas nous allons continuer à chercher.

Évidemment, l'histoire s'est arrêtée là.

La rumeur de notre retour s'étant vite répandue en ville, je m'attends dès le second soir à ce qu'Ania débarque avec sa guitare pour nous souhaiter la bienvenue. Mais non, aucune nouvelle d'elle ni de Sacha. Il ne peut ignorer, pourtant, que nous sommes là. Pourquoi ne se montre-t-il pas, ni elle ? Cela m'intrigue.

Demain, c'est la fête de la ville, sur laquelle nous comptons beaucoup pour lancer la machine. Philippe est d'avis de la préparer avec soin, pour cela de choisir un ou deux personnages que nous suivrons tout au long de la journée, et nous envoyons Sacha à la pêche aux renseignements. Le clou des festivités, à en croire Galina, l'adjointe du maire et sa source principale, sera l'hommage rendu à deux citoyens exemplaires, l'un directeur de l'usine de gaz (« un dandy », assure Galina), l'autre chef de la brigade des maçons. Ce qu'il faudrait, selon Philippe, ce serait attraper l'un des deux au saut du lit, montrer le petit déjeuner en famille, l'épouse émue qui noue la cravate du héros, et ne pas lâcher celui-ci jusqu'au soir. Hélas, la belle-mère du maçon est morte la veille, on l'enterre le lendemain, en sorte qu'il manquera sa propre consécration ou du moins ne sera pas d'humeur à plastronner devant nos caméras. Quant au gazier dandy, que Galina a essayé d'appeler, il est introuvable.

Dépités, nous traînons en ville et puisqu'elle n'offre à première vue d'autre curiosité que le passage incessant des trains, décidons d'aller le filmer. Sur le pont métallique qui enjambe les voies, Philippe installe la caméra sur pied, Liudmila ses micros, et moi, avec la petite DV, je me propose de les filmer filmant les trains. Les vues ferroviaires, ici, c'est la seule chose dont on est sûr de n'être jamais à court, on pourra dans le pire des cas en tirer un effet de répétition comique : nos héros, n'ayant rien de mieux à faire, montent sur le pont filmer d'interminables convois de marchandises. Il en est déjà passé une bonne dizaine quand arrive un milicien qui assez poliment nous enjoint d'arrêter et de le suivre au bureau de la milice ferroviaire. Le chef de la milice, qui nous reçoit tout aussi poliment, est un jeune homme blond aux yeux très bleus, sur le visage duquel est répandue l'expression d'humble et paisible innocence qu'on imagine aux fols en Christ de la Sainte Russie et voit à certains personnages des films de Tarkovski. Il nous confirme qu'il est, sauf autorisation expresse, défendu de filmer la gare, les trains, les voies, les ponts au-dessus des voies. Pour raisons stratégiques ? demande Philippe avec une ironie complice, et l'autre, qui visiblement aimerait nous faire plaisir, répond d'un bon sourire et d'un haussement d'épaules fataliste : c'est un peu ridicule, bien sûr, mais c'est comme ça. Et l'autorisation, qui peut nous la donner ? Eh bien, le FSB. Je demande alors si le responsable du FSB est toujours un certain Sacha, dont l'amie parle français. Pour l'amie, le petit blond ne sait pas, mais pour le reste il confirme : Sacha Kamorkine, oui, c'est bien lui. Et on pourrait l'appeler, ce Sacha Kamorkine ? Serviable, le petit blond forme le numéro, sans succès : autant, nous conseille-t-il, passer le voir, et il nous donne l'adresse. Nous restons un moment, dans la douce lumière blonde de fin d'après-midi qui baigne le bureau poussiéreux et nous plonge tous dans un engourdissement paisible. Notre hôte, qui n'a aucune raison de nous retenir, n'est pas pressé de nous voir partir et nous ne le sommes pas non plus, on est bien au bureau de la milice, on parle nonchalamment, de la France où le blond aimerait aller un jour tout en sachant très bien qu'il a peu de chances d'y aller jamais, de Kotelnitch où il comprend mal ce que nous sommes venus faire. Que nous voulions y tourner un film le laisse songeur, mais pas hostile, et c'est avec le même bon sourire qu'au moment de nous séparer il nous suggère un titre : *Tout jyt' nielzia, paka jyvout* – on ne peut pas vivre ici, et pourtant on y vit.

Le matin de la fête, Philippe, qui a pourtant bon caractère, ne décolère pas. Il a tourné beaucoup de reportages, en Russie et ailleurs, il sait comment s'y prendre, et la journée, selon lui, ne peut être racontée qu'en suivant une personne précise, du début à la fin. Or nous n'avons rien. Pas de personnage, pas d'angle, nous en sommes réduits à errer dans le parc municipal et à filmer, faute de mieux, des jeunes femmes qui disposent des montagnes de gâteaux sur des tables recouvertes de nappes en papier, des braseros où grillent saucisses et brochettes. Sacha, pendant ce temps, va et vient en faisant semblant de chercher des informations et moi, assis sur un gradin du terrain de football, je prends dans mon carnet des notes où pointe déjà le découragement. J'ai tendance, et je m'en inquiète, à m'écarter de mon équipe, à la laisser travailler seule de son côté. Lorsque nous sommes ensemble, il y a évidemment des détails sur lesquels j'aimerais attirer l'attention de Philippe, mais je ne peux pas chaque fois qu'il a l'œil dans le viseur lui taper sur l'épaule en lui demandant de filmer ce que je vois, moi, hors de son champ : ces mouches sur ce gâteau, le temps qu'il les cadre, elles se seront déjà envolées. Et puis quel intérêt, ces mouches sur ce gâteau ? Quel intérêt, la fête de Kotelnitch ? Au matin du quatrième jour, j'en suis à imaginer le film comme la superposition d'images où je ne serais pour rien et d'un commentaire introspectif issu de mon journal et rapportant ce que, moi, je pensais dans mon coin au moment où ces images ont été faites. L'idée de ce dispositif narcissique me déprime, et je place tous mes espoirs dans l'irruption de quelque chose qui le bouleverserait. Quelque chose ou plutôt quelqu'un.

Quelqu'un, justement, nous aborde : c'est le journaliste-photographe du quotidien local, le *Kotelnitchnyi vestnik*, reconnaissable à son gilet multipoches. Je me dis : très bien, nous allons le suivre, le montrer à la tâche, au passage il nous racontera les potins de la ville. Le problème, c'est que sa tâche consiste à nous interviewer, nous. Et quand, à la faveur de cette interview, j'essaye de le lancer sur les faits divers du cru, il m'explique que son journal, tiré à 8 000 exemplaires, s'est donné pour mission d'insister sur les aspects positifs de la vie, par exemple la capture d'un très gros poisson dans la rivière Viatka, ou la construction d'un bateau par un brave homme qui, sur cette même rivière, emmène naviguer sa famille le dimanche. Je l'interroge sur Sacha Kamorkine et Ania, mais ces noms, assure-t-il, ne lui disent rien. Qu'un journaliste local ne connaisse pas ou feigne de ne pas connaître le responsable du FSB, cela m'étonne. Et que Sacha lui-même ne se manifeste pas, cela m'étonne aussi, et nuance d'une vague menace le mystère qui l'entoure à mes yeux.

L'hommage aux citoyens d'honneur de la ville commence à midi, dans la salle du club de football où se réunissent les notables. Mais à peine commençons-nous à filmer les toasts qu'on nous prie de décamper sans même nous offrir un verre. La méfiance à notre égard est manifeste, et à mon sens légitime. Chacun se doute bien que si une équipe de cinéma française vient filmer Kotelnitch, c'est pour montrer combien la vie y est triste et moche, et qui prétendrait le contraire passerait évidemment pour un menteur. La question revient tout le temps : pourquoi chez nous ?, assortie d'une variante : quelles sont vos impressions de Kotelnitch ? Sachant que si je dis qu'elles sont bonnes on me prendra pour un menteur aussi, je rode auprès du journaliste à gilet multipoches un nouveau couplet selon lequel certes la ville est sale, la vie difficile, la conjoncture défavorable, mais les gens, eux, sont bons et courageux, et ce sont les gens qui m'intéressent – mais les gens ne me croient pas et ils ont bien raison.

Au-dehors, sur la scène d'un petit théâtre en bois, se déroule un spectacle : danses, chansons, numéros comiques présentés par les écoliers de la ville, parmi lesquels Philippe déniche une possible héroïne, qui chante sans trop de voix mais avec beaucoup de ferveur une chanson de Britney Spears et, quand il l'interroge, dit qu'elle voudrait devenir chanteuse professionnelle. Elle s'appelle Cristina, elle a dix-sept ans et, très petite, un peu boulotte, en paraît quatorze, mais elle a un joli visage ouvert et rieur, pas la langue dans sa poche, et se déclare ravie que nous la filmions. J'avais, en matière d'héroïnes féminines, une idée un peu différente : je pensais à ces filles longilignes, blondes, ravissantes, qu'on rencontre dans les boîtes de Moscou et qui, maîtresses de nouveaux Russes, vêtues de manteaux de fourrure sur des robes très courtes et très chères, roulant en Mercedes à vitres fumées, jugeant leurs compagnons au seul poids de leur carte de crédit, promènent sur le monde un regard d'une dureté glaçante. Beaucoup de ces filles doivent venir de bleds de la Russie profonde, de familles où l'on gagne 600 roubles par mois et ne bouffe que des pommes de terre. Elles ont pris le train, un jour, pour échapper au sort de leurs parents et, armées de leur seule beauté, la tête sans doute farcie des publicités qui défilent en boucle devant les poivrots hébétés de la *Troïka*, fait en toute connaissance de cause le choix de la prostitution de plus ou moins haut vol, dont un sondage récent révélait que les deux tiers des jeunes Russes l'envisageaient sans aucun scrupule moral comme un moyen de se faire une place au soleil. J'aurais aimé, à Kotelnitch, dénicher une de ces filles **avant**, savoir ce qu'elle avait dans la tête, et je vois mal Cristina dans cet emploi. D'un autre côté, elle rêve de partir, de connaître autre chose, d'être un jour applaudie sur une vraie scène : cela peut en faire, Philippe a raison, un personnage attachant.

En bordure du parc municipal se trouve un café appelé le *Roubine*, que Sacha désigne avec un évident malaise comme le café des bandits : c'est là qu'il s'est fait casser la gueule lors de notre premier séjour. Ce soir, en raison de la fête, toute la ville se presse à la terrasse du *Roubine*, pas seulement les bandits formant le noyau dur de sa clientèle. Il y a un bandit, cependant, et même, apprendrons-nous bientôt, le chef des bandits, Andreï Gontchar, un énorme type torse nu, crâne rasé, bedonnant et tatoué de partout, qui sur un ton mi-rigolard mi-agressif me prend à partie, moi le Français, quand je passe à hauteur de sa table, et me propose un bras de fer que je décline. Pas la peine, dis-je, ça se voit que tu es plus fort que moi, et en effet ça se voit. Quelques minutes plus tard, je regretterai ce réflexe de prudence : il m'aurait fait un peu mal au bras, mais on en aurait ri, nous serions entrés en relations et cela pourrait être bien d'entrer en relations avec le caïd du cru. Sacha, quand nous en discutons entre nous, tord le nez : non, ça ne serait pas bien, ce serait très dangereux.

Plus tard, tout le monde danse dans une sorte d'enclos grillagé, en plein air. La petite Cristina se trémousse comme une folle, des gamins au crâne rasé sont partagés entre l'envie d'être filmés et celle de niquer la caméra, Philippe attrape tout ce qu'il peut et je découvrirai le lendemain en regardant les cassettes une blonde ravissante et drôle qui aurait tout à fait pu être le personnage auquel je pensais, hélas nous ne la retrouverons pas, peut-être qu'elle n'était pas de Kotelnitch. À un moment, je réponds à la sempiternelle question : pourquoi venir nous filmer ? par mon sempiternel couplet sur la rude réalité et le courage des gens qui l'affrontent, mais mon interlocuteur, un grand type de la quarantaine qui a vingt-cinq ans d'armée derrière lui – Tatarstan, Tchétchénie, Mongolie –, cligne de l'œil comme un à qui on ne la fait pas. Ce qui nous intéresse, il le sait très bien : ce n'est pas Kotelnitch, il n'y a aucune raison de s'intéresser à Kotelnitch, mais Morodikovo. Morodikovo ? Oui, l'usine qui, à cinquante kilomètres d'ici, produisait jusque récemment des armes chimiques. On l'a démantelée, mais nul ne sait trop ce qu'on fait des substances horriblement dangereuses qu'on y traitait. J'avais vaguement entendu parler de Morodikovo lors de notre premier séjour, je croyais que c'était plus loin que ça, et je comprends tout à coup le soupçon qui, même alors, devait courir en ville : filmer Kotelnitch ne peut être qu'une couverture pour tenter d'approcher la zone interdite. On

186

doit se dire alors que nous sommes drôlement malins : non seulement nous n'allons pas dans cette direction, mais nous n'en parlons à personne, nous attendons qu'on nous en parle à nous. Je demande à l'ancien militaire s'il serait prêt à en parler, et d'ailleurs à parler de sa vie en général, mais non, il ne veut pas être filmé. J'ai froid, j'en ai assez. À 3 heures du matin, le jour qui n'est pas vraiment tombé commence à se lever – nous sommes à la latitude de Pétersbourg, en juin les nuits sont blanches – et l'enclos ferme. La fête est finie, il ne s'est rien passé.

Le bureau du FSB, à l'angle des rues Karl-Marx et Octobre, se trouve dans le même immeuble que la rédaction du *Kotelnitchnyi vestnik* et quand, en montant l'escalier, je croise le journaliste au gilet multipoches, je trouve qu'il charrie un peu de m'avoir dit que non, il ne connaissait pas Sacha Kamorkine, à qui sans nous être annoncés nous venons ce matin rendre visite. Dans son bureau orné d'un grand portrait de Félix Derjinski, le fondateur de la Tchéka, il nous accueille avec cordialité, sans marquer de surprise mais en s'assurant que le cache est bien fixé sur l'objectif de la caméra. Je lui présente Philippe et Liudmila et lui apprends la mort d'Alain, qui semble sincèrement l'attrister. En un an et demi, il a pris un coup de vieux. La prestance reste celle d'un héros de l'Union soviétique, mais le visage est de plus en plus bouffi, les yeux injectés de sang. Il prend l'air supérieur et rusé du type qui a su attendre que nous venions à lui plutôt que de se précipiter à notre rencontre, mais je sens bien qu'en réalité ce retour l'intrigue. Lui aussi – lui surtout, c'est son métier – doit soupçonner qu'il cache quelque chose, et que ce quelque chose a à voir avec Morodikovo. Mais, fidèle à ce qu'il doit prendre pour une stratégie particulièrement retorse, je ne prononce pas le nom, je lui demande seulement l'autorisation de filmer gare et trains – il va voir ce qu'il peut faire – et, par la même occasion, ce qu'il advient de son amie Ania, celle qui parlait français. Ne la voyant pas, je pensais qu'elle avait dû partir, trouver dans une grande ville un emploi d'interprète, mais non : ils sont toujours ensemble, ils ont un enfant, elle vit actuellement à Viatka chez sa mère mais va bientôt revenir, quand leur nouvel appartement sera prêt. À l'issue de l'entretien, qui est bref, il demande à parler à Sacha en particulier. Quand celui-ci nous rejoint, dans la rue, c'est pour nous exposer, goguenard, la règle qui présidera désormais aux relations avec notre ami du FSB. La règle, c'est qu'il n'y a pas de FSB. Il ne travaille pas pour le FSB, mais à la protection de l'environnement, voilà.

Mais c'est absurde.

C'est absurde, glousse Sacha, mais c'est comme ça.

Puisque nous avons maintenant une maison et une cuisine, nous filons au marché pour faire un grand ravitaillement. Dès que la caméra de Philippe se tourne vers eux, la plupart des commerçants et chalands font signe qu'ils ne veulent pas être filmés. Un boucher quitte son étal bourdonnant de mouches pour nous menacer carrément. Un vieux bonhomme aux mains énormes, qui avant qu'elle ne ferme travaillait à la scierie locale, craint qu'on l'arrête si on le voit à la télé, et il ne sert à rien de lui expliquer qu'on n'arrête plus les gens comme ça et que de toute façon notre film ne passera pas à la télé russe, mais en France. Et revient l'antienne qui nous poursuit depuis le début du séjour : nous vivons comme des chiens, vous, vous vivez au paradis, vous êtes de beaux salauds de venir nous filmer. Nous battons rapidement en retraite.

Pendant le dîner, qu'a préparé Liudmila, nous dressons la liste des personnages possibles pour notre film. Philippe en tient décidément pour Cristina, dont il a déjà contacté les parents afin de la filmer dans sa famille. Je place, moi, de grands espoirs dans le couple Kamorkine. Nous restons divisés sur Andreï Gontchar, le chef des bandits, l'intérêt et le danger qu'il représente, mais convenons qu'il n'est pas question de mener une enquête sérieuse sur les rapports entre police et délinquance ou la pratique du racket à Kotelnitch. Ce n'est pas notre sujet – mais quel est notre sujet, je serais bien en peine de le dire.

Tout en attaquant à la cuiller la viande nerveuse et dure achetée chez le brutal boucher, Liudmila lève un lièvre : il n'y a pas de couteaux dans cette ville. Ni au restaurant, ni dans les tiroirs de notre cuisine : seulement des cuillers et fourchettes en fer-blanc. Liudmila pense que c'est pour ne pas tenter le diable, plus précisément les types bourrés et, ravi, je propose ce titre pour notre film : *Gorod biez nojeï*, la ville sans couteaux. Si je suis ravi, en fait, c'est surtout parce qu'au cours de ce dîner, dans notre petite cuisine, je n'ai parlé que russe, avec Liudmila d'abord,

191

mais aussi avec les autres, et que je ne m'en tire pas si mal. Une autre bonne nouvelle, et sans doute le seul changement notable depuis mon précédent séjour, c'est que les portables passent maintenant, qu'on peut appeler en France sans devoir aller à la poste : couché tôt, je passe une demi-heure avec Sophie, lui fais part des moments de doute que je traverse. Elle, ça ne va pas très bien non plus. Son travail lui pèse, la perspective d'en chercher un autre aussi. J'essaye de l'apaiser, je l'aime, elle m'aime aussi. Nous finissons par faire l'amour au téléphone et, ma foi, cela me suffit tout à fait comme sexualité.

Les parents de Cristina, chez qui nous nous rendons chargés de gâteaux, de chocolat, de vodka et de *champanskoié*, habitent à la périphérie de la ville une petite maison communautaire. Ils y disposent de deux pièces très bien tenues, avec des étagères vitrées couvertes de livres aux reliures dorées, de bibelots et de photos de famille. La famille, à notre arrivée, est intimidée, mais l'ambiance se dégèle sans que, pour être honnête, j'y sois pour rien. Cristina n'a d'yeux que pour Philippe, dont la gentillesse fait merveille. Le père, qui est milicien, doux et effacé, a trente-deux ans et en paraît quarante-cinq – il est vrai qu'il compte prendre bientôt sa retraite. On sent que c'est la mère qui fait la loi dans la maison. Elle aimerait bien, dit-elle, quitter la ville, Morodikovo l'inquiète comme tout le monde, beaucoup de gens sont malades, des gens jeunes, des cancers – mais où aller ? Pour eux, c'est déjà trop tard, elle reporte ses espoirs sur ses enfants. Bien qu'en saisissant l'essentiel, j'ai du mal à participer à la conversation. Je regrette la jolie blonde repérée trop tard sur les rushes de la fête de la ville, j'ai un peu l'impression de m'être fait imposer cette Cristina et sa gentille famille – mais je n'ai pris, moi, aucune initiative, et devrais savoir gré à Philippe de faire le nécessaire pour que, malgré tout, les choses avancent.

C'est encore grâce à lui que nous découvrons, le lendemain, un nouveau personnage, on ne peut plus positif celui-là et propre à rassurer l'adjointe au maire qui discrètement s'inquiète de notre propension à filmer les poivrots affalés dans les squares pelés de Kotelnitch. Vladimir Petrov est l'entraîneur du club de bodybuilding. La trentaine, poignée de main franche et beau sourire naïf, il s'est classé dixième de la CEI aux championnats de 2001 et on lui a proposé un poste à Pétersbourg, qu'il a refusé pour ne pas laisser tomber son club et les jeunes gars qu'il y entraîne. Il se sent responsable d'eux. Beaucoup sont d'anciens délinquants qui sous son influence ne fument plus, ne boivent plus, ne traînent plus et en soulevant de la fonte regagnent le droit chemin. Non content de surveiller leurs efforts musculaires, il œuvre à leur réinsertion professionnelle en les employant comme vigiles dans l'usine dont il assure la sécurité. Bref, voilà un garçon qui dans cette ville en déroute ne baisse pas les bras. Tout en filmant sa séance d'entraînement, nous imaginons d'appétissantes connexions : que parmi les habitués de la salle figurent les hommes de main d'Andreï Gontchar, le bandit tatoué ; qu'un des garçons arrachés à la délinquance par Vladimir ait un copain d'enfance moins chanceux, interné dans la colonie pénitentiaire pour enfants dont l'adjointe au maire nous a parlé en nous offrant, à notre grande surprise, de la visiter ; que Cristina vienne faire du fitness au club, y tombe amoureuse du jeune haltérophile et qu'ils aillent tous les deux rendre visite au copain à la colonie. Tous ces destins se croiseraient sous nos caméras et, pour parfaire cette série d'heureuses rencontres, l'idée me vient d'un grand banquet auquel, à la fin du tournage, nous convierions tous nos personnages. Ce jour-là, je crois au film et je pense même proposer à Sophie de prendre une semaine de vacances pour venir nous rejoindre et assister à ce banquet triomphal. J'y pense, mais je ne le lui propose pas. Aujourd'hui, je me demande quel chemin auraient pris nos vies si je l'avais fait.

Sacha le FSBiste, que nous appelons désormais Sacha l'écologiste, convoque notre Sacha pour un de ces entretiens particuliers sur la teneur desquels ce dernier reste évasif, mais qui semblent être surtout prétexte à se torcher. De fait, quand nous les retrouvons en fin de soirée au restaurant *Zodiac* qui, récemment ouvert, passe pour le nouveau lieu chic de la ville, ils sont tous deux fin soûls. Cela n'entame en rien la hantise d'être filmé de l'écologiste. Je suis gentil, précise-t-il, mais si on essaye de me piéger je peux devenir méchant. Cependant il y a beaucoup de monde, c'est samedi soir, et il ne peut pas interdire à Philippe de filmer ce qui se passe sur la piste de danse. Cela devient un jeu, pour Philippe et moi, lui essayant, tandis qu'il virevolte autour des danseurs, de voler une image de Sacha, moi, assis avec celui-ci à une table mal éclairée, de distraire sa vigilance. Tout en insistant pour me faire boire à la beauté des femmes, il me tient des discours de plus en plus pâteux sur la culture, la France, le fait qu'il est un fin psychologue, qu'il sait juger les gens et, à force de tourner autour de nous en feignant de viser ailleurs, Philippe finit par attraper un plan de lui en profil perdu. De ce modeste butin, nous nous sommes réjouis, de retour à la maison, comme des chasseurs qui ont pris un gibier particulièrement délicat, et c'est le lendemain seulement que j'ai eu un peu honte. Notre principal succès depuis dix jours que nous sommes à Kotelnitch, c'est donc d'avoir filmé à son insu un type à qui les règles de son métier défendent de l'être. Un type malheureux, alcoolique, sentimental et vindicatif dont je me suis mis en tête, simplement parce qu'il ne le veut pas, de faire un personnage de notre film, et de sa femme aussi, parce que je me figure qu'elle pourrait me raconter en français des choses qu'elle ne raconterait pas devant lui en russe. À partir d'une cassette filmée il y a un an et demi à la *Troïka* et où on ne voit ni n'entend presque rien, j'ai bâti un roman sur ce couple que je me propose maintenant de piéger. Comme pour m'en punir, il me semble que mon russe régresse.

Quand, au petit déjeuner, Philippe me demande : qu'est-ce qu'on fait aujourd'hui ?, il arrive de plus en plus souvent que je réponde : je ne sais pas. Il pourrait se croiser les bras, attendre que je me décide, mais ce n'est pas son caractère, alors il décide lui-même – et ce qu'il décide, généralement, c'est de filmer Cristina, sa famille, ses copines, ses examens. Je m'assieds, pendant qu'il opère, sur des bancs au soleil et dans le meilleur des cas je prends des notes dans mon carnet mais le plus souvent je pique de petits sommes. Je suis théoriquement le chef de notre équipe, or je ne décide rien, me laisse porter et dans toutes les rencontres me comporte en poids mort, de loin en loin souriant ou disant *da, da, konièchno*, pour montrer que tout ne m'échappe pas de ce qui se dit devant moi.

J'attendais de ce séjour le déclic qui me ferait enfin parler russe et, dans le même mouvement, développer de chaleureuses relations avec autrui, or je ne parle pas russe et chaque jour me replie davantage. Je baigne dans une langue qui m'est familière, intime, maternelle, et que pourtant je ne comprends pas. Je me laisse bercer par elle et le sens de ce qu'on me dit, ce n'est pas seulement qu'il m'échappe pour moitié, mais surtout qu'au fond il ne m'intéresse pas. Quand je dis qu'il m'échappe pour moitié, est-ce le pourcentage juste ? Si je disais un tiers, un quart, le serait-ce davantage ? Comment évaluer le niveau de quelqu'un capable, deux mois durant, de tenir son journal en russe, capable à Moscou d'une conversation hérissée de fautes et de mots anglais appelés à la rescousse, mais suivie et vivante, et qui aujourd'hui, à Kotelnitch, semble frappé d'aphasie ? Quand je dis à mes compagnons que malgré des efforts soutenus un blocage m'interdit l'accès à la langue russe, ils haussent les épaules : pourquoi appeler blocage la classique difficulté à passer de la pratique passive à la pratique active dans une langue étrangère ? Je sais, moi, cependant, que c'est bien d'un blocage qu'il s'agit, que quelque chose en moi, ou quelqu'un, redoute et refuse ce retour à la langue maternelle, et qu'il y a là une énigme dont ce travail, commencé avec l'histoire du Hongrois, poursuivi en me servant du russe pour retrouver des souvenirs d'enfance, régressant aujourd'hui à Kotelnitch, finira, je l'espère, par me livrer la clé. Si je suis à Kotelnitch, si j'ai décidé de faire ce film à Kotelnitch, c'est pour cela.

Tout de même, pourquoi Kotelnitch ? Quand je dis, pour aller vite, que je veux y retrouver mes racines, c'est de la blague. Je n'en ai aucune à Kotelnitch, et au fond aucune en Russie. L'arrière-grand-oncle qui a été six mois gouverneur de Viatka et qui défenestrait les musulmans fait toujours grand effet quand j'en parle. Sacha l'écologiste s'est offert à lancer des recherches sur lui dans les archives, j'ai dit oui oui d'un air enthousiaste mais en réalité je m'en fous. Mon grand-père était géorgien, ma grand-mère a grandi en Italie, les vastes domaines de mes arrière-grands-parents m'indiffèrent. Cette terre ne m'est rien, seulement la langue qu'on y parle. Ce n'est pas ici que ma mère l'a apprise et parlée, que je l'ai entendue enfant, mais à Paris. Alors pourquoi aller en Russie, pourquoi revenir à Kotelnitch, sinon parce s'est échoué là le destin de ce Hongrois qui me permet d'approcher par un chemin détourné celui de mon grand-père ?

197

Parfois, je me dis ceci : qu'il s'agit d'un trajet dont le point a est l'histoire du Hongrois, le point z celle de Georges Zourabichvili, et qu'entre ces deux points je ne sais pas ce qu'il y a. Le pari, que rien ne justifie rationnellement, est de le trouver à Kotelnitch. J'aurais pu aller en Géorgie, suivre l'émigration de mon grand-père, Tbilissi, Istanbul, Berlin, Paris, Bordeaux, jusqu'à cette avenue que j'imagine bizarrement écrasée de soleil où se trouvait l'immeuble abritant la Kommandantur. Mais non, c'est Kotelnitch.

J'ai apporté le dossier contenant les photocopies de ses lettres et quelquefois, pendant que les autres partent filmer, je reste à la maison pour les déchiffrer. C'est une langue bien à lui qu'il a développée, en français comme en russe, mais elle est tellement à lui qu'elle vient à n'avoir plus grand-chose à voir avec la langue commune : c'est un idiome privé qui, malgré la culture et le brio, finit par ressembler à celui d'András Toma, qui cinquante-six ans durant a grommelé seul dans sa propre langue et que plus personne aujourd'hui ne peut comprendre. Pour remâcher ses obsessions, son amertume, sa mégalomanie et sa haine de soi, mon grand-père s'est forgé une langue qui est presque **trop** la sienne, et en lisant ces lettres, l'idée me vient, qui me fait peur, que ce sont des lettres de fou.

Nous filmons, maintenant que nous y sommes autorisés, le passage des trains sous les ponts – mais les trains, il faut bien avouer qu'on s'en lasse vite. Nous filmons l'entraînement des haltérophiles et les rondes des gros bras de Vladimir dans l'usine dont ils assurent la sécurité. Nous filmons l'examen de fin d'année de la petite Cristina, sa crise de larmes parce qu'elle ne savait rien (vraiment, ce qui s'appelle rien), son sourire retrouvé parce qu'on lui a quand même mis 4 sur 5. Nous filmons ses camarades de classe et je trouve l'une d'entre elles, Liudmila, ravissante. Nous filmons leur professeur, Igor Pavlovitch, un ours indolent de vingt-huit ans qui en paraît quarante et que nous nous proposons d'interroger sur sa vocation, le noble désintéressement dont elle témoigne, mais il nous répond sans détour que ça ne lui plaît pas du tout d'enseigner, c'est juste une façon d'échapper au service militaire. L'an prochain, il aura passé la limite d'âge et il arrêtera. En attendant cette retraite méritée, il donne quatre heures de cours par semaine pour 600 roubles par mois, soit 20 dollars, qui lui suffisent : il vit, moitié à Kotelnitch, chez son frère étudiant, moitié chez ses parents à la campagne, cette vie lui convient, pourquoi en ferait-il plus ? Cet oblomovisme paisible me le rend plutôt sympathique, moins ennuyeux en tout cas que la vertueuse famille de Cristina chez qui nous retournons après l'examen pour porter des toasts à son succès. Elle est pourtant émouvante, cette petite fille qui voudrait devenir chanteuse comme Britney Spears et Céline Dion et se doute déjà, je crois, que, sans grands atouts physiques ni vocaux, elle a peu de chances d'aller beaucoup plus loin dans la vie que ses pauvres parents. Je feuillette et la regarde feuilleter les albums de famille, elle bébé, elle petite fille, elle sur scène pour la première fois, avec son grand sourire et ses bonnes joues. Je ne suis pas très chaud pour la suivre dans une succession de distributions des prix et de concours de chant comme Philippe y semble décidé, il ne tiendrait qu'à moi de dire non, de proposer autre chose, mais ma pente est à suivre celle des autres et j'ai décidé d'en faire une politique, on verra ce que cela donnera, je suis sûr en tout cas qu'Igor Pavlovitch me donnerait raison.

Je dis depuis le début que ce tournage est une expérience, ce qui implique qu'elle puisse être réussie ou non et, si étrange que cela puisse paraître pour quelqu'un d'aussi angoissé que moi, je me comporte comme si c'était vrai, comme si l'échec possible n'avait rien de dramatique ou comme s'il avait un sens qui se révélerait après coup. Mais dans un mois exactement ma nouvelle du *Monde* paraîtra, il se passera des choses, forcément, et puis Sophie m'aime : tout cela entre pour beaucoup dans ma relative équanimité.

Un matin, Ania me téléphone. Elle est pour quelques heures à Kotelnitch, nous prenons rendez-vous au restaurant *Zodiac*. Elle n'a guère changé : pas jolie, mais vive, inquiète, partagée, entre deux chaises, c'est pour cela que je m'intéresse à elle plus qu'à nos autres personnages. De notre première soirée à la *Troïka*, des commentaires acides dont elle ponctuait au lieu de les traduire les discours de son amant, j'ai gardé l'impression que, contrairement à lui qui, même ivre, se surveille sans cesse, elle parlait librement, sans contrôle, à tort et à travers quelquefois, et de fait, à peine assise, elle parle, parle, les yeux brillants, comme si elle n'avait pas eu l'occasion de le faire depuis notre dernière rencontre, qu'elle se rappelle, dit-elle, comme « un conte de fées » ou comme la visite des Rois Mages. Que nous venions d'ailleurs, d'un autre monde, cela inspire à beaucoup de gens ici de la méfiance, mais à elle un véritable émerveillement. Et que nous soyons revenus, cela prouve que les miracles arrivent. En attendant que les travaux soient finis dans leur nouvel appartement, elle vit à Viatka chez sa mère avec son fils de quatre mois, le petit Lev qu'avec nous elle appelle Léon, à la française, mais elle sera de retour à Kotelnitch dans quelques jours et espère bien nous voir souvent. De retour définitivement ? Elle fait la grimace. L'idée d'un retour définitif à Kotelnitch est une idée cruelle. Mais c'est ici que travaille Sacha, c'est son monde, c'est sa vie, ce sera donc le monde et la vie d'Ania qui, à vingt-huit ans, semble avoir consenti par amour à s'enterrer ici. Car Kotelnitch, dit-elle avec une emphase naïve, c'est la ville de l'amour. L'amour n'y est pourtant pas facile, les gens vous regardent de travers quand vous êtes étrangère et vivez sans être mariée avec un homme qui a pour vous quitté sa femme et qui occupe de surcroît des fonctions délicates. Ah oui ? des fonctions délicates ? Elle met la main sur sa bouche, comme une enfant qui craint d'en avoir trop dit, mais se remet aussitôt à parler de lui et de son travail comme il n'aimerait certainement pas qu'elle en parle. Soit, ce qui est peu probable, il ne lui a pas fait la leçon sur ce qu'elle devait dire et ne pas dire, soit c'est en matière de secret une élève très novice et en tout cas très étourdie. Elle le prouve de nouveau quand nous l'accompagnons au bureau de Sacha, c'est-à-dire au FSB, où elle a laissé son sac. Je lui propose de descendre avec elle pour l'aider, elle dit oui oui puis, aussitôt, ses yeux s'agrandissent, elle porte de nouveau la main à sa bouche et dit non, Emmanuel, non, il vaut mieux que j'y aille seule. Et un peu plus tard, à la gare, elle m'explique

que c'est là que l'on vend du haschich, que de plus en plus de gens en fument en ville (nous ne verrons personne en fumer, personne ne nous en proposera) et que cela fait partie du travail de Sacha de s'occuper de ces gens. Ah bon ? Je croyais qu'il s'occupait de la protection de la nature ? Mimique d'étonnement : il vous a dit ça ? Elle rit.

Ania m'a un peu déçu, le jour de ces retrouvailles. J'attendais la Mata Hari de Kotelnitch, je me suis retrouvé devant une jeune mère qui me paraissait banale et à qui je ne savais plus très bien quoi dire. Pourtant, je garde de mon premier séjour, de notre nuit d'ivresse à la *Troïka*, la conviction qu'un mystère les entoure, Sacha et elle, en tout cas une aura romanesque. La petite Cristina, le culturiste Volodia, l'indolent professeur Ivan Pavlovitch et même les plus jolies de ses élèves, au fond, je m'en fous, mais eux, je veux vraiment qu'ils soient dans le film.

Une idée me vient alors. Je propose à Ania de nous assister comme interprète d'appoint. C'est cousu de fil blanc, je n'ai évidemment pas besoin de deux interprètes et j'ai beau lui expliquer qu'il s'agit d'un stratagème, notre Sacha tire un peu la gueule, comme si je faisais savoir à la face du monde que je suis mécontent de ses services. Mais en m'assurant ceux d'Ania, je compte qu'elle commente nos rencontres, à sa façon libre et imprévisible, et ainsi qu'en croyant être notre assistante elle devienne un personnage à part entière du film. Ma proposition, en tout cas, la transporte : c'est bien pour vous, dit-elle, c'est bien pour moi – mais encore plus pour moi, ajoute-t-elle avec un mélange de coquetterie et de modestie maligne qui, un instant, la rend irrésistible. Je m'attendais à cet enthousiasme, mais ce qui me surprend davantage, c'est que son Sacha, le lendemain, donne son accord. Il négocie le tarif, 50 dollars par jour, avec notre Sacha dont je me demande un peu ce qu'il a pu lui dire pour justifier sans perdre la face qu'on le supplante ainsi. Marché conclu, en tout cas : Ania travaille pour nous.

(Officiellement, c'est pour décharger notre Sacha que retiennent d'autres affaires plus urgentes. Quelles affaires, on reste flou là-dessus, mais son premier mouvement, lorsqu'il a quartier libre, est d'aller boire des coups avec l'autre Sacha, ce qui devrait suffire à ruiner notre fiction, mais non, cela ne suffit pas, et chacun fait comme si.)

Fière d'être rémunérée, fière d'accomplir pour nous un vrai travail, Ania s'est préparée pour la visite de la colonie pénitentiaire comme on se prépare pour un examen important. Elle s'amuse d'avance de la surprise qu'éprouvera Sergueï Victorovitch, le directeur, en la voyant entrer dans son bureau avec nous : c'est un bon ami de Sacha, répète-t-elle, et l'un des rares, quand il a quitté sa femme, qui ait fait bon accueil à sa nouvelle compagne. Mais contre son attente, quand nous entrons dans le bureau, Sergueï Victorovitch, un petit homme replet en treillis militaire, la salue sans paraître s'étonner de sa présence ni perdre de temps en épanchements amicaux et commence tout de suite un exposé à notre intention. La déception d'Ania a dû commencer là. Je garde un souvenir flou du temps passé dans ce bureau, je me rappelle surtout les cassettes visionnées quelques mois plus tard avec Camille, ma monteuse. C'est une fille qui a le rire facile, et elle était carrément pliée en deux devant l'accablement poli avec lequel j'écoute les discours de Sergueï Victorovitch sur le système pénitentiaire et les étapes de la réhabilitation des détenus. J'étais dans un de ces mauvais jours où rien ne m'intéresse ni personne, et où toute mon activité psychique se concentre amèrement sur ce désintérêt. Le menton dans la main, je ne cesse de hocher la tête, de réprimer des bâillements et, au bout de chaque période, Ania, bloc et crayon en main, se met à traduire avec un zèle qui m'accable encore davantage. Il y a en a une heure et demie comme ça, après quoi Sergueï Victorovitch nous emmène faire le tour de la colonie. Qu'on nous permette de la visiter, cela m'étonnait un peu, mais je le comprends maintenant car elle est plutôt très bien tenue. Les dortoirs sont propres, les salles de classe ressemblent à des salles de classe, avec des dessins d'enfants punaisés aux murs, quant aux adolescents emprisonnés qui parcourent les couloirs en uniforme, ils ont l'air de pensionnaires dans un internat un peu strict. Je m'en veux d'être là, je m'en veux d'avoir trouvé excitant de visiter une prison pour mineurs que j'espérais dantesque, je m'en veux d'être déçu parce qu'elle n'est pas si dantesque que ça, et j'en veux à Ania aussi de sa bonne volonté crispante, de sa façon appliquée de traduire à mi-voix, penchée vers moi, les commentaires interminables de Sergueï Victorovitch. Sèchement, je lui dis que ça va, je comprends et, comme j'ai toujours été très gentil avec elle, ce brusque

205

changement de ton l'effarouche. Elle se trouble. Sur la route du retour, elle me regarde avec inquiétude, comme un Dr Jekyll qui se serait tout à coup changé en Mr Hyde. Elle ne sait pas ce qu'elle a fait pour m'énerver, je serais bien incapable moi-même de l'expliquer clairement, mais elle m'énerve. Tout ce qui ne se passe pas bien depuis le début de ce séjour et dont je ne peux rendre personne responsable, je le lui mets sur le dos et je ricanerais presque de mon aveuglement : je me suis excité sur elle, je la voyais comme un personnage romanesque, et en réalité ce n'est qu'une pauvre fille paumée, voulant trop bien faire, et dont la voix m'agace, les expressions m'agacent, la façon de n'employer que l'article défini, elle dira par exemple : il faut que j'aille acheter *le* tube de dentifrice, et pas *un* tube ni *du* dentifrice, et tout d'un coup cette maladresse bénigne, dans la bouche de quelqu'un qui pourtant parle cent fois mieux français que je ne parle, moi, russe, concentre toutes les exaspérations que m'inspirent le séjour et plus généralement ma vie. On la ramène chez elle, elle demande timidement quand on aura encore besoin de ses services et je réponds que je ne sais pas, on verra. Je sens que je suis cruel, je m'en veux et je lui en veux aussi. Je déteste me souvenir de cette journée.

Cristina et ses copines ont réussi leur examen, qui est l'équivalent du bac, et pour célébrer leur entrée dans la vie adulte une fête réunit parents, professeurs et jeunes gens au réfectoire de la boulangerie industrielle. Un groupe de parents mauvais coucheurs, conduit par un petit pète-sec qui dit avoir vu « nos » films sur Kotelnitch et savoir à quoi s'en tenir sur notre compte, veut d'abord nous en interdire l'accès, mais Cristina doit chanter, les parents de Cristina sont d'accord pour que nous la filmions, on nous laisse donc entrer finalement et nous prenons le parti de nous intégrer, c'est-à-dire, en ce qui me concerne, de me soûler méthodiquement. Cristina chante ses tubes de Britney Spears et la jolie Liudmila, qui ne plaisante pas avec le patriotisme, des chansons à la gloire de l'armée russe en Tchétchénie. Moi aussi, j'ai dans mon répertoire une berceuse cosaque où le cruel Tchétchène est tout naturellement désigné comme l'ennemi, et, bien que je ne la connaisse pas jusqu'au bout, je me taille en bout de table un petit succès en chantant les premiers couplets. On les reprend autour de moi, on me félicite, je raconte tant bien que mal mes racines russes, ma mère, ma *niania*, le vice-gouverneur qui défenestrait les musulmans, et je me retrouve bientôt engagé dans une conversation décousue mais extrêmement affectueuse avec un moustachu appelé Léonide qui, une heure plus tôt, faisait partie du groupe de parents opposés à notre présence. À un moment, je fais à Léonide cette promesse : le documentaire que nous tournons, je veux pouvoir, une fois terminé, le montrer la tête haute aux habitants de Kotelnitch. Car, bien sûr, je le leur montrerai : dans six mois, dans un an, nous reviendrons et convierons à une grande projection tous ceux qui apparaissent dans le film. Et ils seront contents, voilà à quoi je m'engage. Ou du moins, car c'est peut-être beaucoup demander, ils n'auront pas honte. C'est ce qui m'a frappé, dans le refus initial des parents que nous filmions leur banquet, puis dans leurs débordements de sentimentalité inquiète : pas seulement qu'ils se méfient, mais qu'ils ont honte. Honte d'être pauvres, paumés, poivrots, et peur d'être montrés tels. Ils ont affreusement peur qu'on se moque d'eux et, tandis que je parle à Léonide, rien ne me paraît plus important que de tenir ma promesse et de ne pas donner raison à leur méfiance.

Le banquet a duré longtemps et vers 4 heures tout le monde s'est retrouvé au bord de la rivière. Il faisait jour déjà, la nuit n'avait duré qu'une heure ou deux. C'était la plus courte de l'année, le 21 juin. Des crapauds coassaient. Les filles marchaient dans l'eau, leurs souliers à la main, en relevant le bas de leurs robes longues. Les bretelles des bustiers tombaient sur les épaules, bière et vodka coulaient à la régalade, on continuait à chanter, mais de plus en plus faux. J'étais ivre mort, moi, affalé au fond de la voiture, et pour cette échappée au bord de l'eau, je me fie moins à mon souvenir qu'aux images captées par Philippe : elles ont la grâce des aubes et des fins de beuverie dans les films de Kusturica.

J'apprends ma berceuse jusqu'au bout. Elle me bouleverse, j'ai envie de pleurer quand je murmure pour moi-même le dernier couplet. Mais l'élan qui m'a fait parler russe à Léonide et aux jeunes filles le soir du banquet retombe vite. Mes interlocuteurs, quels qu'ils soient, ne m'intéressent guère. À moins d'avoir bu un coup de trop, je ne sais pas de quoi parler avec eux, ni avec quiconque, et du coup je replonge dans l'aphasie. Je suis le tournage plus que je ne le dirige. Sacha pose des questions, Philippe filme, Liudmila enregistre et moi je reste dans mon coin, je m'assieds sur des bancs et je prends des notes décousues, moins sur ce qui se passe devant moi que sur ce qui me passe par la tête. Je pense à András Toma, qui a vécu cinquante-trois ans ici sans parler russe ni communiquer avec personne. Je pense à mon grand-père disparu, à la folie qui transparaît dans ses lettres, à ma mère qui a si peur que j'écrive un jour sur lui, à moi qui ai si peur de le faire et qui sais pourtant qu'il faut le faire, que c'est pour elle et moi une question de vie ou de mort. Je pense à ce détective de je ne sais plus quel roman policier qui avait le talent, tandis que les enquêteurs s'agitaient, de résoudre les énigmes en dormant et, envahi par une somnolence inquiète, coupée de cauchemars, je me demande quelle énigme je suis venu résoudre ici.

Nous allons chez Vladimir Petrov, l'haltérophile. L'idée, après l'avoir filmé à l'entraînement, est de le montrer chez lui, avec sa femme et son petit garçon. Vous allez faire, leur explique gentiment Philippe, tout ce que vous feriez si nous n'étions pas là : préparer le repas, jouer avec l'enfant, parler entre vous de la journée passée. Cette perspective m'accable, je me sens de trop et, prenant prétexte de l'exiguïté de l'appartement où je risque à tout bout de champ d'entrer dans le cadre, je sors attendre sur le palier. Puis je descends l'escalier de béton. J'attends au pied de l'immeuble. Devant moi, il y a une autre barre d'immeubles, un terrain vague où paissent des vaches et, tout au fond, les bâtiments de la boulangerie industrielle. Le soleil écrase tout. Je filme ça, par désœuvrement, avec la petite DV. En contrepoint des images filmées pendant ce temps dans l'appartement de Vladimir, images que j'ai bien dû regarder par la suite au montage mais dont je ne conserve aucun souvenir, il y a ces images-là, surexposées, baignées d'une lumière crue, et chargées pour moi d'une étrange, indicible tristesse. Dans ce film où j'espérais apparaître, parlant russe librement, dirigeant une équipe, dialoguant de plain-pied avec autrui, elles marquent le moment où moi aussi je me suis résigné à disparaître.

Ania nous propose une promenade en bateau. Cette promenade est en fait organisée par son Sacha, le bateau appartient à un de ses amis, c'est une sorte de cadeau qu'il nous fait, pourtant il préfère ne pas se joindre à nous. C'est d'autant plus étrange qu'à en croire Ania, qui parle comme d'habitude sans la moindre inhibition, il y a depuis quelques jours une forte tension entre eux et nous n'y sommes pas étrangers. L'écologiste nous soupçonne de vouloir tirer les vers du nez de sa femme – notamment, je suppose, au sujet de Morodikovo – et il la soupçonne, elle, de se les laisser tirer trop facilement. Pourquoi, dans ces conditions, nous envoyer ensemble faire des ronds dans l'eau et, soi-même, ne pas venir? C'est un mystère de plus, que je ne résoudrai pas.

La petite vedette que pilote l'ami de Sacha remonte lentement la rivière Viatka, passe sous le pont de chemin de fer, met le cap sur un cimetière de bateaux rouillés qui se révélera le but de l'excursion. Ania, au début, joue au guide, mais ses commentaires sur les curiosités locales tournent vite à la confidence. On dépasse un petit tertre pelé, elle nous dit qu'on l'appelle « le pic de l'amour », que les amoureux vont s'y promener et que Sacha l'y a conduite dès leur première rencontre. Quelques jours plus tard, il quittait sa femme et sa fille pour s'installer avec elle. Ensemble, ils ont fait face aux commérages de la bourgade où, déjà, Sacha n'était pas trop aimé parce qu'il était flic et elle non plus parce qu'elle venait de la grande ville. On n'aimait pas Sacha mais on le craignait, et elle seule encaissait de face les remarques blessantes, les regards malveillants. Elle s'en moquait alors, elle en était même fière car elle était avec lui et ils s'aimaient. Elle le décrit comme un homme romantique, mystérieux, blessé, elle parle des premiers temps de leur amour avec une sorte de griserie, mais ce qu'elle dit aussi, à mots d'abord couverts puis de plus en plus clairement, c'est que ce temps est passé, qu'aujourd'hui ça ne va plus entre eux. Elle essaie d'en parler gaiement parce qu'elle croit que nous attendons d'elle de la gaieté. Elle hausse les épaules et, avec une insouciance affectée, lâche qu'il veut les quitter, elle et le petit Léon. Pour une autre femme ? Non, pas spéciale- ment pour une autre femme, même s'il a des maîtresses. Seulement l'exaltation est retombée, ce qui lui avait paru à lui aussi romantique, mystérieux, l'agace désormais. Il avait adoré qu'elle parle français, maintenant il trouve ça louche, vaguement inquiétant, il craint que ça le compro- mette. Et elle sent que son français la quitte, comme un

211

don qu'on perdrait, une singularité précieuse qui se dilue-
rait dans la grisaille oppressante des jours. Je trouve cela
triste, en même temps je comprends ce désenchantement
parce que je le partage. Moi aussi, le premier soir, à la
Troïka, je les avais trouvés tous deux romantiques, mystérieux. J'étais un peu tombé amoureux d'eux, et qu'est-ce
que je vois maintenant ? Une gentille fille naïve, bovary-
sante, sentimentale, un type sentimental aussi, mais veule
et parano, une histoire qui a flambé quelques mois et
s'englue aujourd'hui dans l'ennui mesquin d'une province
qu'on rêve de quitter et qu'on ne quittera jamais. Je suis
gentil, cette fois, pas comme à la colonie, je fais mine de
compatir mais en réalité j'en ai assez – assez d'Ania et de
Sacha, assez de Kotelnitch, assez de moi-même à Kotelnitch. Je voudrais être plus vieux de trois semaines pour
être avec Sophie quand paraîtra ma nouvelle, ou seulement
de dix jours puisqu'il nous reste dix jours avant de partir.
Soudain je trouve cela très long, dix jours, et je me dis
qu'il ne tient qu'à moi d'abréger l'expérience.

Ai-je envie de filmer une fois encore la colonie pénitentiaire ? Le gentil Volodia et ses bodybuilders ? Le tour de
chant de Cristina, les lamentations de la serveuse Tamara et
même les commentaires d'Ania sur Kotelnitch, la ville de
l'amour ? Ai-je, plus généralement, envie de filmer quoi
que ce soit ? Non, mais d'un autre côté, j'avais anticipé ce
moment de découragement et je m'étais toujours dit que ce
qui importait, c'était de mener l'expérience à son terme,
même si elle était ennuyeuse et infructueuse dans l'immé-

diat. Rien ne dit qu'un miracle ne se produira pas à la dernière minute, quand on n'y croyait plus. Le soir venu, pourtant, j'annonce que j'ai beaucoup réfléchi et que je suis d'avis de rentrer plus tôt que prévu. En trois ou quatre jours, on peut faire ce qui nous reste à faire, à quoi bon traîner une semaine de plus ? Cela se tient, mais chacun sent qu'écourter notre séjour revient implicitement à en reconnaître l'échec. Sacha, Liudmila et Philippe sont tristes et m'en veulent un peu.

Je me réveille, le lendemain matin, avec le nœud d'angoisse au plexus qui m'a accompagné toute ma vie et qui, curieusement, me laissait tranquille depuis mon arrivée à Kotelnitch : j'étais apathique, j'avais des doutes, mais pas de véritable angoisse. Je sens aussi, à l'extrémité du prépuce, l'espèce de renflement qui annonce une crise d'herpès et je suis tout à coup certain d'avoir pris, dans un moment crucial, la mauvaise décision. Pourquoi n'avoir pas tenu une semaine de plus ? N'avoir pas eu confiance ?

La veille au soir, j'ai voulu en parler à Sophie. Je l'ai appelée à minuit, soit 10 heures à Paris, mais elle n'était pas à la maison. J'ai laissé un message disant que j'allais sans doute rentrer dans quelques jours. Je la rappelle tôt le matin et elle ne répond pas davantage. Cela m'étonne un peu mais je me dis qu'elle a pu passer la soirée chez une amie et y rester dormir. Je laisse un autre message, et un troisième sur son portable. Je suis de plus en plus pressant parce que je me sens mal, ma décision me pèse, j'ai besoin de me confier à elle. À 11 heures, soit 9 heures là-bas, elle me rappelle. Elle dit qu'elle sort juste du métro, qu'elle vient d'écouter mon message sur le portable. Elle ne dit pas qu'elle a dormi dehors cette nuit. Je la sens agitée, confuse, je m'étonne. Tu n'as pas eu mon message hier soir ? Hier soir ? Ah non, je suis rentrée un peu tard, je n'ai pas dû écouter le répondeur... Et ce matin ? J'ai appelé à 7 heures ce matin. Tu n'étais tout de même pas sortie à 7 heures ? Elle se trouble, elle dit qu'elle devait être sous la douche quand le téléphone a sonné. Je sens qu'elle me ment. Si elle me ment, cela veut dire quoi ? Qu'elle a passé la nuit dehors, mais pas chez une amie : avec un autre homme. Je ne dis pas cela clairement, mais je deviens d'un coup très froid au téléphone, et elle s'étonne de cette froideur. Qu'est-ce qu'il y a, Emmanuel, tu m'en veux de quoi ? De n'avoir pas été là à un moment où tu avais besoin de me parler ? Je suis là maintenant, je suis heureuse que tu rentres plus tôt. Tu me manques. J'abrège la conversation, sèchement.

Parmi les choses que je voulais faire avant de partir, il y a une petite expérience consistant, au lieu de courir après des personnages plus ou moins pittoresques, à passer simplement une journée sur un banc, dans le square en face de la gare. On s'assied, on ne bouge plus, on regarde ce qui se passe – ou ne se passe pas. Je me doute que pour Philippe, qui a le caractère impatient, cela risque d'être un supplice, mais je lui explique que c'est la règle du jeu : pas question de filmer le square sous tous les angles, on s'en tient au

214

point de vue du banc. La caméra sera placée à hauteur de tes yeux et autorisée seulement à pivoter sur son pied, comme si sans te lever tu tournais la tête. D'accord, dit Philippe, qui s'assied stoïquement, entouré de Liudmila qui ouvre son micro et de moi qui prends des notes.

12 heures. En plus de nous, il y a trois personnes dans le square, réparties sur deux bancs. Un couple âgé, un homme encore jeune. Ils n'ont pas de bagages et n'ont pas l'air d'être venus attendre un train, simplement s'asseoir un moment. C'est bientôt l'heure du déjeuner, mais ils ne sortent pas de sandwiches. Ils ne parlent pas, et ne semblent pas remarquer que nous les filmons. Il est vrai que nous non plus ne bougeons pas, ne parlons pas. La femme s'évente avec un journal. Des moineaux pépient. Plusieurs trains passent, dont l'express qui va à Saint-Pétersbourg.

13 h 30. Le couple est parti. L'homme seul et jeune s'est endormi, la tête en arrière, ronflant légèrement. Un autre homme seul est venu s'asseoir, avec un cornet de graines de tournesol acheté à la marchande ambulante qui se tient devant la gare. Il les dépiaute et les mange l'une après l'autre, à un rythme parfaitement régulier. Il continue comme ça jusqu'à ce que le cornet soit vide. Alors il se lève et s'en va.

Arrive Sacha Kamorkine, qui s'assied sans façon sur le banc à nos côtés. On lui explique ce qu'on fait, et il rit : quel intérêt ? Philippe rit en écho : c'est une lubie à moi, il ne faut pas chercher à comprendre. Sacha, lui, vient de la gare, où il a acheté le billet de sa fille pour Pétersbourg. Elle va y faire ses études. Enfin, faire ses études : faire la pute, plutôt. Il dit ça en plaisantant, mais on sent que ce n'est pas

215

seulement une plaisanterie, il y a dans son ton un mélange de hargne et d'admiration. Sa fille s'appelle Cristina, comme notre principale héroïne, elle a dix-sept ans comme elle, vient de finir l'école comme elle, mais la ressemblance s'arrête là. Sacha nous montre sa photo, sur son passeport, et je me dis que si j'avais vu cette photo plus tôt notre documentaire aurait pris un autre cours : c'est exactement le genre de fille dont j'aurais aimé suivre le trajet d'un bled pourri comme Kotelnitch aux boîtes de Pétersbourg, de Moscou ou de New York où sa beauté et son cynisme ingénu vont faire des ravages. C'est une belle petite pute, hein ? répète Sacha avant de détailler ses mensurations. Nous sommes un peu gênés, lui pas du tout : il est maquereau dans l'âme, c'est sa façon d'être fier de sa fille.

Une demi-heure après le départ de Sacha, c'est Ania qui, sans doute prévenue par lui, vient nous rendre visite. Elle porte son fils contre sa poitrine, dans un harnais de type kangourou. C'est la première fois que nous voyons le petit Léon. Il a cinq mois. Il dort. Elle le couve du regard et nous le fait admirer avec une tendresse qui efface tout ce qu'à d'autres moments elle peut avoir d'ingrat et la rend gracieuse, émouvante. Les rapports avec Sacha et Ania ont pu être compliqués, Dieu sait ; aujourd'hui ils sont simples. Ils savent que nous passons la journée assis sur un banc près de la gare, que nous nous ennuyons un peu, d'un ennui tranquille et plutôt agréable, et chacun à son tour vient nous tenir compagnie, bavarder un moment. C'est drôle, mais aujourd'hui je pense à eux comme à des amis, pas des amis intimes mais de bons amis, des gens avec qui j'ai vécu des choses, et je prends plaisir à ce bavardage paresseux, sans enjeu.

Je ne cesse, cependant, de penser à Sophie. Est-ce que je crois vraiment qu'elle m'a trompé cette nuit et menti ce matin? Si oui, est-ce tellement grave? Est-ce que j'en souffre vraiment? Ou est-ce que je crains surtout un conflit entre nous avant la parution de ma nouvelle, et qui la gâcherait? Je sais bien que c'est cette parution, dans trois semaines, qui m'empêche d'être trop atteint par la déroute de notre séjour à Kotelnitch. Mais si la déroute s'étendait? Si l'heure de gloire et d'amour que je nous promets tournait aussi à la catastrophe? Si elle était tombée amoureuse d'un autre? Si elle me quittait?

Je me suis interdit de rappeler, moi, mais c'est elle qui rappelle, sur le portable. Je reste froid, lointain, tout en sachant très bien que je ne vais pas m'y tenir. Elle n'a vraiment pas l'air de se préparer à me quitter. Alors soit je m'obstine à croire qu'elle ment, je reviens sans cesse dessus et cela devient intenable, soit je décide de la croire – de croire qu'effectivement elle était sous la douche quand j'ai appelé et qu'elle qui le relève plutôt trois fois qu'une n'a ce matin pas relevé le répondeur… C'est assez peu plausible, mais d'un autre côté ses protestations amoureuses sonnent si sincères qu'il faudrait vraiment… quoi? Qu'elle mente très bien? Je sais qu'elle ment très bien, elle m'a déjà menti, et reproché ensuite de n'avoir rien deviné. Car pour mentir si bien il faut qu'elle m'aime, et pour ne rien deviner que moi, je l'aime moins. Mettons qu'elle ait couché avec un autre cette nuit. Si elle tient tel-

217

lement à me le cacher, c'est que c'est moi qu'elle aime. Et si je l'ai pressenti, c'est que je l'aime moi aussi, plus qu'avant, mieux qu'avant. Je le lui dis. Elle rit. Elle dit : tu es vraiment tordu. Je reste sur mon soupçon, mais je sais bien que nos avons commencé à faire la paix, et j'aime mieux ça.

L'activité dans le square étant désormais nulle, j'assouplis la règle en permettant qu'on filme Ania et le petit Léon. Ania est d'autant plus enchantée que Sacha, m'explique-t-elle, est tellement méfiant au sujet des photos ou des films qu'elle n'en a pratiquement pas une seule de leur fils. C'est un enfant qu'on ne photographie jamais. Puis, sans changer de ton, comme incidemment, elle répète ce qu'elle a dit sur le bateau, que Sacha s'apprête à la quitter, et elle chantonne tristement : plaisir d'amour ne dure qu'un moment, chagrin d'amour dure toute la vie. Je dis que non, les deux ne durent qu'un moment. Là-dessus, Léon se réveille et se met à pleurer. Ania lui chante une jolie berceuse que je ne comprends pas bien mais où il est question d'un grillon. Ensuite, à sa demande, je prends le bébé dans mes bras et, à mi-voix, lui chante ma berceuse à moi.

Dors mon enfant, ma merveille,
Dors mon garçon, dors.
Les rayons clairs de la lune
Veillent sur ton berceau.
Je te conterai des contes,
Je chanterai pour toi.

Ferme les yeux, endors-toi, rêve,
Dors mon garçon, dors.

Le torrent roule sur les pierres,
Gronde l'écume des vagues.
Le cruel Tchétchène te guette,
Il aiguise son poignard.
Mais ton père est un vieux brave
Trempé au combat.
Dors mon amour, sois tranquille,
Dors mon garçon, dors.

Un jour, tu sais, viendra l'heure
De la vie guerrière.
Tu monteras à cheval,
Tu prendras les armes.
Je broderai des fils d'or
Pour orner ta selle.
Dors enfant de mes entrailles,
Dors mon garçon, dors.

Tu auras l'air d'un héros
Et l'âme d'un Cosaque.
Je viendrai te voir partir,
Tu me diras adieu.
Seule, que de larmes amères
Je verserai cette nuit.
Dors en paix mon ange, mon tendre,
Dors mon garçon, dors.

Ce seront des temps d'angoisse,
D'attente sans fin,
De présages et de prières,
De nuits sans sommeil.
J'aurai peur que tu sois triste
Loin, très loin de moi.
Dors avant que le mal vienne,
Dors mon garçon, dors.

Je te donnerai pour la route
Une icône bénie.
Garde-la sur ta poitrine
Quand tu prieras Dieu.
Quand viendra l'heure de combattre,
Rappelle-toi ta mère.
Dors mon enfant, ma merveille,
Dors mon garçon, dors.

5

Sur les épreuves, j'ai fait une dernière correction. « La femme dont je suis amoureux » est devenue « la femme que j'aime ».

Je pars pour l'île de Ré, où m'attendent mes fils. Toi, tu restes travailler une semaine encore à Paris et tu dois prendre le train pour me rejoindre le samedi suivant, le samedi de la nouvelle dont à ce moment tu ne sais rien. Je te sens inquiète, tendue, quand je te quitte. En t'embrassant, sur le pas de la porte, je te dis : fais-moi confiance.

Je ne t'ai jamais dit cela, je ne le dis jamais à personne. J'ai peur qu'on me fasse confiance, parce que j'ai peur d'en être indigne et de trahir. Mais ce matin-là, rappelle-toi, je te l'ai dit.

Être un père et un fils en même temps, j'y ai du mal, et j'aime mieux éviter les séjours prolongés avec mes parents et mes enfants. Mais cette semaine, tout se passe bien. Je prépare des barbecues, j'accompagne ma mère au marché, j'emmène des bandes d'enfants à la plage. On ne me reconnaît pas. Un après-midi, aidé de mon neveu Thibaud, je range l'appentis, regonfle les pneus des vélos, passe de l'antirouille, fais le tri des antivols encore utilisables et jette ceux dont on a perdu la clé. Thibaud, tant qu'on y est, propose de jeter aussi un tricycle dont plus personne ne se servira : à cette génération, il n'y aura plus de naissance dans la famille.

Je dis : tu oublies Sophie et moi.

Vous y pensez ?

Et pourquoi pas ?

Je cours et nage des heures sur la plage des Baleines. En courant, en nageant, je me raconte ce qui se passera dans cinq, quatre, trois jours. Griserie légère du compte à rebours, mélange d'appréhension et d'exaltation, la seconde l'emportant nettement sur la première. Je repense au journaliste venu m'interviewer et qui me trouvait si insouciant, avec ma grenade dégoupillée... Une grenade... Pauvre garçon... Je me demande quel contretemps pourrait encore gâcher notre triomphe. Une querelle entre nous ? Ma famille ? Je sais mes parents pudibonds, mais j'ai pris soin de les prévenir en employant un mot de leur vocabulaire : j'ai écrit dans *Le Monde* une histoire un peu « olé-olé ». Pour n'être pas choqués, ils choisiront d'y voir une bonne blague. D'ailleurs, mes livres précédents, et particulièrement le dernier, étaient bien plus choquants que ce texte cru mais joyeux. Mon premier texte joyeux, ils ne pourront pas ne pas voir ça. Fini les histoires de folie, de perte, de mensonge, enfin je suis passé à autre chose, je dis à une femme que je l'aime, c'est une déclaration d'amour. Après une nuit à La Rochelle, où j'ai réservé la plus belle chambre d'un hôtel merveilleux, nous débarquerons tous les deux pour le déjeuner du dimanche et tout le monde éclatera de rire, d'un rire heureux. La semaine suivante, nous donnerons une fête à la maison. Beaucoup de nos amis se trouvent dans l'île de Ré cet été : ils plaisanteront, nous féliciteront, nous serons le couple radieux et légèrement scandaleux dont on s'arrache la société. Non seulement je suis certain que la nouvelle aura un immense succès, qu'une fois la rumeur lancée même ceux qui ne le lisent pas se battront pour *Le Monde* dans tous les kiosques de France, mais je suis certain aussi que ce n'est qu'un début, qu'il y aura une suite. Laquelle, je l'ignore : peut-être un montage des mails que je vais recevoir par milliers, peut-être tout autre chose, je suis ravi de l'ignorer, de laisser la vie me l'apporter sans chercher à anticiper mais j'anticipe tout de même, je ne peux pas m'en empêcher. J'imagine un livre court, sexy, ludique, qui lui aussi aura un immense succès et qui pourrait s'appeler : *L'Histoire porno du Monde et sa suite*. Je préfère encore ce titre dans sa version anglaise : *The Porn Story of the World and What Came After*, et ça tombe plutôt bien car ce sera, je n'ai aucun doute là-dessus, un best-seller international. J'en ris tout seul sur la plage.

Le jeudi, soit deux jours avant la parution de la nouvelle, tu me téléphones, très angoissée. Tu viens de recevoir un message de Denis qui, d'une voix d'outre-tombe, te demande de le rappeler. Denis et Véro, ta meilleure amie, sont en train de se séparer et ça se passe très mal : il y a quelque temps que tu m'en parles sans que je m'y intéresse beaucoup car je ne les aime guère. Tu n'oses pas le rappeler parce que tu as un pressentiment : Véro est morte, elle s'est tuée en voiture ou elle s'est suicidée. J'essaye de te calmer : que ça n'aille pas entre eux, c'est une chose, mais de là à penser qu'elle est morte... Rappelle Denis.

Je vais le faire, je sais qu'il faut que je le fasse mais je n'ose pas, je suis sûre qu'elle est morte et puis tu sais, c'est horrible de dire ça, mais si on l'enterre ce week-end je ne pourrai pas venir dans l'île de Ré et je voudrais tellement venir, être avec toi, je crois que je préférerais ne pas savoir.

Tu sanglotes et je suis, moi, très ennuyé : pas à cause de la mort de Véro, à laquelle je ne crois pas une seconde, mais de ton état de nerfs, du désarroi qu'il trahit, que j'avais un peu ressenti lors de tes précédents appels de la semaine et que je mettais au compte des tracas professionnels. Je veux que samedi tu montes dans le train heureuse et détendue, et manifestement ça n'en prend pas le chemin. Je dors mal.

Le vendredi, j'ai loué un bateau à bord duquel je conduis mon père, mes fils et mes neveux dans l'île d'Aix. Ciel bleu, mer calme à peu agitée, la coque tape sur les vagues, je laisse les enfants piloter tour à tour et quand je le fais moi-même c'est avec audace et décision. Mon père, la veille, m'a déjà fait remarquer que ma conduite en voiture était plus rapide et plus ferme : tu as vraiment changé, dit-il, ces derniers temps.

En débarquant, je t'appelle. Je ne sais pas comment était la voix de Denis hier, mais la tienne, c'est vraiment ce qu'on appelle une voix d'outre-tombe. Véro n'est pas morte, non, mais elle va très, très mal, elle risque de faire une connerie, il faut absolument que tu restes avec elle ce week-end.

Là, le monde s'effondre. Sur le quai, au soleil, pendant que les enfants passent le jet sur le pont du bateau et que le loueur vérifie l'état de l'hélice, je t'explique que depuis deux mois je te prépare une surprise, une surprise comme personne ne t'en a jamais fait et ne t'en fera jamais de ta vie, comme peu d'hommes en ont fait à une femme, et que cette surprise c'est demain, ça ne peut pas être un autre jour.

Mais c'est quoi, cette surprise ?

Je ne peux pas t'en dire plus, tout ce que je peux te dire c'est que ce n'est pas possible que tu ne viennes pas.

Emmanuel, ce n'est pas possible non plus que je laisse tomber Véro.

Viens avec elle.

Pas dans l'état où elle est.

Alors je vais rentrer, moi. Je veux passer la nuit de demain avec toi.

Non, non, ne fais pas ça, je dois rester avec elle, qu'est-ce que tu ferais, toi, pendant ce temps-là ?

Le soir venu, je m'invite à dîner chez mes amis Valérie et Olivier, qui louent une maison dans un village voisin. Dans le jardin joliment envahi de mauvaises herbes, je bois sec et, bien que nous ayons toi et moi arrêté de fumer depuis un an, je tape des cigarettes que j'allume à la chaîne en oubliant de manger. Je suis très contrarié et j'explique pourquoi sur un ton oscillant entre celui de l'enfant qui trépigne parce qu'on lui a cassé son jouet et celui de l'adulte ironiquement détaché. Je me demandais quelle punition les dieux réservent à celui qui les défie : eh bien voilà. Ça pourrait être pire, la copine en détresse va bientôt aller mieux, tu arriveras demain ou après-demain, nous boirons tous ensemble à l'ironie du sort. Le peu que je dis de ma nouvelle excite la curiosité de mes hôtes, ils sont impatients de la lire. À 11 heures, après que je t'ai laissé deux messages sur ton portable, tu me rappelles. Je m'éloigne pour te parler au fond du jardin. Ta voix est étranglée : ça ne va pas bien du tout. Ça semble aller si mal que je te demande si le plus raisonnable ne serait pas d'amener Véro aux urgences psychiatriques.

Non, non, ce n'est pas à ce point, elle a surtout besoin de parler. Ce qu'on pense faire demain, c'est prendre sa voiture et rouler, passer le week-end à la campagne…

Écoute, d'après ce que tu me dis elle est au bord de se jeter par la fenêtre et toi tu n'as pas l'air beaucoup plus vaillante qu'elle, alors je pense que c'est une très mauvaise idée.

Ne t'inquiète pas, je contrôle la situation.

Mais tu arrives quand ?

Je ne sais pas, peut-être dans deux jours...

Dans deux jours ?

Emmanuel, s'il te plaît, il faut que tu comprennes.

Je comprends, dis-je froidement, il faut bien que je comprenne, seulement je suis horriblement triste.

S'il te plaît, ne me culpabilise pas, c'est déjà assez dur comme ça.

Je ne te culpabilise pas, je te dis juste que demain tu seras aussi triste que je le suis aujourd'hui. C'est quelque chose de raté entre nous, quelque chose qui n'est pas rattrapable, voilà, on n'y peut rien, parlons d'autre chose. Vous faites quoi ce soir, vous êtes où ?

On a dîné ensemble, maintenant on est à la maison, on va sans doute aller dormir chez Véro à Montreuil et on prendra la route demain matin.

C'est ridicule, vous êtes crevées, à bout de nerfs, restez au moins dormir à la maison.

Écoute, on verra, je te rappelle.

Le lendemain matin, j'ai trouvé la parade. Je vais être souple, m'adapter, tirer parti de tous les contretemps. J'étudie les horaires. Il est trop tard pour faire l'aller et retour complet, mais il y a un La Rochelle-Paris, 14 h 45-17 h 45, qui croise le Paris-La Rochelle 14 h 45-17 h 45, avec dix minutes de marge en ma faveur à Poitiers. Puisque tu ne prends pas ce train, c'est moi qui le prendrai. J'occuperai à partir de Poitiers le siège que j'avais réservé pour toi. Je raconterai le voyage de ce point de vue. Je dévisagerai les voisins que tu aurais eus, j'imaginerai comment tu les aurais regardés, comment eux t'auraient regardée quand tu aurais murmuré « j'ai envie de ta bite dans ma chatte ». J'irai voir ce qui se passe au bar.

Je t'appelle sur le portable. Vous êtes à Montreuil, où Véro a tenu à dormir. Je te demande pardon de ma froideur de la veille : j'étais déçu, bien sûr, mais je comprends, c'est un cas de force majeure, il ne faut pas que tu te sentes coupable à mon égard. Je ne le dis pas, mais je veux qu'aucun ressentiment ne ternisse le moment où tu liras ma nouvelle. Tout ce que je te demande, c'est d'acheter *Le Monde* quand tu auras un moment tranquille et que tu pourras penser à moi.

Tu ne comprends pas bien pourquoi il est si important que tu achètes *Le Monde* aujourd'hui, mais tu me promets de le faire.

Vous partez quand ?

Dans l'après-midi, sans doute vers la baie de Somme.

Ne faites pas d'imprudences, je m'inquiète, je sais. Tu m'appelles sur la route ? Tu m'appelles quand vous arrivez ?

Oui, oui mon amour… Attends, là, le portable ne passe plus.

Coupé.

Poitiers, 16 h 19. Pour t'attendre à l'arrivée du Paris-La Rochelle, j'avais noté le numéro de ta place. Personne ne l'occupe, je m'y installe. Il m'a suffi de traverser le wagon pour comprendre que j'ai mal choisi mon train : presque pas de femmes seules, aucune jolie, des familles, des retraités, tout ce monde absorbé dans des bandes dessinées ou des mots fléchés. Difficile, avec une telle troupe, d'imaginer le chassé-croisé de regards complices et de répliques à double sens que je te promettais.

À Niort, je vais au bar. Personne n'est aux aguets, personne n'a *Le Monde* sous le bras. Échec sur toute la ligne. Tandis qu'accoudé près de la fenêtre je bois de l'eau minérale en pensant que cet échec ne sera même pas drôle à raconter, une femme jeune, ronde, plaisante, s'approche de moi. Elle se présente : Émilie Grangeray, du *Monde*, et, s'asseyant, ajoute : envoyée spéciale dans le Paris-La Rochelle de 14 h 45. Je reste pantois. *Le Monde* a envoyé une journaliste pour être témoin de ma déconfiture. Sans réfléchir, je me mets à bafouiller que je suis très déçu parce que ma fiancée n'a pas pu prendre le train : un cas de force majeure… Émilie Grangeray sourit, note ce que je dis sur un carnet, je la vois écrire les mots « déçu », « contrarié », je voudrais corriger, me montrer détaché, spirituel, au lieu de quoi je m'enfonce dans une honte que je croyais depuis longtemps oubliée, celle qui m'envahissait quand, adolescent timide, je m'inventais des petites amies et me rendais compte qu'on ne me croyait pas.

De fait, ma fiancée empêchée de prendre le train par un cas de force majeure, Émilie Grangeray n'a pas trop l'air d'y croire. Elle me dit qu'au journal, en dehors de la question de publier ou non le texte, qui a soulevé un débat houleux, deux camps s'étaient formés : ceux qui croyaient que tout était vrai, ceux qui penchaient pour la fiction, et elle penchait plutôt pour la fiction. C'est drôle, je n'avais même pas imaginé qu'on pourrait penser ça, et ce qui est encore plus drôle c'est

231

que vu de l'extérieur le réel semble lui donner raison. Je le lui dis, elle hoche la tête, je sens bien que j'aggrave encore ma situation.

Peu avant l'arrivée, je consulte ma boîte vocale. Déjà trois messages d'amis, qui ont lu : merveilleuse lettre d'amour, comme vous devez être heureux, inutile de vous souhaiter une bonne nuit. Puis un message de toi : on va prendre la route mais on a décidé d'éteindre les portables à cause de Denis qui appelle sans arrêt et ça rend Véro dingue. Tiens, je te la passe.

Véro : oui, Emmanuel, je te prends ta Soso qui est aussi ma Soso, il faut que tu comprennes ça, quand on a une copine qui est dans la merde. Des bisous.

Cette façon de conclure ses messages par « des bisous » ou, mieux, « des bisous des bisous », c'est un trait de Véro qui m'a toujours hérissé, et je suis aujourd'hui encore moins indulgent que d'habitude. En plus, elle n'a pas l'air si dévastée que ça, la copine dans la merde. Tout va bien ? s'inquiète Émilie Grangeray. Tout va bien, oui. On reprend de l'eau minérale. Soleil triste et cru sur la plaine vendéenne, moucherons morts sur la vitre.

Comme le train comporte deux rames qui ne communiquent pas, *Le Monde*, pour être sûr de ne rien manquer, a envoyé non pas un mais deux journalistes, et nous retrouvons l'autre à l'arrivée. Dans sa rame, nous dit-il, ce n'était pas beaucoup plus animé que dans la nôtre. Il n'a pas l'air trop étonné de me voir. Lui non plus ne croyait guère à l'existence de la fille, ou alors si, mais il imaginait quelque chose comme un baroud d'honneur d'homme quitté. Je ris : alors là, non, ce n'est vraiment pas ça. Plutôt que de leur fausser compagnie à tous les deux, je décide d'être aimable dans l'espoir que leur article soit moins cruel. En prenant avec eux un verre sur le port, je joue le type qui se remet bien de sa déception, théorise sur le principe de plaisir qui s'est cassé la gueule sur le principe de réalité et pour finir annonce que, n'ayant pas décommandé mon merveilleux hôtel, je préfère y dormir plutôt que de revenir dans l'île de Ré. Si vous voulez, on peut dîner ensemble.

Fruits de mer, bar grillé, vin blanc. Je plaisante : franchement, ce n'était pas avec vous que j'avais envie de passer cette soirée, mais je vous trouve sympathiques quand même. C'est vrai. Fralon, qui travaille au service étranger, évoque avec humour ses reportages et Émilie les divers métiers qu'elle a faits avant de se retrouver au *Monde* : trapéziste, gentille organisatrice au Club Méditerranée. Elle raconte l'invasion des Russes dans certains villages et le bordel qu'ils y foutent, bref le dîner est plutôt gai, mais mon portable ne sonne pas. Ils ne parlent plus de la nouvelle, à mon avis pour ne pas me faire de peine, c'est moi qui réengage la conversation dessus. Émilie a pensé appeler un de nos amis communs pour savoir si tu existais et correspondais à la description, Fralon à recruter une fille qui y correspondait pour la mettre dans le train et ajouter à la confusion. Une grande blonde au long cou, à la taille fine et aux hanches épanouies : ça lui plaît beaucoup, les hanches épanouies, mais j'ai l'impression que pour lui c'est une façon gracieuse de dire un gros cul. Comme j'avoue que tout de même je suis vraiment triste, ils font de leur mieux pour me consoler : je vais recevoir des centaines de mails, peut-être des milliers, il va se fonder un club des gens qui n'étaient pas dans le train et qui auraient aimé y être. Je suis sûr, dit gentiment Fralon, que l'histoire n'est pas finie, que vous écrirez une seconde partie. Moi aussi, j'en suis sûr, mais il est près de minuit et le portable n'a toujours pas sonné.

À l'hôtel, où je me suis allongé sur le lit sans me déshabiller, je te laisse un message assez sec : ça m'aurait fait plaisir et ça me ferait toujours plaisir que tu m'appelles, tu devais le faire en arrivant, qu'est-ce que c'est que cette histoire de portable coupé ? Je repense à la nouvelle. Est-il possible que tu l'aies lue et qu'elle t'ait choquée au point que tu ne veuilles plus me parler ? Non, je n'y crois pas. Si je te l'ai écrite, c'est parce que je savais que tu la lirais comme une déclaration d'amour, que son côté exhibitionniste t'exciterait. L'inquiétude prend le pas sur la colère, j'ai peur d'un accident, j'aurais dû remonter à Paris, ne jamais vous laisser partir dans cet état.

Je finis par m'endormir, le téléphone me réveille. Mais ce n'est pas toi, c'est mon ami Philippe qui me dit : tu vois, en lisant ça, j'ai pensé que Jean-Claude Romand était vraiment mort. J'ai envie de lui répondre que je n'en suis pas si sûr, mais je me contente de dire que là, tout de suite, j'ai un gros problème. L'idée que je puisse, aujourd'hui, avoir un gros problème semble le méduser.

Il y aura d'autres coups de fil de félicitations au cours de cette journée que je passe enfermé dans la chambre d'hôtel à fumer à la chaîne, te laisser des messages de plus en plus affolés et surtout appeler les hôpitaux, la gendarmerie, les services de sécurité routière, ceux de tes amis dont j'ai le numéro... Les gens qui me téléphonent s'attendent à tomber sur un type tout faraud, repu d'amour et de contentement de soi, or c'est un zombie qui décroche et d'une voix mourante répète ce qu'il a dit à Philippe : qu'il a un gros problème, qu'il rappellera.

Impossible, même aux plus proches, de dire ce que c'est, le gros problème. Je ne le sais pas moi-même, tout ce que je sais c'est que de deux choses l'une : soit tu es à l'hôpital, entre la vie et la mort, soit pour une raison que je ne parviens pas à imaginer tu te plais à me torturer. Tu as dans ton sac un carnet avec mon numéro de téléphone, à joindre en cas d'urgence : si tu étais à l'hôpital on m'aurait appelé, forcément. Et il est impossible, même si tu as coupé le portable, que tu n'aies en 24 heures pas écouté tes messages, tu es plutôt du genre à les consulter toutes les heures, du genre aussi à m'appeler trois fois par jour pour me dire que tu m'aimes et que tu penses à moi.

Alors quoi ?

J'ai refusé qu'on fasse la chambre, je la garde et l'enfume jusqu'à ce que je te retrouve. Je m'interdis de t'appeler plus d'une fois par heure. Il y a une église pas loin de l'hôtel, dont on entend les cloches sonner. Quatre coups, déjà quatre heures de l'après-midi. Je forme ton numéro, pour la dixième fois de la journée, exaspéré d'avance d'entendre pour la dixième fois l'annonce du répondeur.

Mais cette fois, miracle, tu décroches.

Emmanuel, mon amour, je viens d'écouter tes messages, qu'est-ce qui se passe ? Qu'est-ce qui t'arrive ?

Je hurle : comment ça, qu'est-ce qui se passe ? Qu'est-ce que c'est que cette connerie de portable éteint ? Où est-ce que tu es, pourquoi tu ne m'as pas appelé ?

Mais j'allais t'appeler. Et puis je t'ai laissé un message pour te dire que je coupais le portable, je te l'ai dit, Véro va très mal, je m'occupe d'elle, c'est fou de se mettre dans un état pareil, mon amour, qu'est-ce qui se passe ?

Tu es où ?

On est à Saint-Valéry-en-Caux, on parlait, elle va vraiment mal, tu comprends...

Elle est avec toi, là ?

Un blanc, puis : oui, elle est avec moi.

Passe-la-moi.

Elle n'est pas juste à côté de moi.

Attends, elle va si mal que tu ne peux pas la lâcher d'une semelle, tu n'as même pas le temps de me passer un coup de fil pour me rassurer, elle ne doit pas être très loin, va la chercher.

Encore un blanc, puis : bon, j'y vais.

Je t'entends appeler : Véro ! Véro !...Véro, Emmanuel veut te parler. Silence, pas de voix, même distante, pour la réplique.

Tu reprends : elle ne veut pas te parler.

Elle ne veut pas me parler, et pourquoi elle ne veut pas me parler ?

Je ne sais pas, elle ne veut pas te parler, elle t'en veut parce que tu étais fâché que je parte avec elle.

D'abord je n'étais pas fâché, je t'ai juste dit que j'étais triste, ensuite même si elle m'en veut ça ne l'empêche pas de me parler.

Tu cries à ton tour, tu sanglotes : je te dis qu'elle ne veut pas... Véro, s'il te plaît, parle-lui... Elle ne veut pas. Emmanuel, je n'y peux rien, elle ne veut pas.

Sophie, tu n'es pas avec Véro, je ne sais pas avec qui tu es, mais tu n'es pas avec Véro.

Mais avec qui veux-tu que je sois ? Écoute, c'est horrible ce que tu me fais là. Je suis complètement stressée, ça fait deux jours que je la tiens à bout de bras et tu viens me faire une scène complètement démente, il faut que tu te calmes.

C'est très facile de me calmer : il suffit que Véro s'approche du téléphone et dise : salut je suis là, elle peut dire salut je suis là, pauvre con, mais qu'elle le dise, je veux juste entendre sa voix, elle peut te parler à toi et pas à moi, tout ce que je veux c'est savoir qu'elle est là.

Je te dis qu'elle ne veut pas, tu ne peux pas comprendre ça ?

Non, je ne peux pas le comprendre, et si Véro ne me dit pas un mot au téléphone, je ne peux en déduire qu'une seule chose, et alors c'est fini entre nous.

Mais tu es fou.

Je suis peut-être fou mais pourquoi est-ce que Véro ne peut pas me parler ?

237

Je n'ai pas dit qu'elle ne peut pas : elle ne veut pas. Elle te déteste.

Je ne comprends pas pourquoi, mais même si elle me déteste, elle ne te déteste pas, toi. Alors tu vas lui expliquer que notre histoire dépend du fait qu'elle veuille bien s'approcher du téléphone et faire entendre sa voix. Elle ne peut tout de même pas te refuser ça, tu dis que c'est ta meilleure amie, si elle ne le fait pas c'est que c'est ta pire ennemie.

Écoute, Emmanuel, tu délires complètement. Dans la situation où on est, dans l'état où elle est, c'est vraiment dégueulasse ce que tu fais là, il vaut mieux que tu réfléchisses un peu à ce que tu dis et qu'on se reparle quand tu seras calmé.

Coupé.

Je rappelle aussitôt. Boîte vocale.

Sophie, il est quatre heures dix. Si tu es avec Véro, ce que j'ai du mal à croire, tu as vingt minutes pour la convaincre que notre vie ensemble est entre ses mains. Si tu es avec un homme, autant me le dire aussi, tout vaudra mieux que ces mensonges délirants. Alors si à quatre heures et demie tu ne m'as pas rappelé, avec ou sans Véro, tu as une semaine pour rassembler tes affaires et être partie de la maison. C'est tout, je laisse le portable ouvert jusqu'à quatre heures et demie.

Je l'ai évidemment laissé ouvert au-delà. Pas d'appel à quatre heures et demie, pas d'appel à cinq heures. Je n'y tiens plus, je ne me vois pas retournant dans l'île de Ré et affrontant hagard ma famille consternée, je décide de rentrer à Paris.

J'attends au buffet de la gare, une terrasse aménagée sous la verrière du quai. J'ai des cigarettes mais pas de feu et toutes les cinq minutes en demande à mon voisin qui me tend son briquet avec une silencieuse courtoisie. Deux dames assez âgées, avec un petit chien, s'approchent et, voyant toutes les tables occupées, se tournent vers moi : nous pouvons nous asseoir, vous êtes seul ? Je réponds : oui, mais je voudrais le rester. Retraite outragée, rires à une table de très jeunes gens. Pendant les deux heures d'attente, j'essaie de me raconter tout ce qui vient de se passer avec l'idée que peut-être la déception, le manque de sommeil, l'inquiétude de ne pas te joindre ont pu me faire dérailler et mal interpréter des choses qui se révéleront parfaitement banales. Mais ça ne marche pas. Point par point, ça reste insensé. Je repense à mon roman, *La Moustache*, à l'infernale oscillation du héros entre des hypothèses dont aucune ne tient debout, et à la phrase de Michel Simon dans *Drôle de drame* : « À force d'écrire des choses horribles, les choses horribles finissent par arriver. » Le pire est qu'elles arrivent au moment précis où je croyais leur avoir échappé.

Une minute avant le départ du train et presque trois heures après mon ultimatum, tu me rappelles.

Emmanuel, tu es où ?

À la gare.

Je te passe Véro.

Non, c'est trop tard.

Je raccroche. Je ricane. Il t'a fallu trois heures pour mettre la main sur elle : tu es non seulement menteuse, mais idiote. Ça sonne de nouveau. J'appuie sur la touche silence et monte dans le train. Les messages se succèdent, je finis par les écouter.

Allô, ici Véro. Écoute, je te comprends pas et même je te trouve dégueulasse. Putain, ça t'arrive d'être dans la détresse, tu devrais pouvoir comprendre que ça arrive aux autres et qu'il y a pas que toi et tes petits états d'âme. Alors tu vois, je suis avec Soso, tout va bien, pas de souci, j'étais un peu à cran tout à l'heure, tu peux entendre ça, non ?

Manquent les bisous. Son patois lumpen-branché m'a toujours énervé mais je faisais un effort pour toi, je me disais c'est une fille qui a eu la vie dure, une fille généreuse, au fond, et pleine de vie. Je la déteste, maintenant, mais moins que toi : elle n'a fait après tout que te servir d'alibi.

Message suivant. Véro encore, se présentant avec ce qu'elle doit imaginer être de l'humour comme l'ennemie publique numéro un : pour une fille au bord du suicide et incapable de m'adresser un mot trois heures plus tôt, elle est devenue drôlement bavarde. Puis toi, me suppliant de te rappeler, de me dire à quelle heure arrive mon train, tu vas venir me chercher, mon amour je ne comprends pas, c'est affreux ce qui se passe. Cela devient aussi répétitif que mes appels à moi depuis 24 heures.

Je quitte ma place pour fumer quelques cigarettes. La lumière du soir, dehors, est déchirante. Beaucoup de lecteurs du *Monde*, certains absorbés dans ma nouvelle, et parmi eux trois femmes seules et jolies. Tous ces gens doivent se dire : quel dommage, je n'ai pas pris le bon train, et la plupart des mails que je recevrai commencent par ce

240

regret. Il y a foule au bar, je fais la queue vingt minutes pour une eau minérale. L'unique serveuse, débordée, se montre d'une gentillesse et d'une gaieté incroyables, une plaisanterie pour chacun, malgré l'attente personne ne s'énerve, toutes ces jolies femmes pourraient aller se branler dans les toilettes et sortir en souriant à l'usagère suivante, c'est vraiment un train enchanté. En regagnant mon wagon, je croise une dame assez âgée, élégante, avec un beau visage ouvert, qui me demande si je ne suis pas Emmanuel Carrère. Je dis non, elle sourit et dit : bravo quand même !

La première chose que je fais, rentré à la maison, c'est de changer l'annonce du répondeur. Tu l'avais enregistrée juste après avoir emménagé, je me rappelle combien tu avais aimé dire « vous êtes bien chez Sophie et Emmanuel », et combien j'aimais, moi, l'entendre. Un de mes amis, que sa femme a quitté, a gardé pendant plus d'un an l'annonce avec sa voix et leurs deux noms. Ce n'est pas mon genre, et à cet instant j'en suis fier. Je suis fier de la haine froide, sans appel, qui a remplacé l'atroce incertitude. Tu n'existes plus pour moi, tu ne m'es plus rien. Mais tu as beau ne m'être plus rien, j'attends que tu appelles, pour jouir de ton désarroi et de ma fermeté. Comme tu tardes à le faire, je suis tenté de t'appeler, moi, et, pour m'en détourner, commence à regarder les mails. 85. Un début. À quelques grincheux près, ils sont tous enthousiastes : quelle lettre d'amour ! J'aurais tellement aimé être dans le train, j'aimerais tellement savoir comment ça s'est passé, j'espère qu'on pourra lire bientôt la suite. Elle doit être heureuse, votre fiancée, toutes les femmes rêvent que leur homme leur envoie ça, vous devez être heureux tous les deux…

Mes pauvres, si vous saviez…

Tu appelles vers minuit, sur le portable.

Emmanuel, où es-tu ?

Chez moi.

Chez **toi** ?

Oui, et j'ai juste une chose à te dire, ensuite je ne décrocherai plus : tu peux venir demain à partir de midi pour commencer à faire tes cartons. Bonne nuit.

Suit, sur le répondeur de la maison, une série d'appels auxquels je ne réponds pas, j'écoute juste les messages. Supplications, pleurs, colère. Tu prends particulièrement mal le changement d'annonce. Alors je n'existe plus ? Ce n'est vraiment rien, notre amour, pour toi ? Tu veux tout détruire parce que j'ai fermé mon portable, parce que Véro allait mal ? Emmanuel, décroche, parle-moi je t'en supplie, je sais que tu es là…

Je souris méchamment : chacun son tour.

Tu arrives à 11 heures, tandis que je dépouille la centaine de mails tombée pendant la nuit. Tu ouvres avec ta clé. Sans lever le nez de l'ordinateur, sans te regarder, je dis sèchement : je t'avais dit midi, j'aimerais au cours de cette semaine que tu respectes ça et que tu sonnes, tu n'es plus chez toi.

Emmanuel, jusqu'à nouvel ordre j'habite ici.

Plus maintenant, et je te rappelle que c'est moi qui paye le loyer.

Emmanuel, il faut qu'on se parle.

De quoi ? Tu as une explication à me donner ? Je veux dire une explication qui se tienne, pas les conneries de ta copine ?

Mais enfin, elle t'a appelé ! Tu voulais qu'elle te parle, elle ne voulait pas, je me suis battue avec elle pendant tout le voyage de retour et elle t'a appelé !

Je ricane. Impossible de décrire ton air de candeur

douloureuse, personne n'a jamais eu l'air si loyal et droit. Tu portes une robe noire largement échancrée entre les seins, pas de soutien-gorge, je regarde tes épaules, tes bras, j'essaie de me persuader que je n'aurai jamais la nostalgie de ça. Tu t'assieds sur le canapé du salon, tu allumes une cigarette, toi aussi tu t'y es remise.

Emmanuel, je ne sais pas ce qu'il y a dans ta nouvelle, je ne l'ai pas encore lue, mais je n'avais pas compris combien c'était important pour toi.

C'était important pour toi aussi. Pour nous.

D'accord, c'était important, mais il faut que tu comprennes qu'il n'y a pas que toi, qu'il n'y a pas que ce que tu veux, que les gens ne prennent pas forcément le train quand tu l'as décidé. Tu m'as pris ce billet, tu m'as dit que tu m'avais préparé une surprise et bien sûr ça me faisait plaisir, j'avais envie de venir, mais il y avait Véro qui allait si mal, Véro c'est comme ma sœur, quand moi j'ai été mal elle a toujours été là, et je ne pouvais pas accepter ton chantage.

Je ne t'ai pas fait de chantage, je ne t'ai pas demandé d'abandonner Véro, je t'ai seulement dit que ça me rendait triste et que ça te rendrait triste toi aussi. À part ça je t'ai demandé de m'appeler pour me donner des nouvelles, ce qui était tout de même la moindre des choses.

Mais je t'ai dit que je contrôlais, que tout irait bien…

Sophie, cette discussion ne rime à rien et tu le sais. Elle rimerait à quelque chose si tu pouvais me prouver que tu étais avec Véro ce week-end. C'était très simple hier à quatre heures, maintenant c'est nettement plus compliqué.

Alors oui, j'étais mal, j'étais déçu, je ne raisonnais pas calmement, mais même en raisonnant calmement, Véro qui ne
veut pas m'adresser la parole à quatre heures et qui à sept
heures et demie me bombarde de messages conciliants,
excuse-moi mais il n'y a qu'une conclusion possible.

Et c'est quoi cette conclusion? Dis-le. J'étais avec un
homme?

Je ne pense pas que tu étais avec ta mère, non.

Tu entends ce que tu dis? Tu m'imagines avec un
homme dans l'état où était Véro?

Je me lève, découragé, tout en sachant que je n'aurai
pas la fermeté de couper vraiment court. Tu me regardes
comme on regarde un fou. J'aurais envie de te prendre dans
mes bras. Je m'assieds dans le fauteuil gris, en face de toi,
et reprends, plus doucement : Sophie, je n'ai qu'une envie,
c'est de te croire et de te demander pardon. D'admettre que
je suis jaloux et parano, mais je ne l'ai pas été jusqu'à présent, tu as pu me tromper quatre mois sans que j'aie le
moindre soupçon et tu me l'as même reproché. Aujour-
d'hui, n'importe qui à ma place aurait un doute et je ne
peux pas vivre avec ce doute, alors il faut qu'on se
débrouille pour en sortir. Il faut qu'on trouve une preuve.

Tu relèves la tête, avec une lueur d'espoir : qu'est-ce
qu'il te faudrait, comme preuve?

Je ne sais pas... Vous avez dormi où?

Je t'ai dit : à Saint-Valéry-en-Caux...

À l'hôtel? Il s'appelait comment, cet hôtel?

L'Éden... C'était pourri, il n'y avait de place nulle
part...

Qui est-ce qui a payé ?

Tu hésites, puis tu dis : Véro. Ce qui m'étonne, puisqu'une des raisons pour lesquelles Véro va très mal, outre le harcèlement de Denis, c'est qu'elle est aux abois.

J'insiste : elle a payé comment ?

J'attends que tu dises en liquide, mais tu n'as pas cette présence d'esprit : je crois par carte, ou par chèque...

Alors nous sommes sauvés. Il y a une trace. Elle a gardé le reçu et même si elle ne l'a pas gardé, il suffit qu'elle consulte son compte et qu'elle me donne copie de la facture de débit. Hôtel Éden, 19 juillet, c'est tout simple.

C'est tout simple, mais apparemment pas pour toi. Tu réfléchis un instant, la tête entre les mains, puis tu dis : elle ne le fera pas. Elle ne te donnera pas ça.

Pourquoi ?

Parce qu'un type qui demande des preuves, elle ne peut pas le supporter.

À ce moment, ton portable sonne. Oui ma Véro, réponds-tu d'une voix douce... je ne peux pas te parler tout de suite, je suis avec Emmanuel, il est en plein délire, j'ai l'impression de vivre un cauchemar... je te rappelle.

Tu raccroches. Je suis abasourdi.

Sophie, si tu ne mens pas, Véro est en train de détruire délibérément notre couple. Tu devrais la supplier d'arrêter ce cirque, de consulter tout de suite sa banque ou alors tu lui arraches les yeux, et non, tu lui parles gentiment, sans même faire allusion à ça, c'est de la folie.

C'est de la folie pour toi parce que tu n'as jamais été capable de voir autre chose que ton propre point de vue. Tu ne connais pas Véro.

Mais je m'en fous, de connaître Véro! Je veux juste qu'elle te donne ce papier.

Tu soupires. Puis, en me regardant droit dans les yeux : tu sais ce qui va se passer? Je vais te dire ce qui va se passer. Je vais faire comme tu as dit, rassembler mes affaires, déménager, vendredi je te laisse la clé dans une enveloppe et dans cette enveloppe il y aura aussi la preuve que tu me demandes. Tu verras, à ce moment-là.

Je reste silencieux, ébranlé tout à coup.

D'accord, dis-je enfin, et à ce moment-là je serai atrocement malheureux. Mais il y a une minute nous étions suspendus au délire de Véro, maintenant tu me dis que cette preuve, tu l'as. Alors pourquoi nous infliger ça? Tu me la donnes maintenant, je me roule à tes pieds, tu me pardonnes ou tu ne me pardonnes pas mais on sort du cauchemar. C'est quoi, cette preuve?

Tu restes un moment silencieuse. Tu me regardes, avec des larmes dans les yeux. Puis, à la fois très bas et très distinctement, tu dis : un test de grossesse.

Coup de massue.

Tu es enceinte?

Tu hoches la tête. Les larmes coulent sur tes joues.

Tu es sur le canapé, les yeux fermés, la tête rejetée en arrière, je vois une veine palpiter le long de ton cou. Je reste, moi, écrasé dans le fauteuil gris en face de toi. Depuis une heure, nous fumons cigarette sur cigarette. Tu as constamment gardé le briquet dans ta main crispée et, chaque fois que je te le demandais, de la voix ou du geste, j'ai pris soin en le prenant de ne pas te toucher. Ne plus jamais te toucher, comme un alcoolique repenti qui détourne le regard d'un chocolat à la liqueur. Maintenant, je me lève et, très délicatement, je retire la cigarette qui se consume entre tes doigts, je l'écrase dans le cendrier et je dis : ça, maintenant, c'est fini. Puis je prends le paquet et le cendrier plein pour aller le vider dans la cuisine. J'y reste un moment seul. Je pense qu'il va te falloir du temps pour me pardonner mais que tu me pardonneras. Tu liras la nouvelle, tu y verras mon amour, tu comprendras mon accès de folie. Ainsi donc il y avait une explication. La plus simple, à laquelle je n'avais pas pensé. J'ai eu beau te dire que tu pouvais me faire confiance, tu craignais que je ne veuille pas vraiment de cet enfant, que je l'accepte, si je l'acceptais, par contrainte plus que par désir. Tu as voulu partir seule pour réfléchir, coupé le portable parce qu'il ne fallait pas que tu me parles, si tu me parlais tu ne pourrais pas t'empêcher de me le dire et tu n'osais pas encore me le dire. Il reste des zones d'ombre, qu'est-ce que c'est que cette histoire de Véro, de Véro que tu crois morte, de Véro qui va mal, de Véro qui ne veut pas me parler, mais je ne pense pas à tout cela. Je pense que tu es enceinte, que nous allons avoir un enfant. Il y a quelques semaines encore j'aurais dit que c'était trop tôt, qu'il fallait réfléchir, attendre, mais je me trompais : ce que je croyais ne pas encore vouloir, inconsciemment je le voulais déjà, je trouve même extraordinaire que ça arrive au moment de la parution de la nouvelle, il y a une logique bouleversante là-dedans, et de surcroît, ne puis-je m'empêcher de penser, une fin idéale pour le livre que je vais écrire.

Je reviens dans le salon. En contournant la table basse, je franchis le mètre cinquante qui me sépare du canapé et je m'assieds à côté de toi, sans te toucher. Tu es recroquevillée, me tournant presque le dos, les mains enserrant les bras. J'effleure ta main, je ne sais pas si tu vas me la donner mais tu me la donnes. Je la tiens. Elle reste inerte. Mes doigts autour des tiens, je compte jusqu'à neuf. Ce sera en mars. Tu as dû comprendre. Tu serres ma main, tu la guides. Tu la poses sur ton ventre. Tu dis : c'est fou, j'ai déjà les seins qui ont doublé de volume.

Tu mets la tête sur mon épaule. Tu dis : Emmanuel, mon amour, qu'est-ce que c'est que cette obsession du mensonge ? Qui est-ce qui t'a menti ?

Nous allons dans la chambre. Nous nous allongeons sur le lit. Nous n'allons quand même pas nous déshabiller, pas si vite, mais nous sommes dans les bras l'un de l'autre et je caresse tes seins en disant mon amour mon amour et toi tu pleures doucement.

Tu t'endors. Moi pas. Tout ce qui s'est passé depuis deux jours me tourne dans la tête. Par quelque bout que je le prenne, quelque chose m'échappe. Mais je mets tout sur le dos de Véro. N'importe quelle amie sensée à qui tu aurais expliqué la situation t'aurait dit de partir me rejoindre le cœur joyeux. Tu aurais pris le train, lu ma nouvelle, et le soir, au restaurant, tu m'aurais dit, les yeux brillants, que toi aussi tu avais une surprise pour moi. La fête que nous aurions pu nous offrir l'un à l'autre n'a pas eu lieu parce que cette folle mauvaise t'a mis dans la tête je ne sais quelles aberrations, que je risquais de le prendre mal, qu'il fallait en parler entre femmes, qu'est-ce qu'elle a bien pu te dire comme conneries et pourquoi ? Par haine des hommes, sans doute par haine de toi. Elle est jalouse, plus ou moins consciemment rêve de détruire notre couple parce que je ne suis pas le genre d'intermittent du spectacle à barbichette et catogan qui te conviendrait selon elle, c'est-à-dire qui te rabaisserait à son niveau minable. Pauvre fille, pauvre folle, il faut vraiment que tu cesses de la voir, ce genre de copines mal baisées et hargneuses qui se font des petits dîners pour dire du mal de leurs bonshommes, c'est comme la cigarette, une mauvaise habitude. Depuis trois jours je fume pour ma part à la chaîne, mais je vais arrêter demain, nous arrêterons demain ensemble.

Je descends, en attendant, racheter un paquet, et aussi *Le Monde*, que je parcours à une terrasse de café. Le reportage de Grangeray et Fralon est en dernière page : pas bien méchant, même si j'y apparais forcément sous les traits d'un enfant déçu et qui trépigne. Je m'en moque, moi je connais la fin de l'histoire.

Tu dors encore quand je rentre à la maison. Je m'allonge un moment contre toi, en cuillers, mais ton sommeil ne m'apaise pas. C'est qu'il n'a pas l'air paisible. Ton visage est crispé, douloureux, tu remues comme si tu faisais un mauvais rêve. Je me relève, rallume l'ordinateur en veille. On en est à 220 mails, pour la plupart très chaleureux. Quelques propositions sexuelles, certaines charmantes. Quelques insultes que, partial, je trouve bêtes. Déjà des réactions à l'article paru aujourd'hui. Émus de ma déception, beaucoup prétendent m'en consoler : l'essentiel c'est le texte, peu importe que la femme existe ou non. Mais si, ai-je envie de crier, elle existe ! Et, parmi les derniers arrivés, celui-ci :

« Je peux commencer à lire ?

Pas encore. Attends que le train démarre. Il faut respecter exactement les consignes du texte. Quand le train s'ébranle, tu commences. Pas avant. Encore dix minutes.

Dis-moi la première phrase.

Non, on a dit qu'on ne trichait pas.

S'il te plaît, juste la première phrase.

D'accord, mais après on arrête. Ça commence par : "Au kiosque de la gare, avant de monter dans le train, tu as acheté *Le Monde*."

Lui, il a acheté le quotidien une heure plus tôt. Il n'avait pas prévu de prendre le train ce jour-là. De l'accompagner jusqu'à La Rochelle. C'est le texte du mari qui l'a décidé. Cette nouvelle étrange publiée ce vendredi. Bien entendu elle lui avait dit pour la nouvelle, pour *Le Monde*, mais elle n'avait rien précisé sur le contenu du texte. Quand il a achevé la dernière ligne, il a posé le journal, payé son café et s'est engouffré dans un taxi pour la gare. Il viendrait la rejoindre dans le compartiment, discrètement. Elle n'a pas paru surprise de le voir. Il s'est installé en face d'elle et lui a donné ses consignes à lui. Les consignes de l'amant.

251

En fait, rien d'autre que suivre scrupuleusement les instructions du texte. Mais avec cette différence notable qu'il serait là. Qu'il relirait la nouvelle en même temps qu'elle la découvrirait. Et qu'ensemble ils se joueraient du mari. Lui, à la dévisager tout le long du trajet, à épier le moindre frémissement de sa peau, à la deviner nue sous ses vêtements, à voir son doigt se glisser sous son aisselle, à deviner les mots sur ses lèvres : j'ai envie de ta bite dans ma chatte. Oui, mais sa bite à lui. Son énorme bite qui la fait hurler. Parce que l'amant, c'est pas un délicat, un jouisseur au long cours, un esthète de la chose. L'amant, il la prend comme une chienne et à grands coups de boutoir, le dos collé à un mur ou dans un recoin de parking. Il la pénètre à la faire suffoquer, avec de grands coups de reins, il la laboure, et quand elle bascule dans la petite mort, épuisée, pleine de tremblements nerveux et que ça l'inonde de plaisir, en vagues brutales qui coupent la respiration, il sait qu'elle est bien plus que sa chose, bien plus qu'un animal domestiqué. Qu'elle est une partie de lui. Parce que son énorme bite a déformé son vagin et moulé à son empreinte l'intérieur de son ventre, que sa sueur aigre, forte, sa sueur d'homme du Sud a déposé sur elle une couche invisible mais vivante, pleine de sillons souterrains et secrets au fond de sa peau et que ça l'irrigue autant que ça la nourrit. Et que quand ces puits de sueur viennent à s'assécher, que son ventre se détend, que le plaisir s'évanouit, de nouveau la faim de lui reprend.

Mais aujourd'hui, rien. Juste la regarder. En fait, il la regarde faire l'amour avec son mari dans un train, à distance. Surtout ne rien modifier au plan initial. Parce qu'au fur et à mesure de sa découverte du texte, leur désir va monter. Que de s'exciter aux mots du mari sous le regard de l'amant va lui procurer un plaisir nouveau et puissant. À la fin, ils iront se masturber ensemble, tous les deux dans les toilettes. Elle devant la glace, lui derrière. Il fera attention de ne pas éjaculer sur elle, de lentement se vider sur le sol sans l'éclabousser. Il faudra qu'ils soient forts pour ne pas se toucher. Qu'elle parvienne à ne pas prendre dans sa bouche l'énorme bite dont elle aime tout. L'odeur, la forme, ce gland trapu et rond, la veine gonflée qui s'enroule sur la verge comme un lierre et qu'elle adore caresser et comprimer du bout de l'ongle, et son sperme, ivoire, si abondant et dont elle se macule le visage. Quand ils ont le temps, elle lui demande parfois de décharger dans ses cheveux blonds. Ensuite, il lui masse longuement le crâne en disant qu'il fait entrer dans sa tête plein de sa semence et de minuscules êtres vivants.

Mais cette fois, rien de physique. Ce sera seulement comme il est écrit. Et pour finir, le mail envoyé à l'arrivée. Il a le notebook sur lui. Dès sa descente du train, se mettre en quête d'un cybercafé pour envoyer le message. C'est sans doute cela qui les excite le plus. Que le mari sache sans cesse de douter. De le prendre à son propre jeu. *Le Monde*, 600 000 lecteurs et sans doute pas mal de mails. Et bien difficile de démailer le vrai du faux. Les réactions convenues et habituelles des lecteurs, les suites maladroites des apprentis écrivains, les propositions de toute nature, et ce texte. Au début, ça le fera sourire. Il se dira :

pas mal. C'est écrit correctement, c'est amusant. Et puis le doute finira par s'insinuer. Ils ont convenu que, quelque forme que prenne la suite de cette histoire, elle nierait tout. Pas un mot, pas un indice, rien. Plus jamais on ne reparlera de ce voyage.

Voilà, Emmanuel. Mon histoire est terminée. Je suis l'amant. C'est un énoncé performatif. Je te déclare la guerre. Avec mon énorme bite. Avant de déposer ce texte et de l'oublier aussitôt, juste quelques mots pour semer définitivement le doute et te troubler un peu : Philippe, de Nice. Et la nuit, ce qu'elle préfère, c'est dormir en cuillers, sur le côté, le dos courbé et toi (ou moi) collé contre elle.

La Rochelle, 20 juillet 2002, 18 heures. »

Pas une faute de frappe ni de français. La cruauté pure. Il n'y en a pas assez pour me faire croire que ce type est vraiment ou a vraiment été ton amant, il y aurait des détails physiques plus précis, mais assez pour me faire mal. Toi et moi dormant en cuillers. Toi dormant en cuillers avec un autre, faisant l'amour avec un autre. Je me dis que c'est un vrai pervers, Philippe de Nice. Mais ma nouvelle à moi, est-ce que ce n'était pas pervers aussi ? Non, non, je ne crois pas. Naïf peut-être, adolescent, mais pervers non. J'éteins l'ordinateur, je reste assis devant, je me remets à penser et plus je pense plus il est évident que toute cette histoire ne tient pas debout. Je rembobine le film, encore une fois. Je suis parti en Russie fin mai et j'en suis revenu avec une crise d'herpès qui nous a obligés à faire l'amour avec des capotes, cela jusqu'à la veille de mon départ pour l'île de Ré où, pour la première fois depuis un mois et demi, j'ai joui en toi. Cela, c'était vendredi et une semaine plus tard tu apprends que tu es enceinte et tu as les seins gonflés. Est-ce que ce n'est pas bien court, une semaine ? J'ai envie de te réveiller, de te questionner. Je reviens dans la chambre, te regarde dormir. Comme tu as l'air de souffrir ! Je m'enferme dans mon bureau avec l'annuaire, j'appelle en parlant bas plusieurs gynécologues du quartier. Le Dr Weitzmann, rue de Maubeuge, peut me recevoir à 18 heures. Je me promets de ne pas te questionner avant de l'avoir vu.

Tu te lèves vers cinq heures, épuisée. Tu te fais couler un bain. Tu as l'air d'aller très mal. Je prépare du thé, que je t'apporte dans la salle de bains. Je m'assieds au bord de la baignoire et, oubliant ma promesse, je te dis que je voudrais encore te poser une question, une seule.

Non, Emmanuel, arrête, tout de suite je ne suis pas en état de répondre à tes questions, tu m'as fait assez de mal comme ça.

Écoute, ma question, c'est seulement : ce test de grossesse, tu l'as fait quand ?

Je ne sais plus, ce week-end...

Comment ça, tu ne sais plus, ce n'est quand même pas une chose qu'on oublie.

Si, je suis complètement perdue, j'oublie tout, les dates, les lieux, je n'ai pas ta mémoire, arrête de me torturer, tu veux quoi ? qu'il crève dans mon ventre, cet enfant ?

Sophie, quand on est enceinte ce n'est pas tout, le test, il faut que tu ailles voir ta gynécologue...

J'y vais demain matin.

Je viendrai avec toi.

Non, non, je préfère pas, c'est quelque chose qui me regarde, moi.

Et moi, alors, ça ne me regarde pas?

Plus nous parlons, plus je suis sûr, et je jouis cruellement de te voir t'enferrer mais je ne veux pas porter le coup de grâce avant la confirmation officielle. Tu me dis alors que ce serait mieux si nous nous séparions quelques jours : j'ai besoin d'être seule et puis toi tu as les enfants, ils doivent s'inquiéter, tu devrais retourner dans l'île de Ré…

Qu'est-ce que tu veux que j'aille faire dans l'île de Ré? Personne ne comprend rien à ton absence, à mon départ, et comme je n'y comprends rien moi non plus je ne vois pas comment je les rassurerais.

Je te dis que j'ai besoin d'être seule, c'est une affaire de femme, tu peux comprendre ça?

Non, je ne peux pas le comprendre. À moins évidemment que cet enfant ne soit pas de moi.

Ça y est, c'est lâché. Tu me regardes avec horreur.

Tu entends ce que tu dis? Tu dis m'aimer et tu dis ça à la femme que tu aimes?

Je dis que je n'en peux plus, que je sors faire un tour.

Le Dr Weitzmann est tenu au secret professionnel, mais moi pas, et je peux dire qu'il m'a paru très bien. Cinquante ans, amical, direct. Le délai entre la conception et un test positif est de quatorze jours en principe, bien sûr ça peut être un peu moins, surtout avec des femmes qui ne sont pas réglées comme des horloges – mais toi, tu l'es. Vendredi 12, dimanche 21, je suis désolé mais honnêtement il y a très peu de chances qu'il soit de vous. On peut faire une échographie dès maintenant, il faudra de toute façon en faire une bientôt si elle veut garder l'enfant, et s'il y a un aveu à faire ça ne sert à rien de le repousser. Cela m'étonne moi aussi : que tu t'obstines à mentir alors que tu n'as aucune chance d'être crue.

En me raccompagnant, le Dr Weitzmann, qui m'a reconnu et a lu ma nouvelle, me demande : c'est elle ?

Oui.

C'est vraiment triste.

Je m'assieds dans le fauteuil gris, j'attends que tu viennes t'asseoir sur le canapé, en face de moi. Nous sommes comme assignés à ces places, les gestes et les trajets possibles dans l'appartement se sont depuis vingt-quatre heures monstrueusement raréfiés. Aller de la salle de bains à la chambre, de la chambre au salon était simple autrefois, aujourd'hui c'est un piège.

Posément, je te raconte ma visite au Dr Weitzmann. Il faut que je répète tout, les dates, les délais, et tu m'écoutes comme si tu ne comprenais pas. Moi, j'ai ce sourire affreux que par la suite tu me reprocheras tant. Comme un joueur d'échecs sûr du mat, et qui prend son temps.

Pour finir : ce que tu veux dire, c'est que tu crois que l'enfant n'est pas de toi ?

L'échographie le dira. Tu veux qu'on y aille demain ? De toute manière, il faudra bien y aller un jour ou l'autre.

Tu me détestes, c'est ça ?

Si c'est ça, oui.

Tu te lèves, tu prends ton sac, tu sors sans me dire où tu vas.

Tu ne claques pas la porte, tu ne la tires pas doucement non plus. S'il y a une manière neutre de refermer une porte derrière soi, c'est celle-là.

Quatre heures du matin. Je viens d'écrire tout ce qui s'est passé depuis deux jours. J'ai fait, longtemps après, quelques corrections, quelques coupes, mais en gros, tout ce qui précède, je l'ai écrit cette nuit-là. Noter aussi exactement que possible les paroles que nous avons prononcées était la seule façon pour moi de traverser ce qui nous arrivait et allait nous arriver dans les jours à venir.

Il ne faut pas tenter le diable : ma mère dit toujours ça. Est-ce que j'ai tenté le diable ? Est-ce que c'est mon destin de le tenter, quoi que je fasse ?

Je voudrais ne pas penser ça. Je voudrais penser que cette nouvelle était un acte d'amour, en parallèle duquel s'est consommée une trahison, et qu'elle ne l'a pas provoquée. Je voudrais croire que je ne suis coupable de rien.

Mais je n'y arrive pas.

Étrange, que je me soucie si peu de savoir qui est l'autre. S'il veut garder l'enfant, s'il veut vivre avec toi. Et toi, qu'est-ce que tu veux ?

Par moments, je me dis que tu es un monstre, une menteuse pathologique, et par moments que c'est moi qui délire. Une petite aventure et là-dessus une grossesse indésirée, c'est un accident, un motif de crise, mais pas une monstruosité. Sans la coïncidence avec la parution de ma nouvelle, je pourrais affronter cette crise sans devenir fou. Mais il y a la déception, et plus encore que la déception, la blessure d'amour-propre, l'humiliation, le triomphe escompté qui verse dans le ridicule : c'est cela que je ne supporte pas, qui me fait te harceler et qui t'oblige à t'enfoncer dans des mensonges de plus en plus incohérents.

À l'aube, je n'y tiens plus, je t'appelle sur le portable. Ta voix est morte, on se parle bas, comme s'il y avait des gens près de nous qu'on craignait de réveiller.

Je dis : j'ai peur pour toi.

Oui.

Tu es où ?

Je n'ai pas à répondre à tes questions. Je t'ai aimé comme je n'ai jamais aimé quelqu'un.

Je sais. Moi aussi je t'ai aimée comme je n'ai jamais aimé quelqu'un. Mais je ne peux pas ne pas te poser ces questions. C'est trop grave.

Qu'est-ce qui est grave ? Que je ne sois pas montée dans un train ? Que je n'aie pas fait ce que tu voulais comme un personnage de roman ?

Non. Que tu sois enceinte d'un autre homme et que tu aies voulu me faire croire que cet enfant était de moi.

Je n'ai pas voulu te faire croire qu'il était de toi.

Alors il n'est pas de moi?

Je ne veux pas te répondre.

Bien.

Tu ne sais pas la vérité. Tu ne sais rien.

Mais je te la demande, la vérité. Je voudrais que tu me parles.

Laisse-moi un peu de temps. J'ai besoin de dormir, maintenant. C'est bien, que tu aies appelé.

Quand tu dis que tu n'as jamais aimé quelqu'un comme moi, jamais désiré quelqu'un comme moi, je sais que c'est vrai, n'en déplaise à Philippe de Nice et à son énorme bite qui me déclarent la guerre.

Et quand je te dis la même chose, tu sais que c'est vrai aussi.

J'ai envie de dire encore : mon amour. Depuis un an au moins, je répétais souvent, seul, à mi-voix : mon amour.

Je t'ai tellement aimée.

339 mails. Je commence à les trouver un peu répétitifs. Toujours les mêmes éloges, toujours les mêmes questions. Mais dans le tas il y a celui-ci, qui m'émeut autant que m'a fait mal celui de Philippe de Nice :

« C'est pour vous dire : merci.

Le Monde du samedi 20 juillet m'est arrivé par hasard, des amis de passage l'ont oublié chez moi. Je l'ai laissé traîner jusqu'à cet après-midi.

La maison est calme. Il fait très beau, très chaud.

On fait la sieste – vous comprenez?

Alors j'ai lu, et fait usage du *Monde*.

Et cela m'a fait plaisir.

Celui qui me faisait plaisir de cette façon se trouve aujourd'hui bien empêché, du moins de la manière simple et directe. Mais il sait qu'avec moi les mots sont efficaces. Alors il s'est servi de vous, je pense, il s'est servi de vos mots, et il est juste que je vous remercie de m'avoir transmis son message.

Celui qui me faisait plaisir est mort il y a bientôt cinq ans.

Depuis, je n'avais pas fait la sieste.

J'ai soixante-dix ans.

Encore merci. »

Tu es revenue pour me parler?

Oui, je suis revenue pour te parler.

Alors, avant, écoute-moi. Je t'aime à en crever, il y a peut-être une chance qu'on s'en sorte, mais il faut qu'aujourd'hui tu me dises tout. Que tu ne me mentes pas. Si tu me mens, je le saurai, pas parce que j'engagerai des détectives, mais à cause de ce phénomène bizarre qui existe entre nous et qui fait que je t'appelle à l'aube, de Kotelnitch, le jour où tu as découché, que tu apprends que tu es enceinte d'un autre le jour où je déclare au monde entier que je t'aime. Si j'apprends, et je l'apprendrai, qu'aujourd'hui tu m'as menti, nous sommes morts.

Je ne te mentirai pas. Mais je ne veux pas seulement te raconter ce qui s'est passé ces derniers jours, je veux te raconter notre histoire depuis le début.

Tu te rappelles notre premier dîner, au restaurant thaïlandais, près de Maubert?

Bien sûr, je me le rappelle.

Tu es arrivé en retard. Moi, j'avais étalé sur la table
des papiers à propos d'un poste qu'on me proposait, dans
ma boîte. Je me demandais si je devais l'accepter. C'était
important pour moi, j'ai voulu t'en parler et tu m'as écou-
tée quelques minutes en faisant mine de t'y intéresser, mais
très vite tu es passé à autre chose, tu t'es mis à me parler du
reportage que tu allais faire en Russie, à me raconter l'histoire de ton Hongrois. Et moi, je ne faisais pas mine de m'y
intéresser : je m'y intéressais réellement. Ça s'est mis en
place comme ça, dès ce soir-là. Tes histoires à toi nous intéressent tous les deux, les miennes n'intéressent que moi. Tu
les trouves négligeables. Mais ça, je me le suis dit seulement plus tard. Sur le moment, je suis tombée amoureuse.
Et toi aussi, je le sais, je n'ai aucun doute là-dessus. J'étais
venue à ce dîner avec l'idée que peut-être on allait se
retrouver dans le même lit, et quand je m'y suis réveillée,
le lendemain matin, j'ai su qu'on allait se revoir le soir
même, et les soirs suivants, et que tu en avais envie aussi,
et c'est ce qui s'est passé. C'était évident, un peu miraculeux.

Quand tu m'as proposé de venir habiter rue Blanche,
j'étais heureuse, en même temps j'avais peur parce que je
sentais bien que ça te faisait peur à toi. Tu ne l'as pas dit
clairement, mais je me rendais compte que ce qui t'aurait
convenu, c'est que j'apporte deux valises de vêtements et
que je garde mon appartement pour le cas où ça ne mar-

cherait pas. Je me rappelle, quand tu es arrivé avec la camionnette, tout le monde a ri parce que tu avais choisi le plus petit modèle et que tu avais l'air consterné par la masse des choses à transporter. Il n'y en avait pas beaucoup, pourtant, mais c'était encore trop pour toi. Je me suis sentie mal à l'aise quand je t'ai présenté les amis qui étaient venus m'aider pour le déménagement. Tu faisais de ton mieux pour être aimable, mais je voyais bien qu'ils ne te plaisaient pas. Tu étais plus âgé qu'eux, plus riche, tu faisais un métier plus prestigieux, et tu as eu devant eux un réflexe de classe qui m'a fait mal. J'y tiens, à mes amis, je les aime, et je n'avais pas envie de te les sacrifier.

Je t'interromps : mais Sophie, je ne t'ai jamais demandé de me les sacrifier. On a vu tes amis autant que les miens, on a donné des fêtes où ils se mélangeaient très bien. Et ce qui me trouble, quand je t'entends, c'est que tu parles comme si tu n'avais jamais été heureuse avec moi.

Si, j'ai été heureuse. Profondément heureuse. Plus heureuse que je ne l'ai jamais été avec personne. J'ai aimé vivre avec toi, faire l'amour avec toi, prendre le petit déjeuner le matin avec toi. Mais je ne me suis jamais sentie en sécurité. Tu étais fier de moi et en même temps tu avais un peu honte. Comme si je n'étais pas digne de toi, comme si je n'étais dans ta vie qu'une étape agréable en attendant que tu rencontres la femme qui te conviendrait vraiment. D'un instant à l'autre, parce que j'avais dit un truc que tu trouvais vulgaire ou parce que j'avais appelé quelqu'un d'un de ces surnoms qui t'énervent tellement, ton visage amoureux pouvait se transformer en un visage dur et lointain, un visage d'ennemi. Je t'aimais, je savais que tu m'aimais, mais j'ai tout le temps eu peur que tu me quittes. On le sait tous, bien sûr, que les choses ne sont pas éternelles, que les couples peuvent se défaire, mais normalement c'est juste une possibilité alors qu'avec toi ça devenait une menace perpétuelle. Tu n'as pas cessé de me répéter qu'il ne fallait pas que je te fasse confiance, qu'entre nous c'était à l'essai, que ça serait toujours à l'essai, qu'on était amoureux mais qu'on ne construirait rien ensemble. Tu te rappelles le soir où, dans la cuisine, tu as dit devant tout le monde que si je voulais un enfant, désolé mais ça ne serait pas avec toi ? Tu te rappelles le type qui s'est mis à me bombarder de mails, à m'envoyer des fleurs et des livres au bureau ? Quand je te l'ai raconté, tu l'as pris à la légère, comme si aucun rival ne pouvait te menacer. J'ai pensé que tu étais trop sûr de mon amour pour toi, trop sûr que si l'un de nous quittait l'autre, ce serait toi. Je t'en ai voulu, de cela, terriblement voulu.

Ensuite, il y a eu tes voyages en Russie. J'ai rêvé, au début, que tu me proposes de t'y accompagner, au moins de t'y rejoindre une semaine, de partager ce que tu me disais être tellement important pour toi. Je suis sûre que tu n'y as même pas pensé. Non seulement tu voulais vivre ça seul, mais à chaque fois que tu partais tu me laissais entendre que beaucoup de choses risquaient de se passer là-bas, que ta vie risquait d'y prendre une direction nouvelle. Je pensais aux femmes russes, bien sûr, j'étais jalouse. J'avais l'impression que là-bas tu étais à la recherche de quelque chose que je ne pourrais jamais te donner, moi. Je me sentais sur la touche, sans rien d'autre à faire que t'attendre, et t'attendre sans être sûre que tu me reviennes.

Tu te rappelles le dîner avec Valentine, juste avant que tu partes à Moscou, l'été dernier ? Tu te rappelles les histoires tellement marrantes que tu nous as racontées sur les randonneurs qui allaient nous draguer au refuge du col Agnel pendant que tu te ferais draguer, toi, par des mannequins russes ? J'ai ri, sur le moment, mais en réalité je ne les trouvais pas si marrantes, tes histoires. Je pensais que si tu avais voulu me dire : sens-toi libre, vis ta vie, parce que moi je ne vais pas me gêner, tu ne t'y serais pas pris autrement. Et tu sais ce qui s'est passé ? Je ne te l'ai pas dit cet hiver, parce qu'au fond j'avais l'impression que tu t'en foutais, mais c'est là, au refuge du col Agnel, que j'ai rencontré Arnaud. Le soir où tu as appelé de Moscou. Il faisait de la randonnée lui aussi, avec des copains. On a parlé, j'ai senti que ça l'impressionnait, que mon homme m'appelle de Moscou, et aussi qu'il se demandait ce que mon homme faisait à Moscou et moi dans le Queyras, il m'a même dit qu'à ta place il m'aurait emmenée à Moscou ou il serait venu avec moi dans le Queyras, mais qu'en tout cas il serait resté avec moi, qu'il ne m'aurait pas lâchée d'une semelle. Il n'osait pas me draguer, mais j'ai bien vu que je lui plaisais et ça me faisait plaisir. J'aurais préféré ne pas l'être, mais je me sentais disponible. J'avais l'impression que c'était toi qui, avec tes histoires, me poussais dans les bras de ce garçon, que tu l'avais prévu, que c'était ça, au fond, que tu voulais. Alors oui, je suis allée vers lui. Je t'ai raconté ce qui s'est passé ensuite. On s'est revus à Paris, on a échangé des mails…

Vous avez couché ensemble.

Oui, mais ça n'était pas le plus important pour lui, qu'on couche ensemble. Ce qu'il voulait, c'est qu'on se marie et qu'on ait des enfants. Qu'on passe toute notre vie ensemble. Il y croyait vraiment, et moi j'avais envie d'y croire. Ça me faisait du bien, d'être aimée de cette façon-là. Simple, droite, avec un avenir. Il savait que je t'aimais, bien sûr, mais ce qu'il me disait c'est que tu ne me rendais pas heureuse et que lui il pouvait me rendre heureuse. Il en était certain, et il était prêt à attendre que moi aussi j'en sois certaine. Il a attendu. Il souffrait, moi aussi je souffrais, il n'y avait que toi qui ne souffrais pas parce que tu ne voyais rien. Même la bague, tu ne l'as pas vue. Finalement, je t'ai parlé. Tu m'as demandé de rester et j'ai décidé de rester. Le jour même, je le lui ai dit. J'ai rompu avec lui.

Pour de bon ?

Pour de bon, oui, et ce que j'ai trouvé terrible, c'est qu'on n'en a plus jamais reparlé. Pour toi, c'était une affaire réglée, au bout de deux jours tu avais oublié. Un homme m'aimait vraiment, me proposait de m'épouser et de me faire des enfants, j'étais déchirée, et tu n'as pas pris ça une seconde au sérieux.

Si, je l'ai pris au sérieux. J'ai compris que si je voulais continuer à vivre avec toi il faudrait que nous fassions un enfant. Je t'ai seulement demandé d'attendre un an, pour être sûrs de nous.

Oui, tu m'as demandé d'attendre un an. Une fois de plus, c'est toi qui décidais, qui fixais ton calendrier, et moi, là-dedans, je n'avais pas mon mot à dire.

Tout de même, rappelle-toi, on a bu à cet enfant, à un dîner chez Jean-Philippe, et c'est moi qui ai surpris tout le monde en portant ce toast.

C'est vrai, et tu m'as dit que l'idée de moi enceinte était pour toi très érotique. J'ai aimé que tu me dises ça, j'ai pensé que c'était un vrai cadeau, pour moi et pour l'enfant.

Tu sanglotes et répètes doucement : c'est vrai…

Quand tu es reparti pour faire ton film à Kotelnitch, je n'ai pas bien compris ce qui s'est passé, mais j'ai plongé. Je me sentais seule, abandonnée, j'avais peur, je sentais ma vie partir par tous les bouts. J'ai passé une nuit avec un homme.

Une seule ?

Une seule, la nuit où tu as essayé de m'appeler pour me dire que tu allais rentrer plus tôt.

Je le savais. Je savais que tu me mentais.

Je t'ai menti parce que ça n'avait pas d'importance.

C'est qui, cet homme ?

Je te dis, ça n'a pas d'importance.

Je le connais ?

Non.

Et vous avez baisé sans capote ?

Silence.

Tu t'es aperçue quand que tu étais enceinte ?

Jeudi dernier. Quelques jours plus tôt, tu m'as dit : fais-moi confiance. C'est la première fois que tu me disais ça. C'est la première fois que je suis enceinte. C'est la première fois que j'avorte.

Tu baisses la tête. Tu pleures.

Je n'ose pas te toucher. Je demande doucement : tu as décidé d'avorter ?

Tu relèves la tête.

Je voulais un enfant de toi, Emmanuel, pas d'un autre. J'aurais voulu que ça se passe le plus vite possible, pour te rejoindre samedi le ventre vide, mais il y a un délai obligatoire, ça n'était pas possible avant lundi. C'est pour ça qu'il n'était pas question que je vienne ce week-end. Je ne voulais pas te revoir tant que ce n'était pas fait. Et ensuite tout s'est mélangé avec cette histoire de ta nouvelle. Je ne sais pas ce qu'il y a dedans, je n'ai pas la tête à la lire en ce moment, tout ce que j'ai compris c'est que tu voulais que je vienne à tout prix, que tu étais prêt à venir me rejoindre à Paris, et ça, ce n'était pas possible. Chaque coup de fil entre nous est devenu un cauchemar, c'est pour ça que j'ai fini par débrancher le portable. Je me suis dit que je t'expliquerais plus tard, que tu comprendrais ou que tu ne comprendrais pas, mais l'urgence, pour moi, c'était de couper toute communication entre nous.

Tu étais avec l'autre, c'est ça ? Celui dont tu es enceinte ?

Je ne pouvais pas porter ce poids toute seule, Emmanuel.

Et il disait quoi, lui ? Il voulait quoi ?

Garder l'enfant.

Sophie, je ne comprends pas. Tu couches avec un homme une seule fois, tu me dis que ça n'a pas d'importance, et lui, il veut garder l'enfant?

Tu murmures : il m'aime.

Un temps, puis je demande : c'est Arnaud?

Tu baisses les yeux. Et puis, après un long silence, tu me dis que tu as pris lundi la première pilule abortive, que tu dois prendre la seconde ce soir et que la gynécologue t'a annoncé une nuit de douleur et de saignements. Tu voudrais que je te laisse l'appartement quelques jours, tu as besoin d'être seule.

D'accord, je partirai demain pour l'île de Ré.

Je reviendrai demain, alors.

Mais cette nuit?

Cette nuit, je dormirai ailleurs. Ça me regarde moi, cette histoire, je ne veux pas la vivre avec toi.

Avec lui alors? C'est chez lui que tu vas dormir?

Je n'ai pas à te le dire.

Nous faisons une trêve. Je viens te rejoindre sur le canapé, tu t'allonges dans mes bras. Les lèvres dans tes cheveux, je murmure : mon amour, mon amour, en te caressant le visage. Mais l'ombre gagne. Je pense à Arnaud, ce jeune homme que je ne connais pas et qui t'aime, qui t'attend, qui attend que tu comprennes qu'avec moi ça ne mène à rien et que tu le choisisses. Je pense à sa souffrance, s'il t'aime comme tu le dis, et je crois qu'il t'aime comme tu le dis, quand tu as dû lui annoncer à la fois que tu attendais un enfant de lui et que tu avais décidé de ne pas le garder. Je pense au moment où tu m'as fait toucher tes seins gonflés. Comme tu aurais fait si tu avais été enceinte de moi.

Tu es partie, je reste seul. Je regarde les mails. Un anglophone que j'imagine, d'après son style fleuri de majuscules, adonné à la méditation transcendantale et à la récitation de mantras, m'écrit : « *You say in your story that you love the Real but it exalts the Unreal and the Evil. I hope that woman slapped you when you met her for degrading her in that way. I hope she left you. You deserve it. You deserve to have your heart broken.* »

Est-ce que je mérite d'avoir le cœur brisé ? Est-ce que je mérite que tu me quittes ? Que tu me gifles ? Tu ne m'as pas giflé, tu as fait pire, mais si tu as fait pire, c'est parce que je t'ai fait souffrir. Je n'ai pas su t'aimer, pas su te voir. Tu m'as menti, tu m'as trahi, mais lorsque tu découvres que tu es enceinte d'un autre homme, tu n'hésites pas un seul instant à avorter. Parce que c'est de moi que tu veux un enfant.

Est-ce qu'un jour nous en aurons un ?

Avant de monter en voiture, je parcours *Le Monde* au café. Le « médiateur », qui une fois par semaine commente le courrier des lecteurs, consacre sa chronique à ma nouvelle et fait, au nom du journal, acte de contrition. Il ne cite que des lettres indignées assorties de menaces de désabonnement, d'où il conclut que *Le Monde* s'est fourvoyé en publiant un texte à la fois scandaleux et médiocre. Si j'en avais le courage, j'écrirais moi aussi à ce médiateur pour lui rappeler cette règle élémentaire du journalisme : quand un lecteur trouve bon un article, il écrit à l'auteur, quand il le trouve mauvais il écrit à la rédaction. J'ai reçu depuis cinq jours plus de 800 messages dont les neuf dixièmes sont enthousiastes, le médiateur savait que j'avais donné mon adresse électronique, ça ne lui aurait pas coûté beaucoup de me demander quelques échantillons de ce courrier. Le plus blessant dans cette chronique, ce n'est évidemment pas l'indignation, mais l'ironie. Ma nouvelle y apparaît comme une provocation de gamin qui tombe à plat, quelque chose de vaguement ridicule et embarrassant. Dans ma petite carrière jusqu'alors sans faux pas, c'est la première fois que je me fais étriller sur ce ton et une des premières choses que j'apprendrai en arrivant dans l'île de Ré, c'est que Philippe Sollers a emboîté le pas au médiateur dans *Le Journal du dimanche*, raillant mon texte de haut, s'étonnant lui aussi que *Le Monde* ait publié ce morceau de pornographie impubère et finissant par une blague sur ce que doit penser de tout ça la secrétaire perpétuelle de l'Académie.

Ce qu'elle en pense est assez clair, mais elle se ferait hacher menu plutôt que de le dire et se contente de parler d'autre chose, des voisins, du temps, de Raffarin, des courses à faire, sans la moindre allusion à la nouvelle, à ton absence, à mes aller et retours erratiques. Mon père, quant à lui, semble avoir été piqué par une fléchette de radjaïjah, le poison qui rend fou dans Tintin, c'est-à-dire qu'à mon approche il se met à faire les cent pas en regardant ailleurs, et si, dans le salon, devant la télévision, je lui demande où est Jean-Baptiste, mon fils cadet, il répond, hagard : eh bien, sans doute dans sa chambre, ou devant la télévision.

Papa, dis-je doucement, tu vois bien que, devant la télévision, il n'y est pas.

Eh bien, j'ai dit qu'il devait être dans sa chambre ou devant la télévision, s'il n'est pas devant la télévision c'est qu'il est dans sa chambre.

(Cet échange a lieu à un mètre du poste.)

274

Dans cette atmosphère de désastre et de babil pétrifié, Jean-Baptiste ne demande plus qu'une chose : ça va ? Je lui réponds que non, ça ne va pas très bien, que ça va certainement aller mieux mais que pour le moment ça ne va pas très bien, et une minute plus tard il redemande : ça va ? On finit à la longue par les compter, cela devient un jeu du genre de pigeon vole, et par en rire.

Gabriel, son frère, est parti faire un camp d'escalade. Il reste seul avec mes parents, je suis venu pour lui, je pensais rester deux, trois jours, mais je comprends très vite que vingt-quatre heures, ce sera déjà beaucoup.

On va se baigner ensemble, l'eau est agitée et pleine d'algues, quand on rentre la pluie se met à tomber, l'orage éclate, mon père range les chaises longues comme on ferait la toilette d'un mort, ma mère à la cuisine fixe des yeux la cocotte-minute avec l'air d'attendre stoïquement qu'elle lui explose à la figure. Je me dis que même si tout s'était passé comme je l'avais prévu, c'était pure folie d'avoir imaginé que mes parents prendraient bien la nouvelle. Et à moi, qu'est-ce qui m'a pris ? Qu'est-ce qui m'a pris de choisir leur maison comme piste d'atterrissage et de les choisir, eux, comme témoins ? Dîner silencieux, éprouvant, après lequel, décidé à faire face et à ne pas me cacher, je vais rejoindre à Ars Olivier, Valérie et une bande d'amis plus ou moins communs : petite société très rétaise, c'est-à-dire très parisienne, et qui à mon arrivée bruisse de curiosité. Ta disparition, mes réponses évasives au téléphone, personne n'y comprend rien, tout le monde voudrait savoir. Je coupe court en disant qu'il s'est passé entre nous un truc un peu compliqué mais qui n'a rien à voir et que je n'ai pas envie de raconter. Le public est déçu. Je n'en dirai pas plus, on se rabat sur la nouvelle. Olivier, qu'on ne peut pas suspecter d'être prude, l'a trouvée... comment dire? bien foutue, mais, bon, quand tu connais les gens, ça fait quand même une drôle d'impression... Valérie dit que ça ne correspond pas du tout à ses fantasmes et que sortir sa bite comme ça devant parents et enfants, à son avis c'était tout de même un peu immature. Et Nicole a beau s'écrier : moi, j'aimerais qu'un homme m'écrive ça! Ce n'est pas toi, François, qui m'écrirais ça? (François hausse les épaules, se ressert un coup de blanc), l'impression domine d'un mélange d'ingéniosité, de forfanterie sexuelle et de perte de contrôle qui, sans laisser indifférent, met plutôt mal à l'aise.

Je bois beaucoup, fume beaucoup. Quand la conversation passe à autre chose, j'y tiens comme je peux ma partie, préférant ceci, dépréciant cela, et me disant à part moi que si je peux, à l'occasion, occuper une place dans ce genre de petits groupes, toi tu n'y arrives pas, tu détonneras toujours, tu seras toujours jalouse d'une fille comme Valérie qui est quoi? journaliste à *Elle*, mais tranche de tout avec assurance, pas avec ce tremblement d'indignation et d'humiliation qui se mêlent dans ta voix – mais c'est toi que j'aime, pour ta joie que j'ai parfois entrevue et qu'assombrit ta bâtardise originelle, le fait qu'à ta naissance, bébé paraît-il vilain, noir et poilu, ta mère a pleuré parce que personne d'autre qu'elle n'était là pour te regarder, mon amour.

Mon amour.

Repliés à l'intérieur de la maison, ma mère, Jean-Baptiste et moi jouons au Monopoly. Pendant la partie, d'où elle est vite éliminée, ma mère respire très fort, comme quand elle va très mal. De l'équilibre entre Jean-Baptiste et moi, on en arrive à ma défaite totale – plus un immeuble, plus un sou, plus rien –, commentée par des phrases à double sens que je crois semi-conscientes chez Jean-Baptiste et très conscientes chez ma mère : là, il ne te reste vraiment nulle part où aller… là, tu es vraiment mort.

Tu es vraiment mort.

Je me sens encore plus mort en lisant les quinze lignes de Sollers, dans le *Journal du dimanche*. C'est plus dur à avaler que le médiateur du *Monde*, Sollers, parce que c'est le chef du parti des railleurs, celui qui désigne à la meute de qui on peut se moquer sans prendre de risque. Moi qui ai toujours eu si peur du ridicule, c'est ce que j'aurais aimé être, si j'avais pu : quelqu'un qui se fout de tout et de tout le monde, en particulier de ceux qui s'en tirent moins bien que lui, quelqu'un qui regarde tout avec un fin sourire d'ironie supérieure, et je me dis que ce genre d'homme, c'est ce que mon malheureux grand-père si écrasé par la vie aurait aimé être, lui aussi.

Tu m'appelles vers minuit. Conversation à la fois morne et houleuse. Tu dis que je suis le seul homme avec qui tu y aies cru. Je te demande si tu y crois encore. Tu réponds que tu as besoin de temps. À la fin, je te dis que ce qui est grave, ce n'est pas le mensonge, pas l'accident, pas les conséquences, mais le fait d'avoir couché avec un autre homme. Ça, je ne le supporte pas. Je ne veux plus jamais que le sexe d'un autre homme entre en toi. Plus jamais.

Tu dis ça parce que tu sais que ça me fait du bien ?

Je dis ça parce que c'est vrai. Et cette phrase, soudain, me paraît violemment érotique : jamais plus d'autre bite que la mienne en toi.

Le lendemain matin, je m'assieds sur la terrasse avec ma mère pour un dernier café avant de reprendre la route. Silence, tintement de cuillers, malaise. Puis, tout à coup, sans me regarder : Emmanuel, je sais que tu as l'intention d'écrire sur la Russie, sur ta famille russe, mais je te demande une chose, c'est de ne pas toucher à mon père. Pas avant ma mort.

C'est étrange, mais je m'y attendais. J'attendais qu'elle me dise cela un jour, et même je l'attendais à ce moment précis, quand le silence s'est prolongé. Je reste silencieux un moment à mon tour, puis je dis que j'entends, que j'ai entendu, mais que c'est une demande terrible de sa part, qui revient à me tuer comme écrivain.

Tu es complètement fou, si tu t'intéresses à tes origines russes, il y a mille autres histoires intéressantes à raconter, je ne comprends pas ce qui te pousse à vouloir déterrer celle-là.

Mais maman, si je suis devenu écrivain c'est pour pouvoir un jour raconter celle-là, pour en finir un jour avec elle. S'il y a une chose qu'il est interdit de raconter, tu comprends bien que fatalement il n'y a que celle-là qu'on puisse et qu'on doive raconter.

Ce n'est pas ton histoire, c'est la mienne. D'ailleurs tu ne sais rien, Nicolas ne sait rien, c'est moi qui en suis la seule dépositaire et je veux qu'elle meure avec moi.

Tu te trompes : je n'en sais peut-être rien, mais c'est mon histoire aussi. Elle a hanté ta vie, du coup elle a hanté la mienne, et si on continue comme ça elle hantera et détruira mes enfants, tes petits-enfants, c'est comme ça que ça se passe avec les secrets, ça peut empoisonner plusieurs générations.

Attends ma mort.

À cet instant, je m'aperçois que Jean-Baptiste, affalé sur un lit dans la chambre d'enfants donnant sur la terrasse, a dû entendre toute cette conversation, cette histoire de secret qui empoisonne tout le monde et qui l'empoisonnera à son tour. Je ne trouve à balbutier qu'un pathétique : ça va ?, exactement comme lui, puis je mets mon sac dans le coffre de la voiture et je demande qu'on s'asseoie, selon la coutume russe quand quelqu'un part en voyage. Cela dure moins de dix secondes, ma mère se lève immédiatement pour reprendre Jean-Baptiste que j'ai pris sur mes genoux – vite, le séparer de son père fou –, et je pars sans que personne me demande où je vais, quand je reviendrai. L'urgence, pour eux et moi, c'est que je disparaisse.

En voiture, remontant vers Paris, je pense au premier séjour que j'ai fait en Russie, avec ma mère. Invitée à un congrès d'historiens à Moscou, elle avait décidé de m'emmener. Je devais avoir dix ans. J'aimais Maman – c'était alors Maman, pas ma mère – d'un amour absolu et confiant, en sorte qu'un voyage seul avec elle, dans un pays lointain, le pays d'où elle venait, était sans doute ce qui pouvait m'enthousiasmer le plus au monde.

Nous avions une chambre à deux lits dans l'immense hôtel *Rossia*, où se déroulait le congrès. Elle m'emmenait partout, j'écoutais sagement les communications. Elle était toute à moi, moi tout à elle. C'était une intimité de chaque instant, un voyage d'amoureux. Le matin, en longeant les interminables couloirs de l'hôtel, nous nous dirigions vers l'une des nombreuses *stolovye* où était servi le petit déjeuner et où officiaient des *diéjournyé* revêches à souhait, dont nous nous moquions sous cape. Maman aimait rire, particulièrement avec moi, mais elle avait besoin de rire *de* quelqu'un. Il fallait que les gens soient un peu ridicules pour que ressorte combien nous étions, elle et moi, intelligents, cultivés, ironiques, en un mot supérieurs. Dès qu'il y avait un répit dans les activités du congrès, nous allions nous promener tous les deux. Nous avons visité le Kremlin, et Novodiévitchi, et Zagorsk, et même Vladimir et Souzdal. J'aimais beaucoup, sur la place Rouge, le monument à Minine et Pojarski. Je ne me rappelle pas bien qui étaient au juste ces héros, mais leurs noms me faisaient rire, je les appelais Mimine et Pirojki et je me surnommais moi-même Monsieur Mimine, et j'étais aux anges quand ma mère utilisait ce surnom. J'étais déjà Manouchok pour elle, il existait dans la famille une sorte de comptine qu'avait improvisée Nana et que mon père ne se lassait pas de fredonner dans sa version française : « Manou, viens chez nous… », mais ce qui me plaisait le plus, sans doute parce que c'était seulement entre nous deux, c'était d'être Monsieur Mimine pour Maman.

Au cours de ce congrès, Maman a fait la connaissance d'un homme dont je ne me rappelle rien, sinon qu'il était brun, trapu, et qu'il l'a invitée dans sa chambre pour goûter du cognac daghestanais. L'invitation s'étendait-elle à moi, ce n'était pas clair, même s'il était clair que l'homme aurait préféré boire son cognac en tête-à-tête avec elle – en tout cas elle l'a poliment déclinée. Nous le retrouvions cependant à la *stolovaya*, prenions avec lui le thé et le café, en somme étions souvent tous les trois ensemble. De toute évidence, cette jolie Française brune lui plaisait, mais il n'a pas dû tarder à se rendre compte que le fils constituait un obstacle insurmontable. À sa place, j'aurais détesté ce petit garçon pédant et collant. Il me semble que de mon côté, moi, Manouchok, Monsieur Mimine, je ne m'en faisais pas du tout. Cette jolie jeune femme qui attirait les hommes, c'était ma maman et j'étais son préféré, je ne doutais pas qu'elle préférait rentrer se coucher avec moi dans notre chambre plutôt que de suivre un autre dans la sienne pour boire avec lui du cognac daghestanais. Je ne me représentais pas alors les autres hommes comme une menace. J'étais certain de l'amour exclusif de Maman et pour cette raison pas jaloux. C'est encore ainsi aujourd'hui : je suis certain que la femme qui m'aime m'aime exclusivement, quoi que je fasse ne cessera de m'aimer – mais si cela se révèle faux, je deviens fou.

Quand j'arrive à la maison, tu es en train de prendre un bain. Je me déshabille, me glisse en face de toi dans la baignoire. Nous nous emboîtons bien, l'eau est chaude, je caresse tes jambes, tes pieds qui reposent sur mes épaules, je ferme les yeux, je me sens à l'abri. J'ai dû m'assoupir un moment, je me rappelle à mon réveil une conversation calme, avec de longs intervalles entre chaque phrase, une conversation que la fatigue rend très douce. Mais ensuite nous sortons dîner rue des Abbesses, je descends vin blanc sur vin blanc sans toucher à mon assiette et je deviens odieux. Je dis que, toi qui es tellement jalouse, tu as tout de même trouvé moyen de me tromper sans discontinuer pendant un an. Que tu n'es pas une fille qui s'est tapé tout le monde mais une fille que tout le monde s'est tapée, le genre qu'on baise bourré à la fin d'une fête et qu'on ne rappelle pas. Que tes amis sont lamentables et tes amants aussi. J'ironise sur Arnaud, tellement droit, tellement fiable que ç'en est écœurant. Je t'imagine, dans dix ans, vivant dans un pavillon de banlieue avec ton gentil mari qui astique sa voiture le dimanche et que tu trompes tant que tu peux, d'ailleurs non, tu ne le trompes plus, tu n'es plus si jeune, plus si belle. Je dis : l'amour que j'ai pour toi, c'est une drogue, ça va être plus long que je ne pensais de m'en désintoxiquer mais j'y arriverai, ne t'en fais pas, d'ailleurs je ne m'en fais pas pour toi non plus, tu trouveras toujours des hommes plus faibles que toi, des Arnaud à massacrer, pauvre petit Arnaud, je le plains. Je t'accable de mépris et de haine, tu m'écoutes sans répondre. À un moment, seulement, tu me parles du sourire affreux que tu as vu sur mon visage quand je suis revenu de chez le Dr Weitzmann.

Mais ce sourire affreux, c'est toi qui en mentant comme tu as menti l'as amené sur mon visage.

Quand même, tu avais l'air tellement content de nous faire du mal…

Je rentre ivre en répétant que je ne veux plus te toucher, que tu me dégoûtes, je vais me coucher dans le lit de Jean-Baptiste avec l'impression de faire, pour le principe, une scène puérile et d'attendre le moment d'en sortir sans perdre la face. À l'aube, tu viens me chercher, tu me fais revenir dans notre lit, je me rendors serré contre toi, en cuillers, tes seins dans mes mains, et je fais un rêve atroce dans lequel un petit garçon découvre qu'il est en train de devenir mongolien. Il pleure, il se révolte devant moi qui reste consterné, impuissant, et tout ce que je trouve à lui dire c'est : tu ne seras pas malheureux parce que tu ne t'en rendras pas compte.

Tu pars travailler, je reste seul. J'ai la gueule de bois, je fume énormément. Pour m'occuper, je dépouille les nouveaux mails tombés. Presque mille. Une femme de lettres qui se dit connue mais ne donne pas son nom souhaite engager avec moi une correspondance masquée sur le thème : jusqu'où un écrivain peut-il offrir ses proches en pâture au public, les sacrifier à sa propre jouissance ? Elle est persuadée que la nouvelle a eu des conséquences terribles dans ma vie et dans notre relation, si l'héroïne est bien ma compagne et non une maîtresse intermittente. Je n'aime ni les mystères ni le ton de ce message, mais il touche juste. Je me demande si écrire, pour moi, revient nécessairement à tuer quelqu'un.

Nous devons dans trois jours partir en Corse, où nous avons loué une maison avec mes amis Paul et Emmie. Est-ce que nous partirons ? Et, même si nous partons, que faire d'ici là ? Je n'ai plus rien à noter dans ce fichier, j'ai répondu aux quelques mails qui m'ont donné envie de répondre et tout autre travail est impossible. Écrire notre histoire, c'est trop tôt, à supposer que je l'écrive un jour. Écrire sur la Russie, sur mon grand-père, cela m'est défendu par ma mère et j'ai beau être certain, absolument certain qu'un jour ou l'autre, d'une façon ou d'une autre, il faudra pour vivre que je transgresse sa volonté, je ne peux pas, je demeure interdit. Je me suis souvent répété que l'automne 2003, où j'atteindrai l'âge de mon grand-père, serait le temps de ma délivrance, mais ce qui risque d'arriver aussi bien, c'est que j'accomplisse à mon tour son destin, que le mort sans sépulture se venge sur moi et que je disparaisse.

J'ai peur.

Je trouve dans l'annuaire le numéro de téléphone d'Arnaud, que je forme en comptant bien qu'à cette heure-ci il ne sera pas chez lui. J'écoute l'annonce de son répondeur. Il a la voix d'un très jeune homme, une voix mal posée mais sans pose, la voix de quelqu'un qui n'essaie pas de se faire passer pour un autre. Il n'y a dans cette voix aucune ironie, aucune distance à soi ni à son rôle, aucun soupçon qu'on puisse en société tenir un rôle, mais une sorte d'immédiateté naïve, enthousiaste. C'est la voix d'un garçon qui ne se regarde pas sans fin dans les miroirs, qui nourrit des projets réalisables, qui fait confiance aux autres et leur inspire confiance : le contraire de ce que j'étais à son âge et de ce que je suis encore aujourd'hui.

Je fouille dans tes affaires, déniche dans un tiroir de ton bureau un carnet sur lequel tu as de loin en loin dressé des listes de choses à faire, de livres à lire, mais aussi, brièvement, noté ce qui te tourmentait. À l'automne dernier, tu t'es demandé, sur deux colonnes, ce que tu perdrais et ce que tu gagnerais en me quittant pour Arnaud. D'un côté, entente sexuelle unique, moments de bonheur intense, milieu plus brillant, mais je suis tordu, égocentrique, pas sécurisant ; de l'autre, tendresse, confiance, loyauté, enfants – prénoms de nos enfants ? Plus loin, on est en juin, je suis à Kotelnitch et c'est l'anniversaire d'Arnaud à qui, après beaucoup d'hésitations, tu téléphones pour le lui souhaiter. Tu ne lui as pas reparlé depuis votre rupture. Vous vous revoyez. Il est toujours amoureux de toi mais, comme tu ne lui as laissé aucun espoir, il essaie de t'oublier. Il s'est trouvé une petite amie et cela, notes-tu franchement, tu ne le supportes pas.

Je t'attaque là-dessus quand tu rentres, épuisée, du travail. Je suis épuisé moi aussi d'avoir tourné en rond, fouillé et ressassé, mais j'ai eu le temps de préparer mes phrases, que je veux le plus blessantes possible, et mon cheval de bataille, ce soir, c'est Arnaud. Pauvre Arnaud. Un garçon naïf, vulnérable, qui t'aime éperdument et dont tu te sers sans scrupules pour affronter tes problèmes avec moi. Une assurance, au cas où je te quitterais. Quand je ne suis pas là, ou que ça se passe mal entre nous, tu te tournes vers lui mais tu ne lui donnes rien, rien que de faux espoirs. S'il a une petite amie, tu t'affoles, tu recouches avec lui pour t'assurer de ton emprise. Déjà, avec moi, que tu aimes, le moins qu'on puisse dire c'est que tu ne te conduis pas bien, mais avec lui tu es carrément immonde.

Tu m'écoutes. Tu te tais. Tu te changes, tu fais à dîner, je te suis d'une pièce à l'autre en t'insultant. À la fin, tu me dis : ce qui est vrai, dans tout ça, c'est que j'ai tué un enfant qui était dans mon ventre parce qu'il n'était pas de toi.

Tu pleures.

Plus tard, nous faisons l'amour. Je te dis que je t'aime, que je t'aime par-dessus tout. Tu me demandes pardon de m'avoir fait du mal. Tu veux que nous partions ensemble en Corse, comme prévu. Le sommeil, la mer, un lit, du temps : nous pourrons nous reposer, nous parler. Je dis que oui, c'est ça que je veux aussi, je promets que je vais me calmer. Nous nous endormons l'un contre l'autre et je me réveille en train de te tuer.

Nous roulons à moto sur une piste dans le désert. La nuit tombe. Je conduis très vite, tu es derrière moi, tu me serres la taille de tes bras. Je tourne à moitié la tête vers toi pour te parler, je suis obligé de crier à cause du vent et de la vitesse. Je te dis que ce serait bien si on rentrait de Corse samedi plutôt que dimanche, pour avoir un moment tranquille à la maison avant que tu reprennes le travail. Tu me réponds, en criant aussi, que si on rentre samedi soir tu me prépareras à dîner, tu me laisseras un dîner prêt. Je suis étonné. Comment? Tu ne seras pas là? Tu sortiras ce soir-là? Tu dis que oui, tu devras sortir. J'ai l'impression que tu te moques de moi. Furieux, je dis qu'alors je ne te demande qu'une chose, c'est de partir vite, que je ne te revoie plus, qu'il n'y ait plus trace de toi dans la maison. En riant, tu me dis que je change tout le temps d'avis. Tu ajoutes : embrasse-moi, mon amour. Je me retourne complètement vers toi, je ne vois plus la route, en même temps j'accélère. Je t'embrasse et je te mords, je mords le coin de ta bouche comme si je voulais te lacérer le visage. Tu ris de plus en plus fort. La moto se couche sur le côté en soulevant une gerbe de sable, il fait nuit, tu es tombée, tu continues à rire, le visage à moitié arraché, et je me mets à te donner des coups de pied. Je veux t'écraser, te tuer à coups de pied. Tu ris, tu te moques de moi, et je te tue.

Je me lève en tremblant, je vais fumer une cigarette dans le bureau. Il fait encore nuit. J'écris ce rêve dans le fichier où je note tout ce qui nous arrive. Un peu solennellement, je me dis qu'il marque le début du deuil. Je ne veux pas que tu meures, mais je veux tuer mon amour pour toi, qui me fait trop mal. Tu mentiras toujours, tu trahiras toujours. Quand je t'entends dire : mon amour, j'entends aussi : Véro ne veut pas te parler. Je commence à préparer des phrases méchantes, mais je me reprends : il ne faut pas être méchant, seulement triste et ferme. Désolé pour les vacances, il vaut mieux que je parte seul en Corse, je te demande d'avoir déménagé à mon retour. J'espère que ton talent pour te mentir autant que tu mens aux autres te permettra de vite te bricoler un scénario selon lequel c'est toi qui m'as quitté parce que je suis un type affreux, égocentrique, pervers, tout ce que tu voudras. Sois tranquille, je ne te contredirai pas. Pense ce qui peut t'aider à te regarder dans la glace le matin, tout ce que je te demande, moi, c'est de t'en aller. Si Arnaud veut encore de toi, saisis cette chance. Rappelle-le pour lui dire : mon amour, j'ai choisi, je quitte Emmanuel, c'est toi que j'aime. Repars sur un mensonge, au point où tu en es tu n'as plus que ça à faire.

Non. Ne pas être méchant.

Cette pente m'inquiète, c'est quand on aime encore qu'on est méchant, et je crains évidemment les retours du désir, mais je suis certain cette nuit de prendre la bonne décision. Je te l'annoncerai dès demain. Nous ne nous reverrons plus. Je resterai seul dans l'appartement vidé de ta présence, de tes affaires, de ton odeur, ce sera douloureux mais je travaillerai. Je raconterai ce qui s'est passé depuis deux ans : le Hongrois, mon grand-père, la langue russe, Kotelnitch et toi, tout cela ensemble. Impossible à publier, à cause de ma mère surtout, à cause de toi aussi à qui je ne veux pas faire de mal, mais pas impossible à écrire. Un temps de retrait, sans rien demander à personne, sans chercher à toute force une nouvelle femme. Ne pas être méchant, juste dire que c'est fini. M'en tenir là.

Ça ne se passe bien sûr pas ainsi. À peine ai-je commencé à te parler, sur le ton grave et ferme auquel je me suis entraîné, je sais déjà que ma résolution va fléchir et que j'aurai beau jouer l'inébranlable, ce ne sera qu'un jeu, finalement je me laisserai faire comme un enfant qui pousse le plus loin possible la bouderie jusqu'à ce que sa mère le prenne dans ses bras. Tu m'écoutes débiter mon petit discours et bien que tu ne ries pas, comme tu l'as fait dans le rêve, je vois que tu ne le prends pas au sérieux. Tu me dis que premièrement, si tu dois partir, tu partiras quand et comme il te conviendra, tu es chez toi, deuxièmement que je change d'avis tout le temps, qu'on a prévu d'aller ensemble en Corse et qu'on fera ce qui était prévu. Je dis que si tu y vas, c'est simple, moi je n'irai pas : j'appelle Paul pour le prévenir. Je me dirige vers le téléphone mais tu me dis calmement de ne pas le faire et je ne pousse pas le ridicule jusqu'à former le numéro pour raccrocher ensuite. J'ai perdu et j'aime mieux, au fond, avoir perdu. Je dis que de toute façon l'amour est mort entre nous, tu me réponds que non, ce n'est pas vrai, et je sais bien que tu as raison.

Depuis huit jours qu'elle est parue, tu dois être la seule personne que je connaisse à n'avoir pas lu la nouvelle écrite pour toi. Tu m'as dit que tu la lirais en Corse. Nous nous sommes levés très tôt pour faire les bagages et je guette la brochure que j'ai posée en évidence sur ton bureau, attendant que tu la prennes. Je me dis que si tu la prends, si tu n'oublies pas ce cadeau devenu misérable mais que je veux quand même te donner, tout est encore possible, sinon c'est décidément foutu. Tu ne sembles pas la voir. Je vais fumer ma première cigarette sur le balcon, je reviens dans la chambre et te demande à deux reprises si tu n'oublies rien. Tu sens l'importance de ma question mais non, tu ne vois pas.

Emmanuel, qu'est-ce que j'oublie? Dis-le-moi.

Non, non, ça n'a pas d'importance.

Je te le dis dans le taxi, avec un ricanement de satisfaction amère : tu n'en rates pas une, décidément.

Mais pourquoi tu ne me l'as pas dit?

C'était à toi d'y penser. Moi, je la connais déjà, figure-toi.

J'arrive à l'aéroport débordant de haine et, juste après le décollage, je te dis quelque chose d'affreux dont j'ai honte encore aujourd'hui. Tu sais ce qui va se passer? Tu veux que je te le raconte? On va faire ce qu'on a dit. Nager, paresser au soleil, fumer des joints. Ce sera bien. Je serai charmant, tendre, attentionné, je te ferai l'amour, je te dirai que je t'aime, mais je te préviens : ce sera un mensonge. Je vais passer deux semaines à te mentir, alors que la vérité ce sont les choses atroces que je t'ai dites. C'est ça que je pense de toi et c'est pour ça qu'au retour je te chasserai. Tu as bien entendu ? Dans cinq minutes, je te dirai le contraire, je te supplierai de ne pas croire ce que je viens de dire, mais il faut que tu saches qu'alors je mentirai. Compris ?

Tu fermes les yeux, tu restes un moment sans pouvoir respirer, je vois ton ventre secoué de spasmes. Au bout d'une demi-heure de silence, je prends ta main et te demande pardon.

La maison, dans un village de montagne, domine la mer. Elle est ancienne, les portes sont voûtées, les murs épais, il fait frais dedans, chaud dehors. Paul et Emmie nous y accueillent avec une amitié rieuse, mais en marchant sur des œufs. Comme tous nos amis, ils ont deviné que la parution de la nouvelle a eu entre nous des conséquences catastrophiques, lesquelles ils n'en savent rien et ils n'osent pas poser de questions. Il suffit de nous voir, en tout cas, pour comprendre que ce n'est pas terminé. Ils allaient partir à la plage, nous proposent de les accompagner, je dis que nous les rejoindrons peut-être, plus tard, et nous nous enfermons dans notre chambre pour faire l'amour. Être en toi, c'est pour moi la seule terre ferme, autour les sables mouvants, et pendant quatre jours nous n'arrêterons pratiquement pas. Je reste deux, trois heures sans débander, je ne peux rien faire d'autre, je n'ai pas envie de quitter le lit, de me lever, d'aller à la plage, de dîner, il n'y a de possible que le sexe avec toi, le désir fou et douloureux de toi. Je te répète que je ne veux plus jamais que tu couches avec un autre, je te dis combien c'est non seulement essentiel mais sexuellement excitant, la fidélité, tu dis oui mon amour, oui. Je tiens ton visage entre mes mains, je te regarde jouir, je te demande de garder les yeux ouverts, tu les ouvres très grand, j'y vois autant d'effroi que d'amour. Nous dormons par à-coups, imbriqués, sentant la sueur et l'angoisse. Même le sommeil est violent. Dès que nous ne sommes plus enlacés, je redeviens odieux, je te dis que ton visage innocent est pour moi le visage du mensonge, je reviens inlassablement sur l'horreur de ce que tu as fait, sur l'horreur de ces coïncidences, sur cette déclaration d'amour restée en souffrance. Paul et Emmie nous voient hagards, n'y comprennent rien, oscillent entre l'effort de rester naturels et la tentation de nous parler – quand ils peuvent nous parler – comme à des rescapés d'un crash aérien. Tu fais un peu meilleure figure que moi, qui même pendant les repas ne dis mot. Il y a quelques moments de trêve, pourtant : une baignade sur des rochers, un verre sur une terrasse où nous pouvons parler calmement. Quand deux êtres qui s'aiment ont traversé une crise pareille, que chacun a été pour l'autre le visage du bonheur mais aussi celui de l'épouvante, alors tout devient possible, la confiance doit pouvoir enfin se déployer. Nous y croyons à cet instant, je te dis que je t'aime et j'y crois. Un soir, je prépare une ratatouille. Tu es touchée, tu me le dis, de me voir plonger la longue cuiller en bois dans le faitout, goûter les légumes qui mijotent sur le feu, tu aimes la vie quotidienne avec moi et qu'elle puisse être douce, qu'elle ne soit pas seulement cette rage de sexe. Mais à un moment, pendant les préparatifs du dîner, tu t'éloignes sans me prévenir pour téléphoner plus haut dans le village – les portables ne passent pas autour de la maison. Dès que je remarque ton absence, je m'affole. Je cours à ta recherche dans les deux rues et les trois escaliers qui montent vers l'église, sur les marches de laquelle je te trouve. Je t'arrache le portable des mains, je t'insulte, je t'accuse de me torturer, d'aiguiser ma jalousie, de vouloir me rendre fou. Tu es bouleversée mais, au lieu de m'insulter en retour, tu me fais asseoir sur le muret de pierre qui surplombe le village et tu m'expliques aussi calmement que tu peux que non, tu n'appelais pas Arnaud, tu appelais l'ami corse chez qui tu voudrais que nous passions deux jours, à Ajaccio. Ma fureur te fait peur mais tu dis la comprendre, tu admets que tu as eu tort de partir sans me prévenir, tu me demandes pardon. Je dis que la question, ce n'est pas que je te pardonne ni que tu me pardonnes, c'est que ce n'est pas possible de vivre comme ça. Je ne supporte pas d'être ce type méfiant, cruel, qu'assaillent de telles bouffées de haine et de panique, qui devient fou parce que tu t'éloignes un instant. Je ne supporte pas d'être cet enfant qui boude et qui attend qu'on le console, qui joue à haïr pour qu'on l'aime, à quitter pour qu'on ne l'abandonne pas. Je ne supporte pas d'être ça, et je t'en veux d'avoir fait ça de moi. Je m'apitoie, je sanglote, tu me caresses les cheveux. J'ai mal, je me déteste, je jouis de me détester.

Nous partons voir tes amis à Ajaccio. Pendant tout le trajet, je conduis sans te regarder et ne desserre pas les dents. Tu voudrais que j'admire le paysage, je te réponds que je m'en fous complètement. Le couple d'amis corses est très corse, très cordial. Ils ont prévu de nous emmener le soir à un concert consistant à la fois en chants nationalistes corses et en chants révolutionnaires chiliens. Sans faire aucun effort pour donner le change, je dis que je ne me sens pas bien, que je préfère rester seul. Tu me proposes de rester avec moi, je refuse. On me laisse une clé, je vais boire quelques bières dans un café du cours Napoléon, puis je rentre fumer un joint sur le balcon qui a vue sur le port et j'essaie de dormir. Il fait très chaud, le bruit et la musique des cafés montent par la fenêtre ouverte. À un moment, mon portable sonne, je vois ton nom s'afficher sur le cadran mais je ne réponds pas. Je pense que ce serait bien de ressortir et de rentrer très tard, après toi, pour que tu t'inquiètes, ou alors de reprendre la voiture, de rouler toute la nuit sans te laisser un mot d'explication, mais je suis épuisé, un peu ivre, je somnole par à-coups jusqu'à ce que tu reviennes, vers une heure du matin. Je vous entends, tes amis et toi, parler un moment dans la cuisine. Vous riez et je t'en veux de rire. Je t'en veux de ne pas venir tout de suite auprès de moi. Quand tu entres enfin dans la chambre, je suis tourné vers le mur, roulé en boule sous le drap humide. Je t'entends qui te déshabilles, je te sens qui t'allonges contre moi, tu m'enlaces et je te repousse avec dégoût, je repousse la femme qui fait de moi cet homme horrible. Je t'en voudrais si, de guerre lasse, tu te détournais, mais tu ne te détournes pas, patiemment tu me ramènes à toi.

Un peu plus tard, tu m'entraînes dans la cuisine pour prendre une tasse de thé et une tartine. Je n'ai rien mangé, tu insistes pour que je mange. Tes amis dorment, les cafés en bas ont fermé. Nous sommes nus tous les deux. La cuisine est jolie, gaie, peint en jaune au torchon, avec des sortes d'azulejos. Je te regarde, nue, préparer le thé, et te voir bouger nue, bronzée, si belle, me fait rêver de la vie qui serait possible avec toi. Nous en avons parlé déjà, d'aller habiter quelque part dans le Sud. Tu trouverais un travail qui te plairait, j'écrirais, nous aurions de nouveaux amis, mes enfants viendraient pour les vacances, notre vie quotidienne serait douce, je te regarderais aller et venir, nue, peut-être nue et enceinte, dans une maison qui pourrait ressembler à celle-ci. Comme ce serait bien ! Et comme ce serait facile, si on le décidait ! Mais je me connais, je ne tarderais pas à me voir dans la peau du type qu'une fille pas de son milieu, jalouse et possessive, coupe de tout et transforme en provincial pépère, secrètement amer. Je trouverais ça horrible. Je trouve tout horrible. Nous buvons notre thé, tu me souris, tu es belle et je te dis que je suis trop mal, que je ne vais pas rester. Tout à l'heure, quand nous aurons un peu dormi, je reprendrai la voiture et je rentrerai à Novella. Tu soupires, tu ne discutes pas. Je dis encore : écoute, si nous restons ensemble, tu ne peux pas garder ta porte de sortie. Soit tu la fermes, soit tu la prends. Soit tu ne revois plus du tout Arnaud, tu ne lui laisses aucun espoir, soit tu pars avec lui, mais tu arrêtes de jouer sur les deux tableaux. C'est important, je voudrais que tu réfléchisses à ça.

Tu hoches la tête.

Nous retournons au lit. Nous ne faisons pas l'amour. La dernière fois, c'était la veille, avant de partir, et l'idée me traverse que peut-être c'était vraiment la dernière fois.

À Novella, Paul et Emmie sont un peu ahuris de me voir revenir seul. Je bois beaucoup au dîner et je leur raconte toute l'histoire. Même si je ne l'ai encore racontée à personne, je sais déjà qu'il y a deux façons de la raconter. À la première, l'interlocuteur réagit en disant : tu as raison, cette fille est menteuse, jalouse et infidèle, ce que tu as de mieux à faire c'est de la quitter. Et à la seconde : vous venez de vivre une crise très violente, mais ce que j'entends dans ce que tu dis c'est que tu l'aimes et qu'elle t'aime, alors surmontez ça, déployez-vous, soyez heureux. Ce soir, je raconte la seconde version, mais je passerai de l'une à l'autre, les jours suivants, au gré de cette oscillation pendulaire qui est mon symptôme, le plus insupportable de tous.

Tu m'appelles tard. Tes amis corses t'ont emmenée passer le week-end dans leur village de montagne et tu t'y sens très mal. La maison est oppressante, les amis d'une jovialité pénible, comme tu ne conduis pas tu dépends de leur voiture, le portable ne passe pas et l'unique téléphone est au milieu de la salle à manger où les voisins se rassemblent pour palabrer sans fin. Heureusement, ils viennent de partir à la fête du village, tu es enfin seule un moment. Tu trembles, tu pleures, tu as peur. Tu ne cesses de penser à ce que je t'ai demandé avant de quitter Ajaccio :

pas de porte de sortie, ou alors tu la prends. Tu dis que tu ne peux pas me promettre ça. Si tu ne peux pas avoir confiance en moi, tu te retourneras vers Arnaud, c'est inévitable.

Alors fais-le maintenant. Pars avec lui.

Mais Emmanuel, je t'aime.

Tu m'aimes, mais c'est Arnaud qui t'aime comme tu demandes à être aimée et comme moi je ne peux pas te promettre de t'aimer. Si tu me quittes pour lui, il faut que tu coures le risque, que tu ne regardes pas en arrière, c'est à cette condition que tu seras peut-être heureuse.

Je déteste que tu parles comme ça. C'est pervers. Tu peux t'offrir le luxe de me pousser vers Arnaud parce que tu sais que je t'aime et que si je te quitte c'est pour pouvoir un jour te revenir. Si je le fais, ce sera pour ça, pour être enfin avec toi sans avoir tout le temps peur que tu me quittes, parce que je t'aurai montré que je pouvais te quitter, moi.

Si tu vas vers Arnaud en pensant ça, ce n'est pas la peine. Mais c'est ce que tu penses tout de suite, avec moi. Si tu étais avec lui ce serait différent. Peut-être que ce qui se passe maintenant, ce n'est déjà plus notre histoire à toi et moi, mais la vôtre, à tous les deux.

Ne dis pas ça, je t'en supplie, ne dis pas ça.

Sophie, je ne dis pas ça ironiquement, je te jure. Je veux ton bien et ton bien, ce n'est pas moi. Je suis trop blessé, je t'en veux trop, et même avant l'horreur de cet été je n'ai jamais su te donner confiance. Je voudrais que tu sois heureuse et si c'est avec Arnaud que tu peux l'être, alors je le souhaite vraiment, et il y a une chose que je peux te promettre, une seule, c'est qu'à partir du moment où tu auras choisi de me quitter je ne serai plus là, vraiment plus là, tu ne tromperas jamais Arnaud avec moi, avec d'autres si tu veux, je n'y pourrai rien, mais pas avec moi. Je n'interférerai pas dans votre histoire, je ne serai jamais ta porte de sortie.

Mais je ne veux pas que tu sois ma porte de sortie, je veux vivre avec toi, je veux un enfant de toi et ce que je comprends tout de suite c'est que pour que ce soit possible un jour il faut que je te quitte. J'ai l'impression de devenir folle. J'ai mal. J'ai horriblement mal.

J'ai mal aussi, je vais sans doute avoir encore plus mal que toi. Tu pars vers un homme qui t'attend, tu vas commencer une nouvelle vie, moi je vais rester seul, faire l'amour pour moi ça veut dire faire l'amour avec toi, l'appartement rue Blanche n'avait pas de fantôme, maintenant il en a un, alors je t'assure, j'ai besoin de courage pour ne pas te faire de promesses que je ne suis pas certain de tenir. Je t'ai fait souffrir mais je ne t'ai jamais menti, je ne vais pas commencer maintenant.

Je t'aime. Je sais que tu es l'homme de ma vie.

Tu ne sais pas, c'est peut-être Arnaud. Cours le risque.

Je m'endors ivre, anesthésié par l'alcool. J'ouvre les yeux vers 9 heures, je reste prostré au lit jusqu'à midi. Je ne bouge pas du tout, comme si la souffrance était un animal, à l'intérieur de moi, que le moindre mouvement réveillerait. Emmie, à travers la porte, m'annonce que Paul et elle partent pour la journée, je réponds par un grognement indiquant, à défaut d'autre chose, que je suis encore en vie.

En début d'après-midi, tu me rappelles. Tu me dis que tu rentres à Paris. Tu auras déménagé à la fin de la semaine.

Bien.

Il faudra qu'on s'appelle, quand même, pour que tu saches ce que je prends.

Tu prends ce que tu veux, j'aimerais juste que tu me laisses deux ou trois photos de toi et de nous deux. Et je crois qu'il vaut mieux qu'on ne se parle pas.

D'accord. Mais tu sais, j'ai l'impression de faire une énorme connerie et de ne pas pouvoir faire autrement.

Les jours qui suivent sont atroces. Moi aussi, j'ai l'impression de faire une énorme connerie. J'imagine mon retour à Paris, l'appartement vidé de ta présence, les mois de manque à me demander où tu es, ce que tu ressens, ce que tu dis à Arnaud quand il te fait l'amour. Je voudrais t'appeler, te dire ce n'est pas possible, je t'aime, reviens, mais je sais qu'il suffirait que tu reviennes pour que recommence dans ma tête le manège infernal : je te repousserais, tu t'éloignerais de nouveau, je te supplierais de nouveau, il faut arrêter ça.

Je pense à ton dos devant moi, quand nous dormions ensemble en cuillers. Je pense à l'horrible Philippe de Nice. J'ai envie de caresser ton dos, d'effleurer de mes lèvres le duvet blond entre tes omoplates, d'écarter doucement tes fesses dans ton sommeil et de te pénétrer, toujours mouillée pour moi.

N'être plus regardé par toi, c'est la laideur, la mort. J'aimais que tu me trouves beau, j'étais beau avec toi, j'aimais mon corps, mon sexe, tu disais ma queue, je disais ma bite, tu t'es mise toi aussi à dire ma bite. Tu me regardais me lever du lit le matin pour aller faire le petit déjeuner, généralement je bandais, je bandais tout le temps pour toi, et tu disais : ma bite, c'est ma bite, en souriant. Ce sont les mots d'amour que j'ai le plus aimés de ma vie.

Ton visage quand tu jouissais. Tes mots quand tu jouissais. Emmanuel, ça monte, tu sens comme ça monte en moi ? J'ai pensé, ces jours-ci, que tu disais les mêmes mots à tous les hommes, que ton empire sur les hommes c'était de leur faire sentir qu'ils te faisaient jouir comme personne ne t'avait fait jouir. Je ne crois pas que ce soit vrai. Je crois par exemple que personne ne t'a léchée comme moi, que jamais tu ne t'es abandonnée à cela comme avec moi. Tu me l'as dit, et je sais que tu aurais pu t'abandonner plus encore si tu avais eu pleinement confiance, et ç'aurait été le paradis, je crois que pour obtenir ça je t'aurais épousée, je t'aurais fait un enfant, j'avais tellement envie de te faire l'amour enceinte, et un autre le fera, avec amour, mais pas comme moi.

Quand je pense à Arnaud, désormais, je me dis que de nous deux c'est lui qui a la place la plus enviable. Il sait ce qu'il veut, lui. Il sait aimer. Il te mérite.

Je voudrais te mériter, même si je sais que c'est trop tard. Je voudrais dans l'absence et le manque écrire un livre qui raconte notre histoire, notre amour, la folie qui s'est emparée de nous cet été, et que ce livre te fasse revenir.

Je voudrais qu'il y ait une seconde première fois.

6

C'est Sacha Kamorkine qui a averti Sacha, notre interprète, et Sacha à son tour a averti Philippe, qui m'a appelé. Ania était morte, assassinée avec le petit Lev. Par qui, pourquoi, comment, Philippe n'en savait rien. Il savait seulement que cela s'était passé une semaine auparavant, le 23 octobre 2002, et que le lendemain avait lieu la célébration, très importante chez les Russes, du neuvième jour de deuil. De Moscou, où il habitait, il pouvait prendre notre train de nuit habituel et arriver à temps. Je lui ai dit que oui, ce serait bien d'y aller.

Cet automne-là, j'avais commencé le montage du film. Je m'y étais résolu, faute d'autre projet, pour tromper l'angoisse qui ne me lâchait plus depuis le départ de Sophie. Je n'attendais pas grand-chose de ce travail, mais enfin c'était un travail, une raison de me lever, d'aller quelque part, de retrouver quelqu'un. J'arrivais le matin, je prenais place auprès de Camille, ma monteuse, devant l'écran de l'ordinateur et nous regardions, cassette après cassette, tout ce que Philippe avait filmé au mois de juin à Kotelnitch. J'avais apporté les carnets dans lesquels, tandis qu'il filmait, j'avais tenu mon journal. Je le lisais à voix haute, en sorte qu'aux images se superposaient mes impressions d'alors, puis à ces impressions et ces images les commentaires que je faisais dans la salle, car il fallait tout de même expliquer à Camille qui était qui, ce qui s'était passé avant et après chaque séquence, tout ce qui allait de soi pour nous là-bas et dont ni les rushes ni mon journal ne suffisaient à rendre compte. Je prenais plaisir à ce commentaire parce qu'il passionnait Camille et que de jour en jour je voyais Kotelnitch lui devenir de plus en plus familier, comme si elle y avait elle aussi séjourné. Elle s'orientait dans les rues, préférait la *Troïka* au *Zodiac*, attendait de revoir tel personnage qui, à la fête de la ville, lui avait plu. Sans en anticiper la forme ni le contenu, elle ne doutait pas, elle, qu'il y aurait un film à l'arrivée. Moi, je n'y croyais guère. Je voyais mal comment, de ces images peut-être suffisantes pour monter un documentaire sur la vie quotidienne dans une petite ville russe, pourrait sortir quelque chose qui donnerait forme à ce qui m'obsédait : quelque chose qui tienne lieu de pierre tombale à mon grand-père pour qu'atteignant l'âge de sa mort je sois délivré de son fantôme, que je puisse vivre enfin.

Si Ania était morte dans un accident de voiture, cela m'aurait attristé, bien sûr : je l'aimais bien. De tous les gens que nous avons côtoyés à Kotelnitch, c'est à elle et Sacha que je me suis le plus attaché, au début parce que je les trouvais mystérieux et, même quand ce mystère s'est éventé, parce qu'ils restaient plus compliqués, plus solitaires, plus douloureux que les autres. Sa mort violente, que je devine atroce, me remplit non de tristesse, mais d'horreur. Et le noyau de cette horreur, c'est la façon dont, pour la seconde fois en quelques mois, le réel répond à mon attente. J'ai imaginé ce printemps un scénario amoureux qui devait prendre corps dans le réel et le réel l'a déjoué, m'en a offert un autre qui a dévasté mon amour. J'ai passé mon temps, à Kotelnitch, à former des vœux pour qu'enfin il se passe quelque chose, et voilà, quelque chose s'est passé, et ce qui s'est passé, c'est cela : cette horreur.

Ce qui est horrible aussi, c'est que la mort d'Ania et de son fils rend le film possible. Il raconte quelque chose, désormais. Nous allons retourner à Kotelnitch pour le quarantième jour, qui est l'étape la plus importante du deuil, le moment où l'âme des défunts quitte pour de bon la terre et monte au ciel. Je n'imagine pas alors que nous pourrons filmer Sacha et la famille : ils ne voudront pas, nous n'oserons pas. Mais nous filmerons la ville l'hiver, la neige, les arbres dénudés, le jardin près de la gare où Ania et moi avons chanté nos berceuses au petit Lev. Ces images, sur lesquelles je raconterai ce qui s'est passé, scelleront le film.

Nous avons pris, de Moscou, notre train habituel, mais au lieu de descendre à Kotelnitch nous poursuivons jusqu'à Viatka, où habite la mère d'Ania. Elle n'a pas le téléphone, impossible de la prévenir de notre visite. Du centre, où se trouve notre hôtel, nous roulons en taxi, longtemps, jusqu'à une lointaine périphérie où les barres d'immeubles brejnéviennes alternent avec de petites bicoques en bois, à demi enfouies sous la neige. On met encore du temps à trouver l'entrée extérieure, le palier, la porte capitonnée de faux cuir déchiré. On sonne, resonne, en vain. On se résout à attendre. Le thermomètre indique – 25 dehors et il ne fait guère plus chaud sur le palier à la peinture verdâtre, éclairé par une ampoule nue, grésillante, de très faible voltage. Nos visages sont verdâtres aussi sous nos capuches, des nuages de vapeur sortent de nos bouches. On entend dans l'immeuble des ruissellements soudains de canalisations, des palabres lointaines. Sacha fait la gueule. D'avance, il nous en veut, à Philippe et à moi. Il a accepté de nous accompagner dans ce troisième voyage, mais cela ne lui dit rien de bon : il aimerait mieux que tout se passe entre Russes, sans observateurs étrangers. Même avant le drame, lors de notre précédent séjour, il m'a souvent fait sentir que je me mêlais de ce qui ne me regardait pas. Quand, devant une réticence, je lui demandais de traduire, il haussait les épaules : de toute façon, je ne pouvais pas comprendre. À plusieurs reprises, il soupire, dit que la vieille ne viendra pas, qu'il vaut mieux rentrer à l'hôtel, mais au bout de deux heures à battre la semelle les portes de l'ascenseur s'écartent en chuintant et elle paraît. C'est une très petite femme au visage ridé, enveloppée dans une lourde pelisse. En nous voyant tous trois sur le palier, elle prend peur : trois étrangers devant sa porte, trois possibles ennemis. Puis elle reconnaît Philippe et son visage s'éclaire, elle l'embrasse avec transport. Il nous présente, elle m'embrasse moi aussi : Ania lui a tellement parlé de nous. Elle lui a dit que j'étais le petit-fils du dernier gouverneur de Viatka, et elle est bouleversée, mais aussi honteuse d'accueillir un aussi considérable personnage dans son logement sordide. Excusez-moi, répète-t-elle, excusez-moi, s'il vous plaît, pour ma pauvreté. Je suis une femme misérable, j'ai honte de moi, j'ai honte de ma maison. Elle nous fait signe, en nous livrant le passage, de ne pas faire de bruit : il ne faut pas que les voisins entendent que nous sommes là. Elle a peur d'eux, peur de tout le monde, et puis ces voisins ne savent rien : rien de la mort de sa fille et de son petit-fils, rien de ses relations avec des Français. Elle n'a rien dit, il n'y a que la famille proche qui soit au courant, elle aime mieux ne rien dire à personne, comme si cette tragédie était honteuse, comme si sa fille avait tué quelqu'un au lieu d'être tuée, ou comme si elle était trop pauvre pour se permettre d'avoir une fille assassinée. Dans la pièce unique, elle nous fait asseoir autour de la table, mais sans bruit, comme clandestinement. Elle dit qu'elle va faire du thé, mais elle rapporte de la cuisine une bouteille de vodka avec un saucisson et nous sert à boire dans de grands verres qu'elle remplit à ras bord. Comme, après une gorgée, je fais mine de reposer le mien, elle fronce les sourcils et d'un geste impérieux m'ordonne de le descendre cul sec. Je n'ai pas le choix, j'obéis, elle me ressert, je comprends qu'elle est déjà ivre et qu'il va falloir la suivre. Ce qu'elle dit m'échappe pour moitié, d'autant qu'elle parle très vite, avec une extrême brusquerie, et Sacha, qui s'est confortablement carré dans un fauteuil et semble bien décidé à se soûler, ne me traduit que ce qui lui semble opportun, et encore avec une extrême négligence. Philippe, de son côté, a sorti la caméra de son sac et commence à filmer notre conversation sans qu'elle proteste autrement que pour la forme, et comme si c'était un jeu entre eux. Philippe ! Ne me filme pas ! Je suis laide, je suis vieille, ma maison est affreuse… Elle met à le rudoyer une tendresse qui me touche. Elle n'oublie pas qu'il est venu pour le neuvième jour, qu'il s'est tenu auprès d'elle devant la tombe, que ce jour-là il nous a représentés, nous les Français que sa fille avait aimés. Elle parlait tout le temps de vous, dit-elle, tout le temps. Elle disait que votre venue à Kotelnitch, c'était comme un conte de fées, comme un conte de Noël. Elle vous aimait tellement, et elle a été tellement malheureuse de vous décevoir…

De nous décevoir ? Elle ne nous a jamais déçus, de quoi parlez-vous ?

Mais si, tu le sais bien, tu fais semblant de l'avoir oublié parce que tu es gentil, Emmanuel, parce que tu es un saint, parce que tu es le petit-fils de l'ancien gouverneur, mais elle vous a déçus. Elle me l'a dit, quand vous êtes allés à la prison pour les enfants, elle n'a pas compris ce qui s'est passé mais elle n'a pas dû bien traduire, ma petite fille, parce qu'après tu étais mécontent, elle l'a bien senti que tu étais mécontent, et elle, elle a été tellement malheureuse d'avoir mal travaillé...

L'écoutant, je suis consterné. Je me rappelle parfaitement cette visite à la colonie pénitentiaire où Ania a fait les frais de ma mauvaise humeur. Je me disais que ce n'était pas grave, un petit moment de friction et de malentendu et, à en croire sa mère, ce petit moment de friction et de malentendu a assombri sa vie, jusqu'à sa mort elle n'a cessé de le ressasser et de se demander ce qui lui avait valu cette disgrâce.

Et puis elle avait honte, insiste Galina Sergueïevna. Elle vivait par votre présence, elle respirait par votre présence, tu comprends cela, Emmanuel, et elle avait honte à cause des 200 dollars que vous lui avez payés, parce que pour elle c'était comme si elle les avait volés. Il y avait déjà un interprète avec vous, alors à quoi bon elle ? À quoi bon ?

Non, ce n'est pas ça du tout, corrige Sacha, à qui je sais gré de ressortir la version officielle. J'avais à faire ailleurs, des démarches en ville, on avait réellement besoin d'elle. Personne n'a volé personne, ne te fais pas de souci pour ça...

Et comment tu veux que je ne m'en fasse pas, de souci ? Elle s'en faisait tout le temps. Elle pensait que tu la détestais, Sachoulia, parce qu'elle essayait de te voler ta place. Elle pensait que vous la preniez pour une intrigante, pour une fille qui se faufile et qui essaye de voler les places des autres et qui se fait payer de l'argent sans raison... Vous savez ce qu'elle a acheté avec ces 200 dollars? Elle a acheté des jeans et des produits de beauté. Et puis des masques aussi, des masques en papier…

Des masques en papier? Mais pour quoi faire?

Pour moi, pour que je les mette, moi, quand elle me donnait Levotchka à garder… Parce que je travaille à la poste, alors je vois beaucoup de gens, derrière mon guichet, et Anioutotchka avait peur des microbes et elle voulait que pour m'occuper de Levotchka je mette un masque… comme ça.

Elle fouille dans un tiroir, en sort des masques comme on en porte dans les blocs opératoires. Maladroitement, elle glisse l'élastique derrière sa tête, il se coince dans ses cheveux gris fer, coupés ras, elle rabat le masque blanc sur son visage, et tout à coup, l'alcool qui n'a cessé de couler aidant, c'est une vision de cauchemar, cette petite femme soûle, submergée de désespoir, qui s'agite au milieu de son studio sinistre avec son masque blanc d'hôpital, et qui crie, et qui se met à pleurer : c'est comme ça qu'il a vu sa grand-mère, Levotchka, toujours comme ça, avec un masque, je n'avais pas le droit de lui sourire, de l'embrasser, parce qu'il fallait toujours que je cache ma bouche, à cause des microbes que je pouvais attraper à la poste… Je l'ai grondée pour ces achats stupides. Grondée, grondée, je la grondais tout le temps, ma pauvre petite fille. Je lui ai dit ce qu'elle aurait dû acheter avec ces 200 dollars. Tu sais ce qu'elle aurait dû acheter? Une porte. Une nouvelle porte. C'est ça qu'il aurait fallu faire, acheter une nouvelle porte pour leur appartement. Parce que cette porte, chez eux, c'est comme si elle était en car-

314

ton. Au rez-de-chaussée, dans cette ville de malades, Kotelnitch ! Je répétais tout le temps : Sacha, il faut changer cette porte, c'est dangereux, elle est en carton, et il disait qu'il allait le faire, mais tu parles ! Il n'avait jamais le temps. Toujours à son travail, à ce qu'il dit, mais moi je sais la vérité, il faisait le joli cœur avec ses maîtresses... Je lui avais dit, ma petite fille, ne va pas avec lui, il ne regarde pas en face, il fuit le regard, il se fout de tout, et il se foutait de tout, il s'en foutait bien que sa fille et son fils habitent dans une maison avec une porte en carton dans une ville où il y a des fous partout... Le tueur, il a suffi qu'il donne un coup de pied pour entrer dans la maison et il a pris la hache et il les a débités tous les deux avec la hache !

Débiter à la hache, cela se dit *toporom stoukat'*. Je ne le savais pas, Sacha me l'a traduit en baissant la tête d'un air accablé. Ce que disait Galina Sergueïevna des circonstances du meurtre était confus, coupé de gémissements de rage et d'impuissance, mais en m'aidant de ce que m'a raconté Sacha Kamorkine trois jours plus tard, j'ai pu reconstituer ceci : le 23 octobre dans l'après-midi, Sacha, à son bureau, a reçu un coup de téléphone d'Ania, terrifiée. Elle était seule à la maison avec le petit Lev quand un inconnu a frappé à la porte. Elle a refusé de lui ouvrir et il a commencé à donner des coups de pied dedans pour l'enfoncer. Sacha, sans perdre son sang-froid, a dit à sa femme d'occuper l'intrus, de lui parler : il arrivait tout de suite. Le trajet lui a pris cinq minutes mais quand, accompagné de deux collègues, il a franchi le seuil, il était trop tard : Ania avait été étranglée avec le fil du téléphone, puis elle et le bébé massacrés avec la hache qu'on laissait dans l'entrée pour les corvées de bois. Le sang, la cervelle, les entrailles avaient giclé partout dans la pièce. Pendant que Sacha s'effondrait en hurlant devant les cadavres, ses collègues se sont lancés à la poursuite du meurtrier. Il avait pataugé dans le sang, laissé partout des traces, là non plus il n'a pas fallu cinq minutes pour le débusquer dans la cave où il s'était réfugié.

C'était un type connu dans la ville, père de deux enfants, employé comme chauffagiste à la boulangerie industrielle, sans passé judiciaire. Il n'avait aucun lien avec Sacha ni avec Ania. Lors de son premier interrogatoire, aussitôt après les faits, il a dit avoir entendu des voix qui lui ordonnaient d'aller tuer une femme et un enfant et, quand il est entré dans l'appartement, les avoir tous les deux vus briller. Ils brillaient, répétait-il, *ani sviétilis'*. Il disait aussi avoir bu, mais l'examen effectué immédiatement a révélé qu'il n'avait pas d'alcool dans le sang. Et lorsque, le lendemain, il a été soumis à une expertise psychiatrique qu'a conduite notre vieille connaissance le docteur Petoukhov, il n'était plus question de voix ni de brillance : il ne se souvenait de rien.

J'ai saisi cela par bribes, le premier soir chez Galina Sergueïevna. Parmi les mots qui revenaient sans cesse dans ses cris et ses pleurs, et que je ne comprenais pas tous, il y avait *toporom stoukat'*, mais aussi *palatch*, et quand je demandais à Sacha ce que cela voulait dire, *palatch*, il ne baissait pas la tête, mais la secouait avec cet air d'exaspération que je connaissais bien, qui indiquait qu'à son avis ce n'était pas mes oignons, et j'ai eu beaucoup de peine à lui faire lâcher que c'était un tueur à gages. Un tueur à gages? Galina, malgré son ivresse, suivait avec une curieuse attention ce qu'il me traduisait, tournait la tête de lui à moi, de moi à lui, puis la hochait en signe d'approbation, et j'avais l'impression absurde qu'elle comprenait ce que nous disions. Enfin elle m'a toisé avec un ricanement de triomphe dément, comme si elle avait de haute lutte obtenu de Sacha qu'il confirme ses dires, et répété *palatch, palatch*.

Mais comment cela, *palatch*? D'après ce qu'elle racontait, cela ressemblait à tout sauf au crime d'un tueur à gages. Il n'y a qu'un fou, ai-je dit, un illuminé ou un sadique pour *toporom stoukat'* une jeune femme et son petit enfant…

Nouveau ricanement de Galina : tu veux me faire croire que c'est un fou? Elle cogne sur la table, approche du mien, presque nez à nez, son petit visage sec, ravagé de douleur. Non! Emmanuel, non, ce n'est pas un fou! Mon fils me dit : Maman, ferme-la. Il ne faut rien dire parce que c'est trop dangereux, mais moi je sais ce que je sais, je sais qu'il fait semblant d'être fou. Lui, c'est le *palatch*, mais qui est-ce qui lui a donné l'ordre, au *palatch*? Je pourrais te dire son nom, Emmanuel, tu serais surpris de l'entendre.

Elle me regarde, ses yeux fouillent les miens, puis tout à coup elle se redresse, se lève, avec solennité fait le geste

317

de se clore la bouche comme on tire une fermeture éclair. Elle chuchote : maintenant, le silence commence.

Il retombe, le silence, nous sommes tous trois hagards autour de cette femme ivre et folle de chagrin qui, debout, les poings sur les hanches, cambrée de toute sa courte taille, nous met au défi. Enfin, Sacha hausse les épaules, se reverse un coup de vodka et, de sa voix la plus pesante, relance : bon, Galia, tu es en train de nous dire que c'est un crime commandité. La question, c'est de savoir qui l'a commandité et pourquoi.

Elle ricane. Tu es très intelligent, Sachoulia, tu sais reconnaître une question quand tu en vois une. Pourquoi tuer ma fille et Levotchka en les découpant à la hache? Hein? À qui est-ce que cela profite? Réfléchis, Sachoulia, fais marcher ta caboche!

D'accord, je réfléchis. À qui est-ce que cela profite?

Tu es con, Sacha, ou quoi?

Non, je ne suis pas con. J'espère que non.

À qui, bordel? À qui cela profite de faire découper ma fille et mon petit-fils avec une hache? C'est l'intérêt de qui?

Nous n'osons pas comprendre, elle insiste : vous ne voyez toujours pas à qui ça profite?

Non, ment Sacha, pour qu'enfin elle le dise.

Alors elle se recule et, très clairement, articule : à Sachenka.

Et dès qu'elle l'a lâché, elle se recroqueville sur sa chaise, met la main sur sa bouche, les yeux agrandis par l'effroi, et elle murmure : ils vont me tuer.

Je ne me rappelle pas bien ce qui s'est dit après cela. Elle nous a foutus à la porte mais tandis que nous remettions nos manteaux, bien décidés à filer sans demander notre reste, elle a complètement oublié qu'elle nous foutait à la porte et voulu boire encore, parler, me montrer les rideaux. Ces rideaux, ornés de cercles rouges et verts sur un fond blanc, elle les avait récupérés dans l'appartement de Sacha et de sa fille, maculés par des traînées de sang cervelle qui avaient giclé dessus. Elle les a fait boui̇ sieurs fois, en sorte que le plus gros est parti, mais et elle dessine du doigt le contour de taches b qu'on voit mieux sous la lampe, et elle rapproch pour que je les voie bien. Regarde, Emmanu s'attendrit-elle. C'est le sang de ma fille et de m Chaque fois que je tire les rideaux, ce qui prot de la lune et des lampadaires dehors, c'est le sang d fille et de mon petit-fils.

Je dis oui, Galina Serguéïevna, oui, je vois bien.

Je me rappelle cela, cette histoire des rideaux, et aussi notre conversation, de retour à l'hôtel. Au point où nous en étions, nous avons recommandé de la vodka et commencé à débattre des accusations de Galina. Du délire, a dit Sacha en haussant lourdement les épaules et, écœuré qu'on puisse même trouver là matière à discussion, il n'a pas tardé à nous quitter pour s'arsouiller au bar en meilleure compagnie. Du délire, sans doute, estimait Philippe, mais il se demandait si dans ce délire il n'y avait pas un fond de vérité.

J'ai objecté que ce massacre avait tout du crime de fou. Un crime commandité s'exécute par balle et, à supposer qu'on ait eu des raisons de tuer la pauvre Ania, pourquoi le bébé aussi, pourquoi cette barbarie ?

Peut-être justement pour écarter l'idée d'un crime commandité. Pour faire croire à un crime de fou. Sur l'identité du meurtrier, il n'y a pas de doute, mais Galina ne dit pas que ce n'est pas lui, elle dit qu'il fait semblant d'être fou.

Mais quel intérêt aurait-il à faire semblant d'être fou ? Il est arrêté, s'il ne passe pas le restant de ses jours en prison il le passera dans un hôpital psychiatrique, pour un tueur à gages c'est de toute façon une mauvaise affaire. Un tueur à gages, ça tire et ça décampe, ça ne se laisse pas pincer tout sanglant sur le lieu du crime.

Écoute, a repris Philippe, je dis n'importe quoi, mais imagine : Sacha veut quitter Ania. Ça, nous savons que c'est vrai, que c'était dans ses projets et qu'elle en souffrait horriblement. Alors elle le menace. Elle menace de révéler des malversations auxquelles il est mêlé. C'est le patron du FSB à Kotelnitch et je ne pense franchement pas que ce soit un type honnête. Ania n'était pas gourde : il se rend compte qu'elle en sait beaucoup plus qu'elle ne devrait en savoir. Alors il décide de la faire supprimer. Je ne te dis pas que c'est vrai, j'essaie juste de voir comment ce que raconte Galina pourrait tenir debout. Mettons qu'il veut faire supprimer sa femme. On est à Kotelnitch, pas à Moscou, d'accord, mais depuis dix ans que je vis en Russie je peux te garantir que ça n'est pas une chose irréalisable. Un type disposé à tirer une balle dans la tête d'un autre, ça se trouve partout. Seulement Sacha ne veut pas que ça ait l'air d'un contrat. On le soupçonnerait. Alors il pense à un crime de fou et il se dit que si le bébé y passe ça le rend encore plus insoupçonnable. Il trouve ce type, ce chauffagiste, qui disons a fait des conneries et qu'il tient par les couilles, je ne sais pas comment mais assez serré pour lui mettre le marché en main : soit je te colle au trou et je m'arrange pour que tu n'en sortes plus, soit tu fais ce que je te demande, tu joues le fou meurtrier et on te mettra à l'hôpital, d'abord chez Petoukhov et ensuite quelque part au diable où tu te feras oublier et d'où je m'arrangerai pour que tu ressortes au bout de quelques mois. Je ne te dis pas que c'est vrai, ni même que c'est vraisemblable, je te dis juste qu'en Russie c'est un genre d'histoire qui arrive.

Le lendemain matin, en soignant notre gueule de bois à coups de saucisson trop gras et de thé trop fort, Philippe et moi n'osons nous regarder en face ni croiser le regard de notre Sacha, qui a de son côté continué encore plus tard que nous et, le mufle maussade, traite à la bière brune sa propre gueule de bois. Nous avons un peu honte d'avoir échafaudé une hypothèse aussi monstrueuse, mais les six heures passées la veille chez Galina Sergueïevna nous ont à ce point impressionnés que la méfiance subsiste à l'endroit de Sacha Kamorkine. Sans plus croire vraiment à nos élucubrations, nous restons sur l'impression vague qu'il n'y a pas de fumée sans feu et les accusations théâtrales de la vieille femme, sa façon de les faire retentir dans l'espace confiné de son studio continuent à tourner dans nos cerveaux embrumés. Nous ne savons pas à quoi nous attendre quand nous retournons chez elle en début d'après-midi, peut-être à un embarras qui ferait le pendant du nôtre, mais elle semble avoir totalement oublié, sinon notre visite, du moins la teneur de notre conversation. Elle est à jeun, aussi calme qu'elle peut l'être, ne saute plus comme la veille de la méfiance à la gratitude éperdue, et quand elle se met à parler de Sacha, ce qui ne tarde pas, c'est pour nous raconter presque affectueusement les circonstances de sa rencontre avec sa fille. Ania venait de quitter Viatka pour s'installer à Kotelnitch. Elle y avait trouvé du travail à la boulangerie industrielle, quelle sorte de travail ce n'est pas clair puisqu'à un moment il est question de contrôle sanitaire et technique, à un autre d'interprétariat, sans qu'on comprenne à quel titre une boulangerie même industrielle de Kotelnitch pouvait requérir les services d'une interprète du français. J'ai le vague souvenir, cela dit, que lors de notre première rencontre, à la *Troïka*, le directeur de la boulangerie, Anatoli, avait porté des toasts pâteux non seulement à l'amitié franco-russe mais aussi à son propre succès dans la pénétration du marché africain, et d'être resté rêveur à l'idée qu'on puisse au Sénégal ou en Zambie manger des petits pains fabriqués à Kotelnitch. Quoi qu'il en soit, ce sont ces accointances supposées avec l'étranger qui ont poussé Sacha, quand Anatoli les a présentés, à demander sévèrement à Ania si elle était autorisée à s'occuper de commerce international. Il est allé, raconte Galina Sergueïevna, jusqu'à la menacer de l'arrêter, mais c'était pour blaguer, et aussi pour la draguer. Il a joué à lui faire peur, elle à avoir peur, et dès le lendemain ils sont allés se promener ensemble au bord de la rivière. Ils ont gravi le petit tertre qu'Ania lors de notre excursion en bateau nous avait fièrement présenté comme « le pic de l'amour », l'endroit où les fiancés kotelnitchiens échangent de tendres serments, et ils s'y sont pour la première fois embrassés.

Là où l'affaire se corse, c'est qu'au cours de cette promenade Ania a expliqué à Sacha qu'elle était à moitié française, par sa mère qui était morte en couches, et qu'elle possédait même une maison près de Paris, où elle se rendait fréquemment. Déjà impressionné par sa connaissance du français, Sacha l'a été plus encore par ces révélations. Comme moi quand nous nous sommes rencontrés, il a trouvé Ania romanesque, différente de toutes les filles qu'il pouvait rencontrer à Kotelnitch, et c'est selon Galina Sergueïevna à partir de ce moment qu'il en est tombé amoureux. En quelques jours, il a quitté sa femme et sa fille pour s'installer avec celle qu'il appelait désormais *frantsoujenka*, la petite Française. Ania s'est confiée à sa mère, qui lui a conseillé de tout avouer. À moins de cacher sa famille et de s'engager dans un mensonge au long cours, elle n'avait guère le choix et elle s'est résignée à emmener son nouvel amoureux à Viatka pour le présenter à Galina Sergueïevna. La résurrection de la mère morte en couches a beaucoup troublé Sacha, et Galina, avec son franc-parler habituel, a pris le parti de se foutre carrément de sa gueule : alors comme ça, monsieur le grand chef, on joue à effrayer ma petite fille, à dire qu'on va lui passer les menottes ? Tu n'as eu que ce que tu méritais, elle t'a mis en boîte à son tour. La France, la maison près de Paris, c'est cela qui t'a séduit chez elle ? Mais réfléchis une seconde, Sacha ! Si elle avait une maison près de Paris, tu crois qu'elle resterait à Kotelnitch ?

Pour un homme des services secrets, de la méfiance et du soupçon, il s'était montré bien naïf et n'avait pas volé qu'on se moque de lui. Cependant, ce qui ressort tant du récit de Galina que de la version que Sacha devait me donner deux jours plus tard, c'est qu'en dépit de l'aveu et des rires il est resté sur une impression de mystère. À plusieurs reprises, il est revenu à la charge : Galina Sergueïevna, dites-moi la vérité, est-ce que vous êtes vraiment sa mère ? Et elle avait beau le confirmer, il gardait un doute qui, paradoxalement, profitait à Ania. Elle avait eu très peur de perdre son amour en lui avouant sa mystification. Si elle n'était plus qu'elle-même, une fille ni riche ni très jolie, sans autre prestige que la maîtrise de la langue française, elle avait tout lieu de craindre qu'un homme comme Sacha se lasse vite. Mais il a continué, sans y croire, à y croire un petit peu quand même, à croire qu'on ne lui disait pas tout, que derrière cette histoire de français et de voyages en France il y avait quelque chose qu'on lui cachait, en somme qu'Ania ne l'avait pas complètement trompé en se faisant passer pour une fille hors du commun. Elle parlait réellement le français, même s'il n'avait aucun moyen d'évaluer son degré de maîtrise. Elle avait réellement fait un voyage en France, le visa sur son passeport en faisait foi et il le sortait souvent du tiroir pour le regarder, rêver dessus. Elle recevait réellement des lettres d'une amie française, des cassettes de chansons françaises. De tout cela, je pense que Sacha était fier et qu'à tout ce qu'il imaginait derrière il ne renonçait pas tout à fait.

Il est arrivé de Kotelnitch, le matin du quarantième jour, au volant d'une camionnette chargée d'affaires d'Ania, qu'il rapportait à sa mère. Il y avait des cartons de vêtements, mais aussi sa guitare sous un emballage en plastique qui lui donnait l'aspect sinistre d'une pièce à conviction, et un meuble de cuisine qu'on a eu le plus grand mal à faire entrer dans le minuscule appartement. Galina Sergueïevna tournait autour de lui en protestant contre cette invasion, mais il n'y prêtait pas attention et entassait tout, en équilibre précaire, dans le seul coin de la pièce où il restait encore un peu de place. Vêtu de noir sous sa pelisse, il avait le visage blême et bouffi : on le bourrait de médicaments, m'a-t-il expliqué. Dans les jours suivant la mort d'Ania, il avait sérieusement déraillé, il circulait en ville armé d'un revolver en menaçant de faire irruption dans l'isolateur où était détenu le meurtrier pour lui régler son compte, et on l'avait envoyé trois semaines dans une clinique où il avait fait une cure de sommeil. Il venait de quitter le FSB et j'ai préféré ne pas lui demander s'il en avait démissionné de son propre chef ou si on l'y avait poussé, suite à sa conduite erratique et peut-être à des soupçons plus précis. Lui aussi était touché de nous voir, il nous a étreints avec chaleur et Philippe en a profité pour lui demander si en ce jour solennel il accepterait d'être filmé. Il a levé ses yeux bleus délavés, regardé l'objectif dont Philippe tripotait le cache comme s'il attendait le signal pour finir de le dévisser, puis il a ri, d'un des rires les plus tristes que j'ai jamais entendus, et il a répondu : qu'est-ce que tu veux que ça me foute maintenant ? Filme ce que tu veux. Je repensais aux accusations démentes formulées par sa belle-mère, je me disais que s'il jouait la comédie il la jouait bien, mais je ne croyais plus du tout qu'il jouait la comédie. Je me rappelais le tchékiste arrogant et cachottier que nous avions connu, qui nous avait intrigués, que nous avions cherché à piéger, je me rappelais combien nous avions été contents de nous le soir où nous avions à force de ruse volé quelques images de lui, en profil perdu, et maintenant nous étions devant cet homme hagard et détruit qui nous serrait dans ses bras comme de très vieux amis, et j'ai compris que malgré nos soupçons de l'avant-veille, malgré l'excitation enfantine et morbide que nous procuraient ces soupçons, c'était cela très exactement que nous étions devenus pour lui, de très vieux amis qui le serrions dans nos bras sans plus penser à autre chose qu'à l'horreur de ses nuits et l'énormité de son chagrin.

Au cimetière, on retrouve le frère de Galina, Sergueï Sergueïevitch – un homme d'une cinquantaine d'années dont elle nous a raconté qu'il n'était plus le même depuis qu'en pleine ville, deux ans plus tôt, des inconnus l'ont sorti de force de sa voiture, roué de coups et laissé pour mort dans un fossé, cela sans même tenter de lui voler un kopeck, juste pour le plaisir –, et son fils Sérioja qui est sous-officier et sert en Tchétchénie. Le crâne rasé, vêtu d'un treillis militaire, Sérioja éclate à tout propos d'un rire tonitruant, donne de grandes bourrades à chacun et déborde d'une cordialité presque alarmante qui en la circonstance me paraît légèrement déplacée. Comme il fait – 30, on réduit le rituel au strict minimum : on allume deux bougies qu'on plante dans la neige, on sort d'un panier une bouteille de vodka et quelques tranches de saucisson qu'on avale en vitesse, après quoi on retourne se mettre au chaud dans les voitures et on repartirait immédiatement si Galina Serguéïevna, seule, ne s'attardait sur la tombe. Elle tourne autour, gémit, prend dans ses mains gantées de la neige qu'elle tasse machinalement. Je la regarde par la fenêtre de la camionnette de Sacha où je me suis réfugié avec lui et Serguéï Serguéïevitch, qui sur un ton fataliste commence à dévider la litanie des deuils subis par la famille. Lui-même, Dieu merci, a deux fils encore en vie, mais sur les six enfants de ses trois sœurs, le seul survivant aujourd'hui est le militaire Sérioja. Les cinq autres, toute la jeune génération, sont morts de mort violente : Afghanistan, chute d'une stalactite sur la tête, bagarre d'ivrognes, Tchétchénie, et la hache pour Ania.

Sacha, qui derrière le volant semblait somnoler, se tourne alors vers moi et, tout à trac, me demande : Emmanuel, réponds-moi franchement. Comment est-ce qu'elle parlait français ?

Je réponds bien, très bien, mais comme une étrangère qui parle bien.

Comme une étrangère ? Pas comme une Française ? On n'aurait pas pu la prendre pour une Française ?

Je suis désolé de répondre non, je sens bien que ma réponse le déçoit.

Mais tu ne crois pas, insiste-t-il, qu'elle pouvait faire semblant de ne pas parler tout à fait bien ?

Faire semblant ? Mais pourquoi ?

Pour qu'on ne la soupçonne pas.

Qu'on ne la soupçonne pas de quoi ?

Eh bien, d'être française...

Je le regarde, un peu ahuri. Je dis peut-être, peut-être bien, que dire d'autre ?

Le repas qui suit dure trois, quatre heures, au fil desquelles Galina Sergueïevna s'enivre sévèrement. Elle a pris de bonnes résolutions pourtant, au début ne boit que de l'eau, elle sait que son frère et son fils la surveillent. Elle veut bien faire, jouer la dame comme il faut qui reçoit ses invités et, la première demi-heure, elle tient ce rôle avec application, mais elle commence à déraper dès que Sacha juge venu le moment de porter un toast. En ce qui le concerne, pourtant, on lui a particulièrement fait la leçon : les accusations que nous avons entendues deux jours plus tôt, elle a dû les sortir à tout le monde et on lui a ordonné de la fermer, pas seulement par bienséance, mais surtout parce qu'on craint d'avoir des ennuis. Même s'il en a été viré, Sacha reste aux yeux de la famille l'homme du FSB, à ce titre on le redoute. Alors depuis le début de la journée elle l'embrasse, le cajole, l'appelle Sachoulia, Sachoulienka, mais lorsqu'il se lève, lève son verre et d'une voix atone, ralentie par les médicaments, commence un long discours où il est question de son amour pour Ania, de leur amour mutuel, elle ne peut s'empêcher de le ponctuer de sarcasmes amers. Sacha, pourtant, ne se présente pas comme un mari modèle, ni le couple qu'il formait avec Ania comme un exemple d'harmonie. Il dit ses remords au contraire, il dit qu'il l'aimait vraiment mais qu'il n'a pas su l'aimer comme elle le méritait. Il dit que ce qu'on croit posséder, on le néglige, qu'on attend de l'avoir perdu pour le pleurer, et il le pleure avec des accents qui me semblent, à moi, sincères et émouvants. À moi, mais pas à Galina Sergueïevna, qui toutes les deux phrases se fout ouvertement de sa gueule et le traite de faux cul. Elle n'en est pas encore à l'accuser d'avoir fait tuer sa fille, mais seulement de l'avoir négligée, rendue malheureuse et par-dessus tout fait vivre à Kotelnitch, cette ville de fous. L'histoire du malheureux Hongrois est appelée à la rescousse comme un bon exemple du genre de choses qui se passe à Kotelnitch et bientôt, au détour d'une phrase, je reconnais le mot *palatch*. Ça y est, elle y revient : c'est un *palatch* qui a tué Anioutotchka et Levotchka. Les deux Sacha secouent la tête, accablés, comme qui entend une vieille antienne qu'il n'a plus le courage de corriger. Sergueï Sergueïevitch, qui a dû l'entendre aussi plus souvent qu'à son tour, soupire et, lui, proteste : Galia, tu dis n'importe quoi. Si ta fille était millionnaire, ou une personnalité haut placée, je ne dis pas, mais elle était mère de famille à Kotelnitch, pourquoi est-ce qu'on l'aurait fait tuer ? À quoi elle répond, explosant : Sergueï Sergueïevitch, à côté de qui es-tu assis ? Sergueï Sergueïevitch étant assis à côté de Sacha Kamorkine, je me dis avec inquiétude qu'on est partis pour une nouvelle version des accusations de l'avant-veille et qu'en présence du principal intéressé cela risque de faire des dégâts. Mais elle poursuit : tu crois qu'il n'a pas d'ennemis ? Tu crois que personne ne lui en veut ?

Elle dit autre chose, cette fois : pas que Sacha a fait tuer Ania et Lev, mais qu'en les tuant on le visait, lui, et cela, il l'encaisse sans mot dire. Il baisse la tête, se verse d'une main tremblante un grand verre de vodka, laisse passer l'orage d'un air tellement penaud, tellement coupable, que je me dis tout à coup : ça, si ça se trouve, c'est vrai. C'est de lui que des ennemis se sont vengés, c'est lui qu'on a atteint en massacrant les siens, et le pire c'est qu'il le sait, qu'il n'a rien à y objecter. Il se tourne juste vers moi et, d'une voix faible, me demande : Emmanuel, on y va ? On retourne à Kotelnitch ?

Je partirais bien aussi, j'arrêterais bien de boire mais le repas n'est pas terminé, Galina a prévu d'autres plats, on ne peut pas se défiler comme ça. Plus tard vient le tour de Sérioja de porter un toast. Il se lève, le torse bombé sous le treillis, mais à peine a-t-il commencé à saluer la mémoire des défunts, sa mère éclate en imprécations. Il ne s'agit plus de commentaires sarcastiques, ce qu'elle dit n'a plus rien à voir avec les propos de son fils, c'est tout son désespoir, sa colère et sa honte qui sortent de sa bouche et prennent n'importe quelle forme. Elle hurle comme elle prendrait des assiettes sur la table pour les fracasser contre le mur. Elle hurle qu'on ne veut plus d'elle, qu'on la met au rancart, qu'elle n'est plus bonne à rien qu'à crever dans son coin et que personne ne viendra à son enterrement parce qu'elle est une vieille femme pauvre, laide et nuisible. Elle hurle que c'est sa faute à elle si on a tué sa fille et son petit-fils parce qu'elle aurait dû les empêcher d'aller à Kotelnitch. Elle hurle que Sérioja est une ordure, parce qu'il l'abandonne, elle, mais aussi parce qu'il abandonne sa femme et ses enfants, qu'il part faire le mariolle dans sa caserne en Tchétchénie au lieu de couper le bois pour l'hiver. L'argument selon lequel Sérioja se barre en Tchétchénie pour se la couler douce et échapper à la corvée de bois est tellement saugrenu que tout le monde, lui le premier, éclate de rire, et elle, sentant qu'elle tient son public, qu'elle amuse et capte l'attention, ne peut plus s'arrêter, en rajoute, il n'en faudrait pas beaucoup plus pour qu'elle monte sur la table et se mette à danser. Et puis, brusquement, elle se tait, elle se ratatine sur sa chaise, elle fond en larmes et d'une toute petite voix, pour elle-même, elle murmure : pourquoi ?

Bon, dit alors Sergueï Sergueïevitch, *na passachok*, le coup de l'étrier. On lève nos verres, on boit. Galina Sergueïevna, qui a raté ce tournant, ne comprend pas ce qui se passe ni pourquoi, ayant bu, nous remettons nos manteaux et commençons à nous embrasser. C'est comme si, en faisant les gestes que tout le monde fait au moment de partir, nous exécutions une figure absolument inédite, impossible à interpréter, et qui, avant de la consterner, la laisse perplexe et totalement désemparée. Enfin, elle comprend et, quand elle a compris, elle le prend très, très mal. Elle supplie que nous restions encore un petit moment, elle nous tire par la manche pour nous retenir, les uns après les autres, elle dit qu'il y a encore une quantité de choses à manger et je m'en veux de partir comme ça, en la laissant toute seule avec son repas préparé pour trois fois plus que nous n'étions, et son ivresse, et sa honte, et son deuil. Ce qui serait gentil, ce serait évidemment de rester avec elle jusqu'au soir, de manger encore, de l'aider à remettre de l'ordre, d'accepter les paquets de victuailles qu'elle nous préparerait. Mais Sacha ne veut pas, il veut retourner tout de suite à Kotelnitch.

C'est le soulagement sans doute d'avoir pu s'échapper : il est dans la voiture particulièrement gai. Après quatre heures passées à prendre sur soi, à essuyer des reproches, des insultes et des démonstrations de tendresse dont il se serait, je pense, tout aussi bien passé, il se détend. Il a raflé, pour la route, un saucisson et une bouteille de vodka dont il s'envoie de larges rasades et, tout en conduisant, se met à brailler *Comme d'habitude*, en français. Dommage, regrette-t-il, que je n'aie pas apporté les cassettes françaises d'Ania. Tu te rappelles, Emmanuel, le soir où on s'est connus, à la *Troïka*? Elle les avait apportées spécialement pour vous. On avait dansé sur des chansons de Claude François, d'Adamo... *Tombe la neige... Per-*

mettez, monsieur… Des bribes lui en reviennent, il essaye de les chanter, nous exhorte à les reprendre en chœur. Je me rappelle, au cours de ce voyage nocturne, avoir essayé de dormir, prévoyant à juste raison une soirée aussi rude qu'avait été l'après-midi, mais Sacha ne voulait pas que je dorme, il voulait chanter et parler, il comptait sur nous pour lui faire rencontrer de nouvelles femmes, des Françaises du genre de Juliette Binoche ou de Sophie Marceau, et pourquoi pas Juliette Binoche ou Sophie Marceau elles-mêmes ? Je l'ai déçu en lui avouant que je ne connaissais ni l'une ni l'autre et ne pouvais donc pas les lui présenter. Il m'a semblé que ma cote baissait, et peut-être celle de mon aïeul le vice-gouverneur. Plus tard il est revenu sur la question qui l'obsédait : est-ce qu'il était vraiment impossible qu'Ania ait été française ? Il ne s'arrêtait pas à cette question, ni à mes réponses qui n'avaient pas changé depuis le matin, en réalité il avait autre chose à nous dire. Une révélation à nous faire. Il ne fallait pas que nous nous moquions de lui, il savait bien que c'était invraisemblable, qu'il y avait 99 % de chances que ce soit faux, mais le 1 % d'incertitude qui subsistait ne le laissait pas en repos. C'était quelque chose que lui avait dit Ania peu après leur rencontre, quelque chose qui se serait passé en Allemagne de l'Est où ses parents étaient en garnison à la fin des années soixante-dix. Une histoire de substitution d'enfants. Si j'essaie de reconstituer, Galina Sergueïevna et son mari auraient confié leur fille en bas âge à une famille française et reçu en échange une petite Française. Et cette petite Française, élevée sous le nom d'Ania, était programmée

335

pour devenir une espionne : c'était la seule raison de l'échange, organisé par les services secrets français. Elle avait grandi dans le foyer d'un sous-officier de l'Armée rouge, étudié plus tard à l'école des interprètes militaires et tout au long de ce parcours fourni des renseignements à son pays d'origine. Bien sûr, sa rencontre avec Sacha faisait partie de sa mission. Pour une espionne de l'Occident, quelle meilleure proie qu'un cadre du FSB ? J'étais ivre, Sacha aussi, et j'écoutais tout cela dans un brouillard, mais avec un ahurissement croissant. Je savais d'expérience personnelle et par les récits de sa mère qu'Ania était un peu mythomane, mais de là à l'imaginer racontant sur l'oreiller une pareille histoire à Sacha et surtout parvenant à l'en convaincre… Car il avait beau s'en défendre, une partie de lui, et ce n'était pas seulement 1 %, continuait à croire parce qu'Ania le lui avait dit qu'elle était une espionne française, qu'en faisant mine de se laisser courtiser elle l'avait attiré dans ses rets parce que le chef du FSB à Kotelnitch était pour les services secrets français une cible de la plus haute importance. Elle avait fini par le lui avouer parce qu'elle était tombée amoureuse de lui et que cet amour fou l'emportait sur la duplicité. En lui révélant la vérité, elle trahissait ses employeurs et courait un risque énorme. Lui-même, en tombant amoureux d'une espionne, se mettait en danger par rapport à ses chefs. Je n'avais pas eu tort, décidément, de les trouver romanesques dès notre première rencontre, de l'appeler en plaisantant la Mata Hari de Kotelnitch. Ensemble, ils s'étaient raconté un roman dans lequel ils vivaient, elle étant le moteur et lui la suivant dans ses fabulations parce qu'au fond, comme je l'avais tôt deviné, cela lui plaisait. Et maintenant, y croyait-il encore suffisamment pour penser que le double assassinat de sa femme et de son fils avait quelque chose à voir avec cette histoire ? Je n'ai pas osé le lui demander.

Il me reste peu à dire des trois jours que nous avons encore passés avec Sacha à Kotelnitch. Nous l'avons aidé à faire ses cartons et à les transporter de son bureau du FSB au petit studio sinistre où il avait trouvé refuge après la tragédie. Le soir, nous buvions en écoutant les cassettes de chansons françaises. Il nous racontait la Tchétchénie. Je me rappelle qu'à un moment nous nous sommes battus pour comparer l'efficacité du taï-chi – que je pratique – et du karaté – qu'il pratique, lui. Ça n'a pas été concluant, nous étions trop soûls tous les deux. Je lui ai appris qu'il existe une technique martiale chinoise appelée « kung-fu de l'homme soûl », qui consiste à imiter, avant de porter un coup sec et redoutablement efficace, les gestes désordonnés d'un ivrogne. Nous avons un peu joué au kung-fu de l'homme soûl, ri, bu encore, pleuré. Nous sortions de temps en temps pour racheter à boire. Il faisait – 35, et nuit noire à trois heures de l'après-midi. Vers minuit, nous rentrions à l'hôtel *Viatka*. Comme il est à peine chauffé, nous nous enroulions dans les couvertures tout habillés, bottes et parkas comprises. Je me traînais le matin devant la fenêtre couverte de givre, d'où à travers les arbres dénudés je regardais passer les trains. Je regardais les trains, je regardais la chambre misérable où j'avais dormi et je me remémorais sans bien le comprendre le trajet qui m'avait conduit là. Je me demandais ce que j'étais venu chercher à Kotelnitch et ce que j'y avais trouvé.

J'ai pensé : je suis venu faire une tombe à un homme dont la mort incertaine a pesé sur ma vie, et je me retrouve devant une autre tombe, celle d'une femme et d'un enfant qui ne m'étaient rien, et maintenant je porte leur deuil aussi.

Peut-être que c'est cela, l'histoire.

7

Je dis : c'est cela, l'histoire, mais je n'en suis pas sûr. Ni que ce soit bien cela, ni que cela forme une histoire. J'ai voulu raconter deux ans de ma vie, Kotelnitch, mon grand-père, la langue russe et Sophie, espérant prendre au piège quelque chose qui m'échappe et me mine. Mais cela m'échappe toujours et me mine toujours.

Au retour de notre voyage de décembre, Camille et moi avons repris le montage du film. C'était un film désormais, et non plus un chaos d'instants épars. Ce qui s'était passé au cours de cette semaine m'avait en grande partie échappé sur le coup – parce que j'étais trop ivre, que tout allait trop vite –, mais de cette expérience brève et intense il restait les images qu'avait filmées Philippe et c'est tout naturellement que ces images se sont organisées en récit. Le film est devenu le récit du deuil d'Ania, de nos séjours successifs à Kotelnitch, de tout ce qui nous y est arrivé sans que nous puissions nous y attendre. Il y manquait seulement ce que j'avais voulu y mettre avant de partir.

Un matin, c'était encore au début du travail, Camille à qui je n'avais jamais parlé de ma berceuse est arrivée à la salle en me disant : j'ai fait un rêve. Tu sais ce que j'ai rêvé? Que tu terminais le film en chantant une chanson en russe.

J'ai ri, cela me paraissait absurde. Mais je me suis retrouvé, trois mois plus tard, à enregistrer dans un studio une dizaine de phrases évoquant brièvement et précisément le destin de mon grand-père, puis à chanter ma berceuse. Pour lui, pour Ania et son fils, pour ma mère et pour moi. C'était la fin du film et cela m'est apparu, sur le moment, comme une victoire. Quelque chose était dit, qui ne l'avait jamais été publiquement. Cet homme était nommé, pleuré et, sinon enterré, enfin déclaré mort. J'avais accompli l'exorcisme, je pouvais commencer à vivre.

À la première projection, j'ai invité mes parents. Je me suis assis juste derrière eux. Ma mère n'est pas femme à montrer ses émotions mais, pendant que défilait le générique de fin, elle s'est retournée à demi, je me suis penché vers elle, elle m'a agrippé le bras et elle a murmuré : j'ai compris, j'ai compris que tu l'avais fait pour moi. Quand les lumières se sont rallumées, il n'y avait plus trace des larmes que j'avais vu briller dans la pénombre. Elle s'était ressaisie, mon père et elle sont repartis très vite.

Ensuite, plus rien.

Depuis l'été de la nouvelle et de notre déroute, j'avais revu Sophie, quelquefois en amant fervent, quelquefois en commentateur inquiet de nos relations. J'atermoyais, comme d'habitude. Elle vivait seule depuis notre séparation, mais je savais qu'Arnaud l'attendait toujours, c'est-à-dire attendait qu'elle ait vraiment rompu avec moi. Je savais aussi qu'elle m'aimait toujours, que je l'aimais toujours, mais je ne pouvais me résoudre à lui proposer de reprendre notre vie commune. Je me méfiais de moi-même, je craignais de prendre des engagements que je ne tiendrais pas et, en lui faisant sacrifier un amour plus certain et plus droit que le mien, de la rendre malheureuse. Elle souffrait cruellement de cette hésitation étirée depuis des mois entre deux hommes, celui qui patientait sans se lasser et celui qui la faisait patienter en répétant sans se lasser non plus qu'il valait mieux ne pas se fier à lui.

Cependant, je voulais être un autre homme. Plus celui-là. J'avais terminé le film sur un geste que je pensais décisif, libérateur, et je me suis cru capable sur le terrain de l'amour d'un geste de même portée. J'ai acheté une bague, une très belle bague ancienne que, lors d'un rendez-vous annoncé par moi avec un peu de mystère, j'ai passé au doigt de Sophie en lui faisant fermer les yeux. C'était emphatique, cette emphase me plaisait. Je ne me dérobais plus, je lui demandais d'être ma femme. J'attendais qu'elle fonde en larmes, elle a fondu en larmes. Pourtant, elle ne s'est pas abandonnée entièrement. Je sentais de sa part une réticence, et je ne savais pas si la bague ne lui plaisait qu'à moitié ou si elle ne croyait qu'à moitié à mon soudain engagement. Je lui avais assez dit que sincérité et vérité sont deux choses différentes, particulièrement avec moi : je pouvais difficilement lui en vouloir de ne pas lâcher d'un coup toutes ses défenses.

Quand j'y repense, je me dis que c'était une drôle d'idée de l'emmener, ce soir-là, ce soir que je voulais être celui de nos fiançailles, voir la première d'une pièce adaptée de mon récit *L'Adversaire*. Cela devait me flatter, mais comme publicité pour l'authenticité de mes sentiments, j'aurais pu trouver mieux. Tout au long du spectacle, j'ai tenu la main de Sophie. Je sentais le contact de la bague contre mes doigts. On approchait de la fin quand il a été question d'un cadeau que Jean-Claude Romand a fait à sa maîtresse quelques jours avant de tenter de l'assassiner. Ce cadeau, c'était une bague, que j'avais décrite dans mon livre et dont le comédien a récité la description : un anneau en or blanc avec une émeraude sertie de petits diamants.

Sophie a regardé sa main.

Je l'ai regardée aussi.

La bague qu'elle avait au doigt, c'était exactement la même.

Je lui avais offert la bague de Jean-Claude Romand.

Je me demanderai toujours ce qui me l'a fait choisir. Bien sûr, je n'y pensais pas, je n'avais pas en tête ce détail de mon livre mais, comme me l'a dit Sophie après le spectacle que, glacés tous les deux, nous avons enduré jusqu'au bout : l'inconscient, ça existe. Comment soutenir le contraire ? Comment dire plus clairement qu'en lui offrant cette bague : je te demande de me croire, mais ne me crois pas, je te mens ?

Elle m'a rendu la bague. Et ce soir-là, même s'il y a eu par la suite d'autres hésitations, d'autres atermoiements que je ne raconterai pas, j'ai su que je l'avais perdue et que j'avais pour la perdre fait sans le vouloir, mais c'était encore pire qu'en le voulant, ce que je pouvais faire de plus net, de plus chirurgical.

Peu de temps après, elle est partie vivre avec Arnaud. L'année suivante, ils ont eu un enfant.

Elle n'a jamais pu lire ma nouvelle, qui jusqu'au bout sera restée lettre morte.

À l'automne, je suis retourné à Viatka pour montrer le film à ceux qui, Ania disparue, en demeuraient les seuls protagonistes. Le projet antérieur d'organiser une grande projection de fête pour les habitants de Kotelnitch n'était plus de saison : ils ne figuraient plus dans le film, ce qu'il racontait ne les regardait pas. N'étaient plus concernés désormais que Galina Serguéïevna et Sacha Kamorkine. Je redoutais leurs réactions. Celle de Galina Serguéïevna ne m'a pas surpris : elle pleurait quand sa fille paraissait sur l'écran de télévision, poussait les hauts cris quand elle se découvrait elle-même dans son désarroi, sa fureur, son ivresse. Elle m'a engueulé et béni, finalement la bénédiction l'emportait. Avec Sacha, ç'a été autre chose. Il était sobre, extrêmement attentif. Je lui traduisais de mon mieux, au fur et à mesure, les parties de dialogue et le commentaire en français, et à plusieurs reprises il a interrompu le visionnage pour me faire répéter, être sûr de bien comprendre. À la fin, il m'a dit : c'est bien. Et ce que je trouve surtout bien, c'est que tu parles de ton grand-père, de ton histoire à toi. Tu n'es pas seulement venu prendre notre malheur à nous, tu as apporté le tien. Ça, ça me plaît.

Je lui ai quelquefois parlé au téléphone, depuis. Il était le plus souvent ivre, d'humeur sentimentale et désespérée. Sa vie à Kotelnitch est misérable. Sa fille et son ex-femme sont parties vivre à Pétersbourg. Il reste seul avec son chagrin, ses cassettes de chansons françaises et ses questions sans réponse sur le passé d'Ania, qu'il n'a pas renoncé à croire mystérieux. Il travaille désormais comme auxiliaire de justice, c'est un poste subalterne et, bien qu'il ne le dise pas, je devine que les gens à qui il a affaire gardent du temps de sa puissance d'assez mauvais souvenirs pour ne jamais manquer une occasion, maintenant qu'il est à terre, de lui donner un coup de pied. Il n'a pas quarante ans mais, chaque fois qu'il a bu, il parle des choses qu'il aimerait faire avant de mourir : voir Paris, nous embrasser une dernière fois, Philippe et moi.

Quelques jours avant mes quarante-six ans, j'ai rencontré une nouvelle femme. Si j'écrivais un roman, je me serais arrangé, afin de boucler la boucle, pour que cette nouvelle femme soit un avatar plausible de Mme Fujimori, l'intrigante pièce rapportée du rêve par lequel tout a commencé, trois ans plus tôt. Mais je n'écris pas un roman et, dans la réalité, cette femme s'appelle Hélène.

Nous aussi, nous venons d'avoir un enfant. Une fille. Elle s'appelle Jeanne.

Le mercredi 19 avril 2006, François, le fils aîné de mon oncle Nicolas, s'est suicidé. Je le connaissais peu, nous ne nous étions pas vus depuis au moins quinze ans et ce que j'ai éprouvé, qui est très profond et violent, c'est moins de l'empathie pour la souffrance intolérable qui l'a fait se jeter par la fenêtre de son appartement que pour la souffrance intolérable à laquelle Nicolas fait face et va faire face jusqu'à la fin de sa vie. Je lui ai parlé au téléphone, le lendemain. Dans sa voix tremblante, coupée de sanglots, il y avait tout autre chose que du chagrin : de l'épouvante. Je me rappelle ses mots : c'est la malédiction de la famille. Hélène et moi, nous sommes des monstres. Nous n'aurions jamais dû avoir d'enfants. Elle a fait trois malheureux, j'en ai fait deux. Depuis des années, je savais qu'un de vous cinq se suiciderait, je savais que ça ne pouvait pas ne pas arriver un jour. J'avais peur que ce soit toi, c'est François qui l'a fait le premier...

Il a dit la même chose, presque mot pour mot, à ma mère, et elle se mobilise de toutes ses forces contre la vision tragique, fatale, à quoi le pousse l'excès de la douleur. Leur père ne s'est pas suicidé, dit-elle, il n'était pas suicidaire. Le suicide de François est un très grand malheur, mais il n'a rien à voir. Il était en train de se séparer de sa femme, il ne supportait pas l'éclatement de sa famille, il n'y a aucun besoin, pour expliquer son geste, de remonter à son grand-père. En répétant cela, elle si superstitieuse semble plaider contre la pensée magique et je pense, moi, qu'il ne s'agit pas de pensée magique mais d'histoire et de cheminement obscur dans l'inconscient de deux généra-

347

tions. Nous sommes malheureux tous les cinq, tous les quatre à présent, pétris de peur et de honte, hantés par un fantôme. L'ombre de notre grand-père pèse sur nous et je ne peux m'empêcher de penser, avec Nicolas, contre ma mère – ou plutôt contre ce que ma mère voudrait penser, avec une énergie d'autant plus désespérée qu'au fond d'elle-même elle pense évidemment le contraire –, je ne peux m'empêcher de penser que quand mon cousin se suicide, c'est cette ombre qui gagne.

En attendant la conclusion sans surprise de l'enquête, le corps de François est à la morgue, où Nicolas a emmené ses deux petits-enfants, qui ont onze et neuf ans. Lui qui n'a pas vu le sien tenait à ce qu'ils voient le corps de leur père mort. La tête dépasse du drap d'un côté, les pieds de l'autre, et entre les deux il y a le contour d'un corps, mais ce contour, dit Nicolas, est une fiction, une sorte de mannequin miséricordieusement bricolé par les employés de la morgue parce que le corps d'un homme qui s'écrase du treizième étage n'a plus la forme d'un corps. La mère de François et sa femme disent que son visage est paisible, mais Nicolas ne le trouve pas paisible du tout. Il dit que ce visage est le visage d'un monstre, le visage de l'adversaire contre lequel François a lutté et qui a fini par avoir le dessus.

La dernière année, il a tenu un carnet, que Nicolas déchiffre avec une patience fiévreuse. Au fil des pages, l'écriture minuscule se délite, se disloque. Et le contenu est un mélange de ratiocinations, de mégalomanie et de paranoïa qui rend pour Nicolas un son affreusement familier. Plus il se penche sur ce carnet et le compare aux lettres de son père, plus il prend conscience que quelque chose d'énorme et de terrible lui a échappé, et que cette chose énorme et terrible, c'est la folie de son fils. François était doux, François était calme, François était noble, François était aimant, François était un grand esprit et aussi François était fou. Cela veut dire qu'il y avait en lui un ennemi ricanant, cruel et monstrueux, celui qui l'a jeté par la fenêtre, celui qui lui a fait écrire avant de le faire des lettres atroces, et cet ennemi-là, dit Nicolas, c'est celui qui avait le regard de son grand-père. Ce regard fuyant et traqué, ce regard terriblement noir d'homme qui n'aimait pas la vie et que la vie n'aimait pas, ce regard qu'on lui voit sur toutes les photos sans exception, ces photos que j'ai montrées à Hélène, et elle aussi bien sûr ce regard l'a frappée, transpercée, effrayée, on ne peut pas le croiser sans avoir peur. Nicolas dit que François avait ce regard.

Maman,

Je t'écris cette lettre de Kotelnitch, où je suis retourné pour trouver le point final de ce livre. J'ai passé la journée d'hier avec Sacha, à boire, boire de midi à minuit. Il va de plus en plus mal, pourtant il s'est trouvé une nouvelle femme, jolie, douce, fine, un ange, et qui le couche chaque soir ivre mort, d'une ivresse méchante. Il la traite de pute tandis qu'elle lui délace tendrement ses chaussures avant de le mettre au lit. Je me doute que cela ne t'intéresse pas beaucoup, ce que devient Sacha, mais figure-toi que lui s'intéresse beaucoup à toi. Il t'a vue à la télévision russe, il t'admire, il aimerait s'entretenir avec toi du sort de son pays. Il voudrait que je lui donne ton numéro de téléphone, comme autrefois celui de Juliette Binoche ou de Sophie Marceau, et j'ai promis de le faire mais rassure-toi, dans les remous de l'ivresse, cette promesse a été rapidement oubliée.

Je me suis réveillé vers deux heures de l'après-midi, dans ma chambre de l'hôtel *Viatka*. Il neige. Je suis assis à la table devant la fenêtre. Ce soir, je reprends le train pour Moscou. Je sais que c'est la dernière fois, que je ne retournerai plus à Kotelnitch.

Au plus profond de la dépression où m'a plongé ce livre, j'avais pensé le finir sur le suicide de François et dire que le fantôme de ton père avait gagné. Qu'il avait eu raison de moi aussi. J'entendais, non pas sa voix que je n'ai pas connue, mais la voix écrite, la voix qui sourd de ses lettres, et cette voix me disait : tu y as cru. Tu as cru que l'amour de Sophie, la langue russe, l'enquête sur ma vie et ma mort allaient te délivrer, te permettre de solder un passé qui n'est pas le tien et qui se répète en toi d'autant plus implacablement qu'il n'est pas le tien. Mais l'amour t'a menti, tu ne parles toujours pas russe et ce qu'il y avait en moi d'irrémédiablement abîmé continue à vous abîmer, à vous tuer, mes petits-enfants, l'un après l'autre. Pas besoin de sauter par la fenêtre pour mourir, d'autres comme toi meurent très bien vivants. Il n'y a pas de délivrance pour toi. Où que tu ailles, quoi que tu fasses, l'horreur et la folie t'attendent. Tu peux gesticuler tant que tu voudras, mon petit faucon, tu n'y échapperas pas. Va-t'en filmer des trains à Kotelnitch, crois que tu écris ce livre pour en finir, passer à autre chose, vivre enfin. Crois cela, gesticule. Nous serons toujours là, ta mère et moi, avec notre malheur, pour t'écraser.

J'ai écrit quelque chose comme cela avant de repartir pour Kotelnitch, et je savais déjà que ce ne pouvait pas être le dernier mot du livre. Que ce n'est pas la vérité, en tout cas que ce n'est pas entièrement la vérité. Qu'il y a autre chose. Autre chose, c'est Hélène et Jeanne, bien sûr, c'est Gabriel et Jean-Baptiste, mais je ne suis pas capable d'écrire là-dessus. Je n'ai pas de mots pour dire la joie de passer des heures à jouer avec une petite fille de cinq mois, à approcher du sien mon visage, une fois, deux fois, dix fois, à la faire rire. Cela changera peut-être un jour, je ne sais pas, mais les mots dont je dispose ne peuvent servir à dire que le malheur.

Ils ont servi, cette fois encore. Je n'ai pas sauté par la fenêtre. J'ai écrit ce livre. Même s'il te fait du mal, tu admettras que c'est mieux.

Tu sais, il y a une chose que je me demande souvent. Tes journées sont remplies, de sept heures du matin à minuit : rendez-vous, conférences, voyages, livres à écrire et lire, petits-enfants dont tu trouves je ne sais comment le temps de t'occuper avec amour, Académie, réceptions, premières, dîners mondains, et dans cet agenda surchargé pas un seul interstice, pas un moment de solitude et de retrait. Ton esprit est sans cesse occupé et je me dis que si je faisais le quart de ce que tu fais, je tomberais d'épuisement au bout d'une semaine. Mais le soir, quand tu rentres, que tu te couches, entre le moment où tu éteins la lumière et celui où tu t'endors, à quoi penses-tu ? Un peu au tourbillon de la journée, sans doute, à celui qui t'attend le lendemain, à ce que tu vas devoir faire, dire et écrire, mais pas seulement, je ne crois pas. Alors à quoi ? À ton père, dont tu relis parfois les lettres et dont tu rêves parfois qu'il revient ? À ton fils, que tu as tellement aimé, qui t'a tellement aimée et dont tu es aujourd'hui tellement loin ? À la petite fille que tu as été, la petite Poussy, au parcours triomphal et tellement difficile de ta vie ? À ce que tu as accompli, à ce que tu as manqué ?

Je me trompe peut-être, mais je crois, Maman, que dans ces rares moments où tu es seule face à toi-même, tu souffres. Et d'une certaine façon, tu sais, cela me rassure.

C'est de cela que je voulais te parler dans cette lettre, de notre souffrance. La nuit tombe, les passants se font rares dans la rue sous ma fenêtre, le magasin d'alimentation, en face, va fermer et éteindre ses lumières, mais j'ai encore une heure devant moi. Ce que je crois, c'est que tu as dû affronter très tôt une souffrance épouvantable et que cette souffrance, ce n'est pas seulement la disparition tragique de ton père, mais tout ce qu'il était : son tourment, sa noirceur, son horreur de la vie dont il t'a fait la confidente. L'homme que tu aimais le plus au monde se voyait comme une chose irrémédiablement pourrie – ce qu'il m'arrive, à moi, de penser pour mon compte. Tu as dû porter cela. Et tu as fait, très tôt aussi, le choix de nier la souffrance. Pas seulement de la cacher et d'appliquer ce que tu dis toi-même être la maxime de ta vie, *never complain, never explain* : non, de la nier. De décider qu'elle ne devait pas exister. C'était un choix héroïque. Je trouve que tu as été héroïque. De la jeune fille pauvre et radieuse dont j'aime tant regarder les photos jusqu'à l'apothéose sociale de ces dernières années, tu as suivi ta route sans jamais en dévier, avec une détermination et un courage qui me laissent pantois, mais sur cette route, forcément, tu as fait beaucoup de dégâts. Tu t'es interdit de souffrir mais tu as interdit aussi qu'on souffre autour de toi. Or ton père a souffert, comme un damné qu'il était, et le silence sur cette souffrance, plus encore que sur sa disparition, a fait de lui un fantôme qui hante nos vies à tous. Ton frère, Nicolas, souffre. Mon père, ton mari, souffre. Je souffre, moi, et mes sœurs aussi, bien que je ne m'accorde pas ici le droit de parler en leur nom. Tu ne nous a pas niés, non, tu nous a aimés, tu as fait tout ce que tu as pu pour nous protéger, mais tu nous as dénié le droit de souffrir et notre souffrance t'entoure au point qu'il fallait bien qu'un jour quelqu'un la prenne en charge et lui donne voix.

Tu étais fière que je devienne écrivain. Il n'y a rien de mieux, à tes yeux. C'est toi qui m'as appris à lire et à aimer les livres. Mais tu n'as pas aimé la sorte d'écrivain que je suis devenu, la sorte de livres que j'ai écrits. Tu aurais voulu que je sois un écrivain comme, je ne sais pas, Erik Orsenna : un type heureux ou qui, en tout cas, le paraît. Moi aussi, j'aurais bien voulu. Je n'ai pas eu le choix. J'ai reçu en héritage l'horreur, la folie, et l'interdiction de les dire. Mais je les ai dites. C'est une victoire.

J'écris ces dernières pages et je t'imagine en train de les lire, dans quelques mois, quand ce livre paraîtra. Je me doute que ce qui précède t'a fait souffrir, mais je crois que tu as souffert encore plus pendant toutes ces années où tu savais, même si je ne t'en ai jamais rien dit, que j'étais en train de l'écrire. Nous ne nous parlions pas, ou si peu. Tu avais peur, j'avais peur aussi. Maintenant, c'est fait.

Je voudrais te raconter un souvenir d'enfance. C'était à la piscine, en vacances, au soleil. Je devais avoir cinq ou six ans, j'apprenais à nager. Le moniteur, tout en me soutenant, me faisait traverser le petit bain. Tu étais assise, toi, à l'extrémité du bassin, sur les marches, les pieds dans l'eau, et tu ne me quittais pas des yeux pendant que je prenais ma leçon. Tu portais un maillot une pièce à rayures noires et blanches. Tu étais jeune, tu étais belle, tu me souriais et je t'aimais comme, depuis, je n'ai jamais pu aimer aucune femme, aucune n'a jamais fait le poids, sauf, maintenant, ma fille. Traverser le bassin, cela voulait dire aller vers toi. Tu me regardais approcher, et moi, le menton hors de l'eau, la main du moniteur sous mon ventre, je te regardais me regarder et j'étais incroyablement fier et heureux de m'approcher de toi en nageant, d'être regardé par toi en train de nager.

C'est étrange, mais parfois, en écrivant ce livre, j'ai retrouvé cette sensation inoubliable : celle de nager vers toi, de traverser le bassin pour te rejoindre.

Il est l'heure que je parte. Je vais refermer ce carnet, éteindre la lumière, rendre la clé de la chambre. La réceptionniste qui, quand je suis arrivé hier, m'a accueilli comme une vieille connaissance, me dira certainement en riant : *da skorovo*, à bientôt, et je répondrai *da skorovo*, mais ce sera un mensonge. Pour la dernière fois, je marcherai dans les rues enneigées de Kotelnitch, jusqu'à la gare. J'attendrai dans le froid que le train arrive. Demain matin, je serai à Moscou, après-demain à Paris, auprès d'Hélène, de Jeanne, de mes garçons. Je continuerai à vivre et à me battre. Le livre est fini, maintenant. Accepte-le. Il est pour toi.